RENATO & CRISTIANE CARDOSO

CASAMENTO BLINDADO 2.0

O SEU CASAMENTO À PROVA DE DIVÓRCIO

THOMAS NELSON
BRASIL®
Rio de Janeiro, 2024

Publisher	*Omar de Souza*
Gerente editorial	*Samuel Coto*
Editor	*André Lodos Tangerino*
Assistente editorial	*Bruna Gomes*
Edição de texto	*Vanessa Lampert*
Revisão	*Gisele Múfalo*
	Davison Lampert
Diagramação	*Sonia Peticov*
Capa e projeto gráfico	*Rafael Brum*
Foto de capa	*Décio Figueiredo*

CIP—BRASIL. CATALOGAÇÃO NA FONTE
SINDICATO NACIONAL DOS EDITORES DE LIVROS, RJ

C26c
Cardoso, Renato
Casamento blindado 2.0: o seu casamento à prova de divórcio / Renato Cardoso e Cristiane Cardoso. 2ª ed. — Rio de Janeiro: Thomas Nelson Brasil, 2017.
304 p. : il.
ISBN 978-85-7860-9443

1. Casamento. 2. Relação homem-mulher. I. Cardoso, Cristiane II. Título.

17-43276 CDD: 306
CDU: 392.6

Thomas Nelson Brasil é uma marca licenciada à Vida Melhor Editora, LTDA.

Rua da Quitanda, 86, sala 601A — Centro
Rio de Janeiro — RJ — CEP 20091-005
Tel.: (21) 3175-1030
www.thomasnelson.com.br

SOBRE ESTA NOVA EDIÇÃO

Quando a esposa de Miguel, Amanda, foi embora de casa, parecia irreversível. Deprimido, ele começou a ler o livro *Casamento Blindado* dela, esquecido na estante de casa. Entendeu seus erros e se esforçou para mudar. Em pouco tempo, conseguiu corrigir seus hábitos e pensamentos. Ao vê-lo diferente, Amanda voltou para casa. Felizes, hoje participam de nossas palestras semanais e continuam colocando em prática o que aprendem. Esta é uma das milhões de histórias de relacionamentos quebrados que foram refeitos por meio deste trabalho. É uma satisfação imensa saber que contribuímos com a reconstrução de famílias.

A ideia de escrever um livro surgiu do desejo de fazer os ensinamentos do curso *Casamento Blindado* chegarem a um número ainda maior de pessoas onde quer que elas estivessem. Um livro pode lhe fazer companhia no banheiro, no intervalo do trabalho ou da escola, na fila do caixa, no ônibus, no avião, na sala de espera do dentista... Um livro seria nossa oportunidade de ajudar milhões de pessoas.

Quando lançamos a primeira edição, os dados eram alarmantes e aumentavam a cada ano. No ano anterior, os registros de divórcio no Brasil tinham batido recorde, chegando a 351.153. Uma mudança muito recente na legislação havia facilitado os divórcios, eliminando prazos e motivos. Assim, especialistas creditaram o aumento astronômico desses números à mudança de lei. No entanto, nos anos seguintes ao lançamento de *Casamento Blindado*, em vez desses números continuarem aumentando, eles finalmente começaram a diminuir. No levantamento mais recente, antes da atualização deste livro, estavam em 328.960. Gosto de pensar que o trabalho que realizamos teve impacto nessas estatísticas.

Casamento Blindado foi lançado em 2012 e alcançou o topo das listas de mais vendidos, onde permaneceu por anos. De lá para cá, já vendeu mais de 3 milhões de exemplares e todas as semanas recebemos novos relatos do que ele tem feito pelos relacionamentos. A pesquisa Retratos de Leitura no Brasil, divulgada em maio de 2016, apontou *Casamento Blindado* como o terceiro livro mais lido no país, com a Bíblia em primeiro lugar, seguida por um livro infantil em quadrinhos. *Casamento Blindado* hoje é mais que um livro, ele se tornou um movimento, uma maneira de pensar e conduzir seu relacionamento. Altera sua visão do mundo e faz com que você, vendo os resultados em sua vida, queira ajudar outros casais a se blindarem da praga do divórcio.

Por que, então, atualizar um conteúdo que ainda continua ajudando e fazendo tanto por tantas pessoas? Porque o pensamento do amor inteligente é o de nunca parar de melhorar. O número de divórcios diminuiu e o de casamentos aumentou, mas ainda estamos longe do ideal. Nos primeiros cinco anos desde o lançamento do livro, o mundo mudou muito. Algumas tendências que já tínhamos apontado na primeira edição se ampliaram e se tornaram a realidade atual: famílias mescladas, com filhos de relacionamentos anteriores; o impacto da internet nos casamentos e o avanço do movimento feminista, por exemplo.

Preparando os casais para lidarem com esta nova realidade e com o que ainda está por vir, nesta edição atualizada explicamos melhor a ordem dos relacionamentos e incluímos várias páginas de conteúdo novo — um acréscimo de 33% no texto e muito mais que isso em conteúdo. Explicamos as diferenças entre as personalidades, para ajudar os casais a se entenderem e se adaptarem melhor um ao outro; acrescentamos duas novas ferramentas, sendo uma delas especial para lidar com o estresse; expandimos o capítulo sobre sexo; também falamos mais (e melhor) sobre os papéis e necessidades básicas do homem e da mulher. Duas grandes causas de divórcios e desgaste no casamento ganharam capítulos exclusivos: dinheiro e filhos. Além disso, esta nova edição traz uma ferramenta inédita sobre redes sociais e internet para você acrescentar ao seu cinto de utilidades.

Nesses cinco anos, novas pesquisas sobre relacionamento foram feitas e comprovaram as premissas que utilizamos neste livro. Atualizamos texto, dados e referências, trazendo a você o que pode realmente ajudar em seu relacionamento. O último capítulo foi reformulado com orientações para manutenção da blindagem. Acrescentamos um checklist de manutenção periódica para que vocês se assegurem de que o casamento permaneça blindado. Todas as melhorias foram feitas com o objetivo de dar a você ainda mais recursos para blindar seu relacionamento.

Este livro não vai transformar vocês em um casal perfeito. Não existe casal perfeito. Existe, sim, casal habilitado para lidar com as imperfeições, com as dificuldades do dia a dia — e é exatamente o que este livro pode fazer por você, se aplicar o que ensinamos aqui: habilitá-lo a lidar com as dificuldades e vencer desafios. Em um casamento blindado, os problemas se reduzem até praticamente desaparecerem. Mas novas situações surgem com o passar do tempo e testam a estabilidade do relacionamento: uma perda na família, um problema de saúde, a chegada de um filho, uma mudança radical na vida financeira (para melhor ou pior), novas amizades, enfim, você nunca pode deixar de investir na relação, por melhor que esteja.

Tudo o que tem valor, deve ser protegido. Assim como você protege seus bens mais valiosos, deve proteger o seu casamento. Por isso, este livro é tanto para quem ainda não leu *Casamento Blindado* quanto para quem já leu. Se você já leu a primeira edição deste livro, aproveite para reler nesta versão atualizada. Além de resgatar o que leu, você terá muito mais recursos para levar seu casamento a uma nova etapa muito mais feliz. E quando percebe esse método funcionando na sua vida, se torna divulgador do amor inteligente. Você fica mais atento aos casais ao seu redor. Quando alguém demonstra alguma dificuldade, você compartilha o que tem aprendido. Você se alegra quando vê um casal ser ajudado com os conselhos que deu. Você conversa com seus filhos a respeito. Você pergunta ao casal de noivos se já blindaram o casamento.

É o movimento Casamento Blindado. Gente inteligente praticando e espalhando o amor inteligente.

Seja bem-vindo a esse movimento.

A todos os casais que valorizam seu casamento o suficiente para blindá-lo.
E aos solteiros inteligentes, que sabem que a prevenção é melhor que a cura.

SUMÁRIO

"DEFENSE! DEFENSE!"

Por: Oscar Schmidt

É provável que sua expectativa, ao começar a ler este texto, seja a de encontrar várias referências ao basquete, esporte que me proporcionou muitas conquistas, lutas, alegrias, conflitos e recompensas. Bem, para ser franco, quero falar sobre outra área de minha vida que também me proporcionou muitas conquistas, lutas, alegrias, conflitos e recompensas, porém muito mais profundas e marcantes: meu casamento. E, para ser mais franco ainda: se não fosse pela solidez de minha união com Cristina, é possível que eu tivesse bem menos para falar até no que se refere à minha carreira como atleta.

Cristina e eu nos casamos há mais de trinta anos, e nos conhecemos há quase quatro décadas. Sei que a frase é meio lugar-comum, mas não posso evitar e tenho certeza de que você vai concordar: é uma vida inteira juntos. E imagine quanta coisa acontece no percurso de uma vida. Dias de sol, agradáveis, clima gostoso, mas também dias de chuva e até de tempestade. Só mesmo um relacionamento muito bem fundamentado para resistir quando bate aquela ventania que destelha tudo.

Se fosse há quarenta anos, quando eu era muito mais ingênuo (só faltava acreditar em coelhinho da Páscoa), podia dizer que basta o amor para resolver todos os problemas em um casamento. É claro que ele é um elemento fundamental para qualquer união, nenhum casal consegue ficar junto e feliz se o amor não existir, mas posso garantir a você que há muitas outras coisas envolvidas no casamento.

Só isso para explicar como uma pessoa como minha esposa, Cristina, consegue abrir mão de um diploma universitário, faltando apenas três meses para se formar, e se mudar comigo para a Europa, onde fui jogar seis meses depois de nosso casamento. Foi ela, aliás, quem segurou a barra naquelas primeiras semanas, quando o time em que eu jogava começou mal o campeonato. Não importava quanto eu tivesse de treinar ou de me concentrar mais, Cristina nunca deixava a bola cair lá em casa. Sem ela, eu talvez desistisse. Com ela, voltei de lá vitorioso, anos depois.

No basquete (tá bom, acabei falando do basquete), um time que se preza só consegue um bom resultado quando todos se preocupam com todos. Quem faz a cesta volta também para marcar, para proteger o restante da equipe. Nos Estados Unidos, as torcidas gritam: "Defense! Defense!". E descobri que funciona de um jeito muito parecido no casamento. Quem ama avança, progride, conquista, mas também se preocupa em proteger não só o cônjuge, mas a própria união. Já deixei de dar carona para muitas fãs por respeito à Cristina. Não era só uma questão de preservá-la de um constrangimento. Era também uma questão de preservar nossa união, nosso amor, nosso relacionamento.

É por isso que fiquei muito feliz com o convite para prefaciar o livro de Renato e Cristiane Cardoso. Já li alguns livros sobre casamento, ouvi falar de outros, mas é a primeira vez que encontro um que vai ao cerne da questão: quem ama de verdade blinda o casamento. E blindar é isso mesmo, colocar todas as defesas em funcionamento para evitar que qualquer coisa comprometa a relação. Isso inclui não só os ataques externos, mas também os internos, como as picuinhas por bobagens, as crises (e não tem jeito, elas sempre aparecem), a falta de humildade para saber a hora certa de ceder por amor (assim como *bater o pé* por amor), a incapacidade de se adaptar às virtudes e aos defeitos do outro, as chantagens e os joguinhos emocionais... Uma lista imensa.

Renato e Cristiane aprenderam isso depois de anos de aconselhamento com muitos casais, mas a melhor formação que tiveram foi a própria escola da vida. Foi assim que descobriram o poder dà blindagem, que se torna muito mais forte e sólida quando se baseia em princípios e valores cristãos. E agora eles compartilham essas experiências e orientações neste livro. É uma oportunidade espetacular tanto para quem acha que seu casamento está vulnerável, e precisa de um escudo, quanto para aqueles que já blindaram sua união e sabem como é importante reforçar a proteção. Leia e blinde seu casamento também.

Oscar Schmidt

Maior jogador de basquete brasileiro de todos os tempos,
é casado com Cristina e pai de Felipe e Stephanie.

É POSSÍVEL RESGATAR O AMOR?

Ninguém se casa por ódio. Até hoje não encontrei alguém que tenha pedido outra pessoa em casamento dizendo: "Eu te odeio! Quer casar comigo?". A princípio, as pessoas se casam por amor. Porém, o índice de divórcios no Brasil aumentou mais de 160% em dez anos. As uniões estão durando cada vez menos. A maior parte dos divórcios hoje acontece entre apenas 5 e 9 anos após o casamento. Isso mostra que o "amor" que une as pessoas não tem sido suficiente para manter o casamento. Imaginar que o amor que vocês têm um pelo outro poderá não ser suficiente na hora da crise é assustador, não é mesmo?

O problema não tem sido a falta de amor, mas sim a falta de ferramentas para resolver os problemas inerentes ao *viver a dois*. As pessoas entram no casamento com praticamente zero de habilidade em resolver problemas de convivência. Por alguma razão, isso não tem sido ensinado em lugar algum — não com a clareza e praticidade necessárias. Antigamente, esse ensino vinha dos pais. Quando os casamentos eram mais sólidos e exemplares, os filhos tinham nos pais um modelo natural de como se comportar em um relacionamento. Atualmente, os pais muitas vezes são um exemplo do que *não* fazer...

Temos outro grande problema: a ignorância sobre o que é o amor. Já ouvi muitas vezes de maridos e esposas frustrados: "O amor acabou. Não sinto mais o que sentia". Outros dizem que o casamento foi um erro, que se casaram com a pessoa errada, se precipitaram, ou se viram forçados a casar pelas circunstâncias, como no caso de gravidez indesejada. Porém, na verdade, há muito mais gente infeliz no casamento porque *faz o que é errado* do que por ter *casado com a pessoa errada*. As pessoas fazem tantas coisas erradas no relacionamento e acumulam tantos problemas, sem nunca os resolver, que o amor fica sufocado, esmagado e sem forças — isso quando não morre antes de nascer. Os sentimentos bons acabam dando lugar ao rancor, à indiferença e até mesmo ao ódio.

Mas é possível resgatar o amor e até mesmo aprender a amar alguém que você nunca amou. Note o que eu disse: é possível aprender a amar. O primeiro passo é saber que a única maneira de se amar uma pessoa é conhecer mais a respeito dela.

Muitos pensam, erroneamente, que amor é um sentimento. Amor produz sentimentos bons, sim, mas não é um sentimento em si. Se você vê uma pessoa pela primeira vez e sente algo bom por ela, mas depois não aprende a amá-la por quem ela é, aquele "amor à primeira vista" não permanecerá. Amar não é sentir. Amar é conhecer a outra pessoa, admirar o que você conhece dela e olhar seus defeitos positivamente. Se nos dedicarmos, podemos aprender a amar praticamente qualquer pessoa ou coisa.

Considere o caso de Dian Fossey, por exemplo. Na sepultura dela lê-se o epitáfio: "No one loved gorillas more" (Ninguém amou mais os gorilas). Dian foi uma zoologista americana, famosa e respeitada por seus estudos sobre os gorilas da África Central. Por muitos anos, até ser morta por caçadores ilegais, Dian viveu entre os gorilas nas montanhas de Ruanda. Morava em uma cabana de madeira, em condições primitivas, e dedicou mais de 18 anos de vida aos animais, a quem amava mais que tudo na vida. Como foi que Dian começou a amar os gorilas?

Aos 31 anos, quando fez um safári na África, Dian teve o primeiro encontro com os gorilas e os estudos de conservacionistas que trabalhavam pela preservação dos primatas. Ali começou a descobrir mais sobre a espécie, seu comportamento, como se comunicam, seus hábitos, sua dieta, a ameaça de extinção e muito mais. Dian foi responsável por desbancar a imagem que os gorilas tinham desde que o filme *King Kong* os pintou como animais agressivos e selvagens. Seus estudos mostraram que, na realidade, são "animais pacíficos, gentis, muito sociais e com fortes laços familiares" — colocando-os, assim, bem à frente de muitos homens...

Meu argumento é que ela *aprendeu* a amar os gorilas. Qualquer pessoa que ama algo ou alguém começou a amar pelo conhecimento obtido sobre o alvo do seu amor. Há os que amam os animais, outros, as estrelas e astros, outros, soldadinhos de chumbo, outros, arquitetura... Mas todos começaram a amar a partir do estudo, do aprendizado, do conhecimento daquilo ou daqueles que amam. Ninguém ama o que não conhece.

Infelizmente, muitos casais nunca aprenderam a se amar. Eles se uniram devido a um sentimento, uma paixão ou outra circunstância, mas não aprenderam a estudar, conhecer um ao outro e descobrir o que faz o outro feliz. Quando você não conhece bem a outra pessoa é impossível amá-la. Você não sabe o que lhe agrada ou irrita, quais são seus sonhos e suas lutas, nem o que ela pensa. Por esse motivo, provavelmente cometerá muitos erros no relacionamento, provocando inúmeros problemas. Esses problemas os afastarão, ainda que vocês sejam casados e tenham se apaixonado um dia.

Se você tem se perguntado:

- Será que ainda amo meu marido/esposa?
- Será que casei com a pessoa errada?
- Por que meu parceiro é frio comigo?
- Por que nos amamos, mas não conseguimos ficar juntos?
- Como posso ter certeza de que meu casamento vai durar?
- Como conviver com uma pessoa tão difícil?
- Por que nossos problemas vão e voltam piores?
- Casamento é só tristeza ou um dia vou ter alegria?
- O amor entre nós acabou, o que eu faço?
- Fui traído/traída, é possível restaurar a confiança?
- Será que meu casamento ainda tem jeito?

Anime-se! Você vai começar a aprender o amor inteligente e como ser feliz com seu cônjuge, ainda que ele (ou ela) seja um King Kong...

O PRINCÍPIO DE TUDO

Cristiane e eu nos casamos em 1991 e temos um filho já adulto. Eu vim de um lar desfeito pela traição e pelo divórcio. Meus pais foram a razão de uma reviravolta que aconteceu em minha vida quando eu tinha treze anos. Nessa época, uma série de acontecimentos causou a separação deles, que foi muito traumática para mim. Senti como se o mundo tivesse caído sobre a minha cabeça.

Considerava meu pai o meu herói, mas quando tomei conhecimento de que ele havia traído a minha mãe, entrei em desespero. Passei a questionar o porquê de tudo aquilo. Queria a morte. Levado por esse sofrimento, conheci a fé e me converti ao Senhor Jesus. Mais tarde, essa fé também alcançou meus pais e eles, depois de muitos anos de sofrimento, tiveram suas vidas restauradas. Não aprendi a fé religiosa, mas uma que me serve para resolver problemas. Por essa razão, decidi dedicar minha vida a compartilhar o que aprendi, para ajudar pessoas a vencer suas dificuldades. Eu não podia guardar comigo aquilo que literalmente salvou a minha vida e a dos meus pais.

Mais tarde, me casei com a Cristiane. Sendo ela filha de pastor, compartilhava os mesmos objetivos. Tínhamos tudo para ter um casamento sem conflitos, mas não foi tão fácil assim. Enfrentamos muitos problemas, dos quais falaremos adiante, no decorrer do livro.

Fortalecer casamentos, educar casais e solteiros e lutar para que menos casamentos acabem em divórcio se tornou uma missão em minha vida. Hoje eu sei que a dor que senti na minha adolescência com a separação dos meus pais, e mais tarde no meu casamento, poderia ter sido evitada. Se eles tivessem tido acesso à informação que você vai ter neste livro, não teriam passado por tudo aquilo. Se Cristiane e eu soubéssemos antes de nos casarmos o que você vai ler aqui, não teríamos feito um ao outro sofrer.

Infelizmente, as pessoas sofrem por falta de conhecimento. Hoje em dia existem escolas para todo tipo de formação, mas não para casamento. Mesmo no meio cristão, há muita teoria sobre o que é amor, namoro e casamento, mas, na prática, as pessoas não sabem como agir. Os conhecimentos úteis e a educação matrimonial são raros. Por isso, eis a dupla razão de nos dedicarmos a transmitir esses conhecimentos aos casais: (1) para que noivos e recém-casados evitem cometer os erros que podem comprometer o relacionamento, e (2) para que os que já estão em um casamento conturbado saibam como resolver os problemas e viver felizes.

Cristiane e eu falamos a partir das experiências pessoais em nosso casamento e também de anos de aconselhamento de casais. Como parte de nosso trabalho em quatro continentes, já aconselhamos milhares de casais, desde adolescentes até sexagenários (parece que depois dos setenta os casais se dão conta de que a vida é muito curta para ficar brigando...). E devido à demanda, nosso trabalho com casais tem se acentuado muito nos últimos anos.

No final de 2007, fomos trabalhar no Texas, nos Estados Unidos. Foi ali que nasceu o curso "Casamento Blindado", que deu origem a este livro. Ali, vimos a necessidade de compartilhar nossas experiências por este fato alarmante: a cada dez casamentos, quase seis acabavam em divórcio.

Os casais americanos que nos procuravam já tinham passado por vários relacionamentos e continuavam com problemas. Muitos já estavam no terceiro, quarto, até quinto casamento e claramente não estavam aprendendo nada com a troca de parceiros. Nos vimos na obrigação de ajudá-los, de passar para eles o que aprendemos. Com os resultados, percebemos que, apesar de sabermos que nossas experiências e ensinamentos não são a descoberta da pólvora, eles têm sido um poder transformador na vida de muitos casais.

Creio que isso se deve à combinação única dos fatores que reunimos: (1) experiência pessoal, (2) experiência com milhares de casais em quatro continentes e (3) o uso da inteligência espiritual. Deixe-me explicar brevemente este terceiro fator.

O casamento foi ideia de Deus. Foi Ele quem decidiu que o homem e a mulher seriam "uma só carne". Além disso, a Bíblia diz que "Deus é amor[1]", portanto, se queremos o melhor funcionamento da vida a dois, é

---

[1] 1 João 4:8.

inteligente voltarmos às origens, onde tudo começou, e à Fonte do amor. Por isso os ensinamentos que passamos são fundamentados na inteligência de Deus, naquilo que Ele determinou que funciona. Não quer dizer que este livro tenha por objetivo convertê-lo, caso você não seja um cristão. Não vamos tampouco ficar falando da Bíblia a todo o tempo, ainda que algumas vezes inevitavelmente façamos referência a ela. Mas quero abertamente aqui dizer: sem a base dos princípios determinados por Deus para um bom casamento, seus esforços em construir um serão em vão. Temos visto que os casais que têm abraçado esse fato são os mais felizes e bem-sucedidos em seus esforços de restaurar e manter seus casamentos.

Um fator adicional do grande sucesso de nossos ensinamentos é que nós focamos nossa ajuda em dois pontos principais: resolver os problemas e prevenir que aconteçam de novo. A maioria dos problemas matrimoniais é recorrente, portanto, não basta você saber resolver o problema de hoje, é preciso cortar o mal pela raiz para que ele não surja de novo lá na frente.

Estamos convictos, absolutamente certos de que se você ler este livro com uma mente aberta e estiver disposto a pelo menos tentar aplicar as ferramentas que vamos lhe ensinar, terá um casamento sólido e muito feliz. Lembre-se: da prática vêm os resultados.

Importante: Alguns capítulos terminam com uma sugestão de tarefa, para que você coloque em prática o que aprendeu. Não subestime o poder de executar esses exercícios. Cremos que, se você vai ler este livro, é para ver resultados, e estes só vêm quando você coloca à prova o que aprendeu. É tão sério que o convidamos a tornar seu esforço público.

Se você está em uma rede social, compartilhe seu comprometimento com cada tarefa para que outros o motivem na sua jornada. Que tal começar agora? Poste na página fb.com/CasamentoBlindado para que possamos acompanhar seu progresso (temos também vídeos lá para ajudar você nas tarefas... confira!). No Instagram, não esqueça de marcar @CasamentoBlindadoOficial e no Twitter, @CasamentoBlind e a hashtag #casamentoblindado!

COMPARTILHE SEU COMPROMISSO, POSTANDO:

Começo hoje a blindar meu casamento. #casamentoblindado

PARTE I
ENTENDENDO
O CASAMENTO

CAPÍTULO 1
POR QUE BLINDAR SEU CASAMENTO?

Ano passado, quando uma jornalista australiana e seu noivo se casaram ao ar livre, em um lindo jardim, fizeram questão de manter aquele ar de liberdade também na relação: retiraram o "até que a morte nos separe" de seus votos de casamento. "Prometer um ao outro que será para sempre apenas coloca pressão sobre o casamento", disse a noiva. O casal ganhou notoriedade na mídia e justificou: "Nenhum outro contrato que fazemos na vida dura para sempre. Por que seria diferente com o casamento?" Quando publicamos este livro pela primeira vez, os jornais já noticiavam uma novidade alarmante: deputados mexicanos, preocupados com o aumento de divórcios no país, propuseram a lei do casamento renovável. Eles acreditavam ter criado a solução ideal para evitar graves crises conjugais, traições e todos os desgastes do divórcio. A cada dois anos, o casal poderia avaliar a relação e decidir se queria continuar junto e renovar o casamento, ou desistir e seguir cada um para o seu lado. Além da assinatura de um contrato temporário, a proposta previa ainda que os noivos planejassem o futuro divórcio. Para isso, decidiriam, antes de casar, quem ficaria com a guarda dos filhos e quanto cada um pagaria de pensão alimentícia em caso de separação. A proposta ainda tramitava no Congresso, com apoio dos mexicanos que queriam acabar com os altos custos das separações e das pensões alimentícias.

De lá para cá, mesmo antes dessa proposta mexicana sequer ser votada, a ideia do casamento renovável começou a ganhar adeptos de modo informal, principalmente entre a nova geração. Uma pesquisa feita pela USA Network mostrou que quase metade dos jovens consultados era favorável à ideia de Casamento Beta. Um produto em versão beta é aquele que ainda está em fase de testes, mas é lançado para que, durante o uso, os usuários identifiquem e reportem problemas que os desenvolvedores irão corrigir para as próximas versões.

No Casamento Beta, a proposta não é corrigir o relacionamento, mas sim testá-lo por um período de dois anos e, ao final, formalizá-lo ou dissolvê-lo. Outra sugestão bem votada na mesma pesquisa foi a concessão de licenças de casamento para cinco, sete, dez anos ou mais. Assim que a licença expirasse, os termos do contrato seriam renegociados.

Essas ideias têm sido vendidas como saídas modernas para um produto que tem dado cada vez mais problemas com os quais as pessoas não sabem — ou não querem — lidar. Parece simples. Não deu certo? Troca por outro. Como um celular. Por que manter algo que parece não estar funcionando? Em nossa sociedade consumista, o conceito de consertar alguma coisa que não tem funcionado muito bem parece ter saído de moda — e isso tem se estendido aos relacionamentos.

Não quero ser um portador de más notícias, mas aqui está um fato: o casamento como instituição está falindo sob pesados ataques de várias forças na sociedade. O que tem acontecido é um movimento global para substituir o casamento por qualquer outra coisa. Não conheço nem um só caso de algum país, alguma cultura ou sociedade no mundo em que o casamento esteja sendo fortalecido, nem mesmo nas culturas tradicionais e altamente religiosas. Nos Estados Unidos, o grande ditador da cultura para o restante do mundo, a maioria dos filhos de mulheres de até trinta anos já nasce fora do casamento. Renomados sociólogos americanos também já argumentam que a figura do pai não é necessária em uma família.

Dá para perceber para onde estamos caminhando?

Mesmo onde os índices de divórcio publicados são mais baixos, eles apenas escondem a realidade: menos pessoas estão se casando, pois optam pela "união estável" e, por esse motivo, quando se separam não é registrado como divórcio; e muitos dos que se mantêm na relação — por falta de opção ou fortes pressões religiosas — seguem infelizes.

Quando vejo essa realidade, fico pensando em como as coisas estarão daqui a dez ou vinte anos. Será que a extinção do casamento terá sido consumada? Será que as pessoas ainda acreditarão que casamento por toda a vida é possível? Serão os conceitos de fidelidade conjugal e lealdade a uma só pessoa coisas apenas de museu e filmes históricos?

Aqui vai um alerta aos que ainda não despertaram: *As forças da sociedade conspiram contra o casamento e a família — e seus ataques estão cada vez mais fortes.*

A METAMORFOSE DO CASAMENTO

A mídia em geral (filmes, novelas, internet, livros etc.), a cultura, a política, as leis, as celebridades, o ensino nas escolas e universidades — enfim, todos os maiores poderes de influência na sociedade — estão se tornando (ou já são) predominantemente anticasamento.

O que isso significa na prática?

- O número de casamentos diminuirá consideravelmente;
- A "união livre" ou "estável", marcada por um conceito de que o compromisso duradouro e absoluto não é possível, será mais e mais comum;
- Infidelidade e traições aumentarão (sim, ainda mais) e se tornarão mais perdoáveis;
- Encontros casuais com terceiros apenas para fins de sexo serão mais aceitos;
- Homens e mulheres se tornarão ainda mais predadores;
- O homem passará a ser dispensável para mulheres, que se verão mais independentes;
- Mulheres oscilarão entre a descrença total no amor (e nos homens) e a busca pela felicidade, à custa de sua própria desvalorização.

Note: tudo o que foi citado anteriormente JÁ ESTÁ acontecendo em nossa sociedade. É a metamorfose do casamento, e o tempo apenas continuará acelerando esse processo.

Talvez você não possa fazer nada para reverter essa situação no mundo. Mas no *seu* mundo, no *seu* casamento, você pode e deve. Não é uma questão de se o seu relacionamento poderá ser atacado, mas sim de quando. A pergunta é: você saberá como protegê-lo dos ataques quando eles vierem — se é que já não estão acontecendo?

CASAMENTO NA ERA DO FACEBOOK

Novos desafios, como, por exemplo, a internet, as redes sociais, as tecnologias de comunicação como SMS e WhatsApp, aplicativos de relacionamento, a proliferação da pornografia, a cultura anticasamento, a facilitação do divórcio e o avanço da mulher na sociedade são apenas alguns fenômenos recentes que afetam os casais no século 21. E muitos não estão preparados para lidar com esses novos desafios. Os casais de hoje estão enfrentando uma nova realidade, um mundo que seus pais não conheceram — aliás, nenhuma geração antes desta conheceu.

Pergunte à sua avó quais sinais ela procuraria para detectar se o marido estava tendo um caso, e provavelmente ela vai dizer que ficaria atenta a manchas de batom na roupa dele, cheiro de perfume de mulher e coisas do tipo. Hoje em dia, trair o parceiro está muito mais fácil, não é necessário sair de casa. Entre WhatsApp, sites e aplicativos específicos para encontros, a infidelidade tem se tornado cada vez mais comum e acessível. É claro, assim como trair ficou mais fácil, também ficou mais fácil descobrir — e provar. Por isso, as redes sociais e aplicativos facilitadores têm sido cada vez mais citados como motivo de divórcio.

Mark Zuckerberg, criador do Facebook, já é um dos maiores destruidores de lares na Grã-Bretanha. Segundo estudo divulgado pelo site especializado em divórcios *Divorce-Online*, o Facebook é citado como motivo de uma em cada três separações no país. Cerca de 1.700 dos 5 mil casos mencionaram que mensagens inadequadas para pessoas do sexo oposto e comentários de ex-namoradas(os) no Facebook foram causas de problemas no casamento. Em 2011, a Associação Americana dos Advogados Matrimoniais (American Academy of Matrimonial Lawyers) divulgou que o Facebook era citado em um de cada cinco divórcios. Dois anos depois, um estudo demonstrou que o uso excessivo do Facebook é prejudicial ao relacionamento, podendo levar a conflitos, traições, separações e até divórcio.

Para se ter uma ideia da gravidade da situação, foi lançada no Brasil uma rede social exclusiva para pessoas casadas que "vivem em um casamento sem sexo e querem encontrar outras pessoas na mesma situação". Homens e mulheres comprometidos são o alvo do site, que facilita uma "maneira discreta de ter um caso". Em menos de seis meses, o site já tinha mais de trezentos mil usuários no país, fazendo do Brasil o segundo em número de usuários, atrás somente dos Estados Unidos, onde o site já existia há alguns anos. O serviço oferece conta de e-mail privada e cobrança por cartão de crédito que não aparece com nome suspeito no extrato — tudo para facilitar os encontros casuais para sexo, sem deixar vestígios para o parceiro traído. O slogan do site é: "O verdadeiro segredo para um casamento duradouro é a infidelidade".

Chocante? Isso é consequência natural da cultura anticasamento que o mundo tem abraçado. Mas não para por aí.

Antigamente, o casamento era a principal fonte de satisfação sexual das pessoas. Hoje, a pornografia está preenchendo esta demanda cada vez mais, fora e também dentro do casamento. Mais filmes pornográficos são feitos no mundo do que de qualquer outro gênero, de longe. Para ter uma ideia, Hollywood lança cerca de 700 filmes por ano para o público em geral. Já a indústria pornográfica produz anualmente mais de 10.000 filmes. E com a internet, este conteúdo chega na maioria das vezes gratuitamente na tela de um celular ou computador. A receita mundial da indústria pornográfica se reduziu 50% por conta da pornografia disponível de forma gratuita na web.

Quase sete em cada dez jovens adultos do sexo masculino recorrem à pornografia pelo menos uma vez na semana. As mulheres também, antes mais constrangidas com esse tipo de atividade, têm buscado cada vez mais a pornografia, muitas para tentar agradar o parceiro. "Ah, mas graças a Deus somos cristãos e isso não nos afeta." Não se precipite.

Uma pesquisa entre cristãos nos EUA revelou que 64% dos homens e 15% das mulheres assistiam a conteúdos pornográficos pelo menos uma vez por mês. Outra afirma que dois em cada três cristãos usuários de pornografia sequer se sentem culpados. Já uma pesquisa feita somente entre pastores revelou que 54% deles tinham visto pornografia nos últimos doze meses e 30% nos últimos trinta dias. Quem está imune?

HOMEM *VS.* MULHER — A BATALHA FINAL

Os homens, pela primeira vez na história da espécie, estão se sentindo deslocados e perdidos dentro do casamento. Com o avanço da mulher em quase todas as áreas da sociedade, ela se tornou sua concorrente em vez de ter o tradicional papel de auxiliadora. O homem, que era o exclusivo caçador, provedor e protetor da família, agora vê o seu papel dividido — e muitas vezes suplantado — pela mulher. Ela se tornou caçadora também.

A maioria das mulheres em um relacionamento atualmente trabalha e contribui no orçamento familiar. Em muitos casos, a mulher até ganha mais do que o marido, e esta tendência deve aumentar, considerando que em muitas faculdades do país já há mais mulheres estudantes do que homens.

O que isso tem causado no casamento? Eis algumas consequências: a mulher tem se tornado mais independente do homem, menos tolerante com as peculiaridades masculinas, tem tomado decisões sem consultá-lo e "batido de frente" com ele; o homem, na tentativa de agradar a mulher, tem se tornado mais sensível, retraído na sua posição no casamento, se sentido desrespeitado pela mulher e às vezes descartável. Ou seja, a mulher tem se tornado mais como o homem e o homem mais como a mulher. Bagunça e confusão total de papéis.

E não é só no campo de trabalho que a mulher avança e compete mais com o homem. Um estudo da Universidade de São Paulo revelou um dado preocupante para os homens casados. A traição feminina está crescendo assustadoramente e, quanto mais jovens, mais elas traem. Das 8.200 mulheres entrevistadas em dez capitais do país, apenas 22% das mulheres acima de setenta anos confessaram ter tido alguma relação extraconjugal. O índice sobe para 35% para as mulheres entre 41 e 50 anos e atinge o pico de 49,5% entre as de 18 a 25 anos. Ou seja, metade das jovens casadas trai o marido. A saída da mulher de simples dona de casa para um papel mais ativo na sociedade, na faculdade, no trabalho etc., a tem colocado em situação propícia à traição.

Some-se a tudo isso o fluxo constante de mensagens diretas e subliminares em nossas mídias atacando as bases do casamento. Novelas, filmes, revistas, blogs, notícias, moda, música, grupos e festas "culturais"... todos os canhões apontados e atirando sem trégua: Para que casar? Um pedaço de papel não vai fazer diferença... Pega, mas não se apega... Se não der certo, divorcie e case com outro... Homem e mulher é tudo igual... Não existe amor, amor é fantasia. Casamento é uma prisão... Como pode aguentar a mesma pessoa vinte, trinta, cinquenta anos? Nah, casamento é coisa do passado...

A cada dia, um novo argumento derrogatório e anticasamento é criado.

Se você preza o seu relacionamento e não quer se tornar mais uma estatística, blindar seu casamento é fundamental para sua sobrevivência. É hora de defender e proteger o seu maior investimento, antes que seja tarde demais. Vamos à luta.

TAREFA

Quais perigos ameaçam o seu casamento atualmente? Identifique essas ameaças para ter em mente que áreas de seu casamento você precisará fortalecer com maior urgência.

Espere! Antes de escrever sua tarefa aqui, pense se talvez vai querer emprestar ou dar este livro para alguém depois de lê-lo. Acho que você não vai querer que outros saibam de suas reflexões e das lutas que existem no seu casamento... Então, uma sugestão é anotar suas tarefas em outro lugar, como uma agenda, diário, ou mesmo no seu computador. Faça o que achar melhor, só achei que gostaria de considerar isso.

POSTE:
Identifiquei as atuais ameaças ao meu casamento. #casamentoblindado

No Facebook: fb.com/CasamentoBlindado
No Instagram: @CasamentoBlindadoOficial
No Twitter: @CasamentoBlind

CAPÍTULO 2
É MAIS EMBAIXO

Se eu fosse uma mosca na parede da sua sala ou de seu quarto quando você e seu cônjuge estivessem discutindo algum problema, o que eu veria? Talvez uma frieza no falar, grosserias, um tom de raiva nas palavras, irritação, um interrompendo o outro, acusações, críticas e coisas assim. Em um dia vocês discordam sobre a disciplina dos filhos, em outro dia sobre o porquê de o marido aceitar uma ex-namorada no Facebook dele, em outro sobre a interferência da sogra no casamento. A questão é que o verdadeiro problema não é aquilo que você vê. O problema é mais embaixo.

O marido tem um vício, por exemplo. A esposa o vê praticando aquele vício e pensa que aquilo é o problema. Ela se irrita, o critica, tenta conversar e pedir para ele mudar, mas nada muda. Por quê? Porque o vício não é o problema. Há uma raiz, algo mais profundo que causa aquele vício. Ela não sabe o que é, possivelmente nem ele. Mas os dois discutem em círculos sobre aquilo que veem.

Os problemas visíveis são apenas como folhas, galhos e troncos de uma árvore. Já as verdadeiras causas são menos aparentes, difíceis de detectar e entender. Porém, a única razão dos problemas visíveis existirem é a raiz que os alimenta. Se não houvesse raiz, a árvore não existiria.

Quando descobrir a raiz dos problemas no relacionamento, entenderá por que vocês dois fazem o que fazem. A luta contra as folhas e os galhos dos problemas diminuirá — e muito —, bem como será amenizado o ambiente desagradável que costuma se formar entre vocês. A eliminação de apenas uma raiz ruim resultará em muitos problemas solucionados de uma só vez — e de forma permanente! Tal é o poder da mudança de foco. Saber focar a atenção e a energia no verdadeiro problema pode transformar seu casamento, pois tudo, inclusive nosso comportamento, depende de como olhamos, para onde olhamos e como interpretamos o que olhamos.

Stephen Covey menciona um acontecimento em sua vida que lhe ensinou a importância disso.

Ele conta que um dia estava no metrô, sentado, e calmamente lia o jornal. O vagão não estava cheio, tudo estava calmo e havia alguns assentos vazios. Na parada em uma das estações, entrou um pai com dois filhos muito travessos e se sentou ao lado dele. Os garotos não paravam. Pulavam, corriam para lá e para cá, falavam alto e imediatamente tiraram a paz de todos no vagão. O pai, sentado e com os olhos fechados, parecia não ligar para o que estava acontecendo. Covey, então, não resistiu à indiferença do pai e, irritado, virou-se para ele e perguntou por que não fazia alguma coisa para controlar os filhos. O pai, parecendo notar a situação pela primeira vez, respondeu: "É verdade, desculpe-me. Saímos agora do hospital onde a mãe deles acabou de falecer. Eu não sei o que fazer e parece que eles também não...". Covey se desculpou e passou a consolar o homem. Imediatamente, toda a sua irritação contra o pai e as crianças desapareceu e deu lugar à empatia.

Mas o que transformou o comportamento do antes irritado Covey? Foi a maneira como ele passou a olhar a situação. Antes da informação dada pelo pai, Covey apenas olhava a cena pelas lentes de seus valores e princípios. "Como pode um pai permitir que os filhos sejam tão mal-educados? Se fossem *meus* filhos..." Mas depois da informação, sua maneira de ver mudou tudo. Note que não houve alteração nas pessoas: as crianças não pararam de se comportar mal, nem o pai fez nada para controlá-las. Apenas a ótica da situação mudou e, com ela, o comportamento de Covey.

Assim também é no casamento. Julgamos o outro, exigimos que ele mude, pois o vemos pelas lentes de nossas próprias experiências, valores e conceitos. Mas todo esse conflito acontece porque não entendemos nem atentamos para o que realmente está por trás de cada situação. Por isso, uma das primeiras atitudes que você deve tomar para transformar a realidade do seu casamento é mudar a sua ótica — para onde você olha, como olha e como interpreta o que vê. O desafio é saber para onde olhar, pois nem sempre a raiz é tão fácil de identificar assim. Deixe-me ajudá-lo usando outra analogia.

UMA SÓ CARNE, DOIS CONJUNTOS DE PROBLEMAS

Quando duas pessoas se casam, ambos trazem para o relacionamento seus problemas e questões pessoais. O que você não vê no convite de casamento perolado são coisas como:

"João — viciado em pornografia, sofreu muito com bullying quando criança, extremamente inseguro — vai se casar com Maria — que foi abusada na infância, uma bomba-relógio ambulante, disposta a qualquer coisa para sair da casa dos pais."

O histórico dos noivos não vem escrito no convite de casamento — aliás, em lugar nenhum. Mas ninguém se casa sem trazer sua bagagem para dentro do relacionamento. Por exemplo, no caso deste casal, João e Maria, dá para ter uma ideia do provável futuro da união?

No dia do casamento você só conhece de 10 a 20% da pessoa com quem está se casando — na melhor das hipóteses — e a maior parte do que você conhece é apenas o lado bom. Isso porque a maioria de nós sabe esconder muito bem os próprios defeitos quando está namorando. Digo "esconder" não porque queremos intencionalmente enganar a outra pessoa, mas por ser um processo natural da conquista. Faz parte do cortejo colocar toda a força em dar uma boa impressão de si mesmo ao outro. Você sempre coloca a melhor roupa, mede as palavras, se afasta para soltar gases, sai para jantar em um bom restaurante... De fato, a cena típica do restaurante ilustra bem esse ponto.

Ele escolhe o restaurante que você gosta, vocês se sentam à mesa e pedem a comida. Entre olhares de admiração um pelo outro, sobram elogios para o cabelo e a roupa, e os dois aproveitam aquele momento ao máximo. No final, ele paga a conta sem reclamar, é claro, e vocês saem felizes.

Depois de casado, a cena muda um pouquinho. O jantar já é na mesa da cozinha, sem muitos enfeites. Ele comenta algo sobre o arroz não estar do jeito que ele gosta. E você, pela primeira vez, percebe que ele faz um barulho irritante com a boca enquanto mastiga... sem contar outros barulhos acompanhados de odores não tão agradáveis. Ao terminar, você nota que ele nem ao menos leva o prato à pia, que dirá lavá-lo... É aí que você se pergunta: "Como é que eu fui casar com esta coisa?".

Bem-vindos ao casamento! Agora é que vocês começam a se conhecer de verdade. E com o conhecimento desse "novo lado" do casal, vêm os problemas.

Por essa razão, insisto aos que ainda estão noivos que sejam bem transparentes e abertos com respeito a personalidades e passados durante o namoro, a fim de diminuir as surpresas lá na frente[1]. Não fiquem encantados com a outra pessoa como se ela só tivesse o lado bom. Namoro é um período para descobrir tudo sobre a pessoa com quem você irá se casar. Coisas como o passado do pretendente, a família, a criação que teve, o relacionamento que tinha com os pais etc.

Casamento não é o lugar nem o tempo para surpresas sobre a outra pessoa. Não é depois de seis meses de casado que a esposa quer descobrir, pela ex-namorada do marido, que ele tem um filho. Não é na lua de mel que a mulher deve explicar ao marido que, devido a um abuso que sofreu na infância, tem dificuldade de se entregar a ele sexualmente. Quanto mais vocês souberem a respeito um do outro, menos chance haverá de surpresas desagradáveis.

Uma vez aconselhamos um rapaz que nos procurou determinado a deixar a esposa apenas semanas depois de casado. A razão que ele deu foi que descobriu na lua de mel que ela não era virgem, como o havia induzido a crer. Ele se sentia traído por ela ter omitido esse fato e também tinha dificuldade de superar a dor emocional de pensar que ela havia tido relações sexuais com outros homens. O que para muitos pode parecer uma besteira, para ele foi razão suficiente para considerar a separação. Foi com muito custo que conseguimos convencê-lo a perdoá-la e vencer as emoções negativas. Eles permaneceram casados, mas seus primeiros anos de casamento foram marcados por sérios problemas.

Não é que o passado negativo de alguém seja motivo para você não se casar com ele ou ela. Quem não tem esqueletos no armário, que atire

---

[1] Se você ainda está nessa fase, recomendamos que também leia nosso livro *Namoro Blindado*.

a primeira pedra... Mas é imprescindível que você esteja ciente de como o passado de vocês pode afetar o presente e o futuro.

Considere, por exemplo, o quanto um marido cuja esposa sofreu abuso sexual quando criança terá de ser paciente e compreensivo com ela. Para saber como — e se — poderá lidar com isso, ele tem de estar ciente de todo o quadro.

Quando duas pessoas se casam, os passados de ambas também se juntam. E são eles, esses passados, que determinam o comportamento de cada um dentro do relacionamento. Por esse motivo, você não pode olhar somente para a pessoa com quem está hoje, ainda que vocês já sejam casados há anos. Você precisa saber quem é essa pessoa desde a sua raiz, de onde ela veio, quem ela é, quais circunstâncias e pessoas que a influenciaram e a fizeram ser a pessoa que é hoje — e tudo o que contribuiu para isso. Somente assim poderá entender bem a situação e agir com eficácia.

CAPÍTULO 3
A MOCHILA NAS COSTAS

Imagine isto: noivo e noiva estão no altar da igreja, vestidos a rigor diante dos convidados. O oficiante conduz a cerimônia. Nas costas de cada um dos noivos, por cima do vestido branco dela e do terno alugado dele, uma grande e pesada mochila. Dentro da mochila de cada um está todo o seu passado, a bagagem que estão levando para dentro do casamento, cujo conteúdo ambos começarão a descobrir muito em breve: a criação e os ensinamentos que absorveram dos pais, as experiências antigas, os traumas, o medo de rejeição, as inseguranças, as expectativas... Por isso, quem ainda está se preparando para se casar deve agir como segurança de aeroporto: "Abre a mala aí, quero ver o que tem dentro!".

Já vi muitos casais dizerem: "O seu passado não me interessa, só quero saber de nós daqui para a frente". Soa muito romântico, com certeza, mas essa atitude não vai impedir que vocês tragam o passado para dentro do relacionamento presente. O seu passado faz parte de você, é impossível se livrar dele. Mas é possível, sim, aprender a lidar com ele, seja o que for. No entanto, se não sabem o passado um do outro, saberão como agir quando ele se manifestar lá na frente no casamento?

Deixe-nos dar um exemplo pessoal de como essa bagagem afeta o casal já logo de início.

5,6 SEGUNDOS DE LIBERDADE

Quando Cristiane e eu nos casamos, começamos a ter problemas devido à falta de atenção que ela sofria de minha parte e as consequentes cobranças que me fazia. Seis dias por semana eu ia cedo para o trabalho e retornava tarde da noite, cansado, e ainda trazendo trabalho extra para terminar em casa. No sábado, nosso suposto dia de descanso, eu voluntariamente voltava ao serviço pelo menos meio período, pela manhã. Por ser muito jovem, querendo me afirmar no trabalho, entendia que precisava me dedicar.

Continuei trabalhando como quando era solteiro, mas não estava consciente de que agora tinha uma esposa. Eu não tinha equilíbrio algum com respeito a trabalho e família. Cristiane ficava em casa a maior parte do tempo e, quando eu chegava à noite, ela vinha com aquela perguntinha: "Como foi o seu dia?". A última coisa que eu queria falar àquelas horas era sobre o meu dia, pois estava exausto. Então, respondia com duas palavras: "Foi bom". Ela, insatisfeita, insistia: "Aconteceu alguma coisa?". E eu lhe dava mais três palavras: "Não, tudo normal". Obviamente (não tão óbvio para mim naquela época), ela se sentia excluída da minha vida. Some-se a isso o fato de que eu só queria saber de comer, terminar algum trabalho que tinha trazido para casa e depois cair na cama, morto de sono. Eis aí uma receita perfeita para uma esposa infeliz.

Mas isso era só durante a semana. No sábado, era um pouco pior. Minha querida esposa pensava: "Bom, pelo menos no sábado vamos sair". Coitada. Como o principal dia da semana no meu trabalho era o domingo, a minha preocupação no sábado era planejar e aprontar tudo para o dia seguinte. Nas poucas horas que me sobravam na tarde e na noite de sábado, eu queria apenas descansar; já ela, queria ir ao cinema, passear. E como até deixava passar a minha falta de atenção durante a semana, no sábado ela estava mais determinada: "Aonde a gente vai hoje?", "Vamos ver um filme?", "Vamos almoçar fora?", "Vamos chamar uns amigos para sair?". E eu, com "aquela" cara, dizia: "Você está louca? Não entende que este é o único momento que tenho para ficar em casa e descansar?". Eu a achava extremamente chata, uma pessoa que não me entendia. Minha defesa era: "Você sabia da minha carga horária antes de casar, sempre foi assim, você é que está criando caso agora". Realmente, meus dias e horários de trabalho não haviam mudado. Só que eu me esquecia de que, quando namorávamos, arranjava tempo no sábado à tarde para sair com ela. Quem havia mudado, na verdade, era eu.

Cristiane

Fui filha de pastor. Durante toda a vida estava ou dentro de casa ou da igreja. Quando me casei, aos dezessete anos, foi como se minha mão direita estivesse algemada à esquerda do meu pai, e ali no altar ele tivesse aberto a algema do pulso dele, colocado no pulso do Renato, fechado novamente e passado a chave para ele. Foram 5,6 segundos de liberdade, cronometrados... É claro, no momento não parecia assim. Eu pensava que quando me casasse, tudo mudaria em minha vida — até porque, quando namorávamos, saíamos para passear, o Renato me ligava sempre, tirava um dia da semana só para mim. Ele era super-romântico, vivia me escrevendo cartinhas de amor e eu me sentia a rainha da cocada...

Porém, minhas expectativas foram por água abaixo. Primeiro, assim que nos casamos, o Renato foi transferido para Nova York; lá eu fiquei longe da minha família e de todas as minhas amigas. Fomos morar a uma hora de distância do trabalho dele, o que tirava ainda mais do pouco tempo que passávamos juntos.

A exemplo de minha mãe, queria ser uma boa esposa para o meu marido, fazê-lo muito feliz. Eu me dedicava muito ao lar, cuidava das roupas dele praticamente o dia inteiro, cozinhava diariamente algo novo e sempre fazia questão de estar bem arrumadinha para ele quando chegava à noite. Mas tudo isso era difícil, pois eu era muito jovem e tinha acabado de sair da escola. A comida não saía bem, passava as camisas de linho dele umas três vezes e, mesmo assim, não ficavam bem passadas, os produtos de limpeza queimavam minha pele... enfim, pensava: "O Renato vai chegar mais tarde e apreciar todo o meu sacrifício" — que nada! Ele nem notava.

Renato foi meu primeiro namorado e era tudo o que sempre sonhei, mas fiz do meu casamento um problema. Comecei a me entristecer, reclamar, chorar e cobrar muito. E ele sempre dizia o mesmo, que ele era assim e eu deveria aprender a conviver com o seu jeito, teria de me adaptar àquela vida. Eu só saía para ir à igreja na quarta-feira e na sexta-feira à noite. Eram os dias mais interessantes da semana! Não é de admirar que todas as outras noites, quando ele chegava em casa, eu o esperasse ansiosamente — era o único amigo que eu tinha para conversar! Mas como ele não percebia minha necessidade e ficava quieto, cheguei ao ponto de achar que meu marido não me amava mais.

Por inexperiência, por eu ser muito jovem e nunca ter tido outro relacionamento antes, tudo era motivo de desconfiança. Às vezes chegava à igreja, via o Renato aconselhando uma mulher (parte do trabalho dele) e sentia ciúme. "Como pode ele dar tanta atenção a pessoas que nem conhece e não estar nem aí para mim, que sou sua esposa e faço tudo por ele?". Fazia esse tipo de comentário para ele e pronto — meu marido se fechava ainda mais. Ele me dava o famoso "tratamento de silêncio", que às vezes durava três dias! Ele conversava normalmente com todo mundo, sorria, mas comigo... Era como se eu não existisse. Aquilo, obviamente, não me ajudava a lidar com todas as inseguranças que havia trazido para dentro do casamento, pelo contrário, só ampliava ainda mais nosso problema.

A minha criação foi bem diferente da criação que ele teve. Na minha família, falávamos abertamente tudo o que sentíamos, em qualquer situação. Eu, então, fazia o mesmo em casa com o Renato, mas em vez de ele se chatear comigo, me dar um fora e depois voltar ao normal, ele simplesmente não dizia nada, me lançava aquele olhar de desprezo e deixava de falar comigo por dias. Essa diferença na forma de lidar com nossas questões piorava ainda mais os conflitos, pois, além dos problemas do trabalho — em função das responsabilidades —, quando chegava em casa ele enfrentava outros. Por tudo ser muito novo para mim e eu não ter ninguém para conversar, queria nele um amigo, mas só conseguia um marido frustrado, que me achava uma chata.

Quando eu mudei e parei de cobrar a atenção dele, vi resultado. Ele passou a fazer o que eu gostava e o que me agradava sem que eu pedisse. Hoje conversamos bastante, somos melhores amigos e nos realizamos muito na presença do outro. Mas só conseguimos fazer isso quando aprendemos a lidar com a bagagem um do outro.

Eu percebia o ciúme dela e ficava irritado, mas não conseguia enxergar a raiz desse sentimento. Não tinha ideia do que ela trazia na bagagem. Daí, quando ela me cobrava, pressionava ou acusava de algo, eu me fechava. Foi nesse momento que ela começou a conhecer um pouquinho da minha bagagem, também.

Cresci vendo meu pai lidar com os problemas entre ele e minha mãe se fechando com ela. Toda minha infância foi assim. Se minha mãe fizesse algo que o desagradasse, meu pai a "punia" lhe dando um gelo. Dois, três, cinco dias. O mais longo, acredite se quiser, foi de oito meses! Se dar gelo fosse competição, meu pai seria o campeão e recordista isolado...

Eu odiava aquilo. Via ambos calados um com o outro, minha mãe tentando fazer as pazes, procurando agradá-lo, e ele preso ao que havia acontecido — o que quase sempre era uma bobagem. Aquilo criava um ambiente horrível também para nós, os quatro filhos. Pensava comigo mesmo que jamais seria assim quando me casasse.

Porém, quando me casei, fazia exatamente o mesmo com a Cristiane. A experiência é melhor professora do que a teoria, afinal. Eu sabia que o que estava fazendo era errado, mas na prática só sabia fazer aquilo a que eu havia assistido em toda a minha infância e juventude. Era o peso da minha mochila.

EXCESSO DE BAGAGEM

A verdade é que nós fazemos somente o que aprendemos. Eu não tinha uma referência melhor do que aquela. Você acaba repetindo os erros dos seus pais, pois o comportamento deles (não as palavras) foi a sua escola. Não gostava de ser assim, mas era como se eu já estivesse programado para agir como o meu pai. Mesmo a Cristiane me pedindo desculpas, eu não mudava meu comportamento.

No relacionamento, temos que desaprender coisas ruins para então aprender coisas boas. Temos que identificar os maus hábitos, aquilo que não funciona, e eliminá-los do nosso comportamento, desenvolvendo novos e melhores hábitos. Reconhecer isso é muito doloroso, mas imprescindível para a mudança.

Como você pode ver, logo no início do nosso casamento, Cristiane e eu tivemos muitos problemas decorrentes das bagagens que trouxemos conosco. Eu não era uma má pessoa, tampouco ela, mas a mistura das nossas bagagens não resultou em algo positivo. Assim acontece em todos os relacionamentos. Todo ser humano traz em si sua bagagem, seu conjunto de princípios, valores, experiências, cultura, visão de mundo, opiniões, hábitos, passado, traumas, influências da família/escola/amigos, sonhos e muito mais.

Quando duas pessoas se juntam pelo casamento, a maior parte de seus problemas vem de coisas em suas bagagens que conflitam entre si. Portanto, conhecer a outra pessoa profundamente e descobrir suas raízes é fundamental para compreender o porquê deste ou daquele comportamento. E mais: conhecer e entender a si mesmo é igualmente essencial, pois isso ajudará você a desenvolver maneiras de lidar com suas próprias raízes e assim resolver as diferenças e conflitos.

Foi isso que aconteceu comigo e com a Cristiane. Anos mais tarde, passei a me dar conta de nossas bagagens e a entender por que nos comportávamos daquela maneira. Cristiane tinha a bagagem das altas expectativas da família perfeita de onde veio; a imagem do pai exemplar; a insegurança de nunca ter tido um namorado (enquanto eu vinha de um noivado rompido antes de nos conhecermos); a infância e a adolescência com praticamente zero de lazer e vida social. Tudo isso explicava por que a Cristiane esperava tanto de mim, tinha ciúmes de mulheres por quem eu nunca me interessei, exigia tanto a minha atenção e valorizava muito o ato de passear.

OS OPOSTOS SE ATRACAM

O interessante é que as bagagens dela entravam em choque frontal com as minhas. É bem típico dos casais: os opostos se atraem, mas depois que casam, se atracam... enlouquecem um ao outro.

Minha família era consideravelmente diferente da dela. Em casa éramos três irmãos e uma irmã. Não tratávamos a pobrezinha assim, como posso dizer... com tanta delicadeza. Éramos brutos. Minha mãe, sempre servindo a meu pai e a nós, raramente exigia algo para si mesma. Vivia para ele e para os filhos. E meu pai... bem, esse já lhe falei como era. O conjunto disso como pano de fundo me fazia achar a Cristiane um tanto chata, exigente demais, pegajosa, que reclamava de barriga cheia — um chiclete no meu cabelo. A imagem de uma mulher forte, gravada em minha mente pelo que conhecia de minha mãe, uma mulher que aguentava tudo, não ajudava minha percepção de minha esposa. Daí, a minha maneira fria e dura de tratar a Cristiane.

Outro pedacinho de minha bagagem: cresci no meio de mulheres. Tinha irmã, muitas primas, muitas tias, amigas na vizinhança, amigas na escola, amigas na igreja e namoradas aqui e ali. Eu não via nenhuma diferença entre ter amigos e ter amigas. Depois de casado, isso não ajudou a raiz de insegurança na Cristiane. Tampouco a minha maneira fria de ser com ela. Daí o ciúme.

E lá em casa, sempre fomos uma família de muito trabalho. Meu pai se levantava às cinco da manhã até no domingo. Ele iniciou a mim e a meu irmão mais velho no trabalho aos doze anos de idade. Trabalhar duro sempre esteve em nosso sangue. Quando comecei a trabalhar na igreja antes de me casar, esse conceito aumentou, pois agora não era mais por dinheiro, e sim para ajudar outras pessoas. Somado ao fato de que me casei com uma filha de pastor, eu pensava que ela compreenderia muito bem a minha entrega ao trabalho. Porém, na verdade, estava deixando a Cristiane louca da vida comigo. Ela não me entendia, nem eu a ela. E vivemos por anos tentando mudar um ao outro, em vão.

Quando e como, finalmente, superamos as diferenças? Somente quando compreendemos o que estava por trás do nosso comportamento e fizemos ajustes para lidar com a raiz de cada conflito.

Entendi que o problema que Cristiane tinha de suspeitas e ciúmes era minha responsabilidade também. Eu não podia fazê-la mudar, mas podia reduzir as razões que dava para alimentar a sua insegurança. Vi que podia ajudá-la a ter mais confiança nela mesma e em mim. Deixei de debater e culpá-la pelo ciúme, comecei a me afastar de amizades com mulheres e a me limitar apenas ao contato necessário. Fiz questão de colocar uma distância e de buscar toda oportunidade para fazê-la ter a certeza de que era a única mulher na minha vida. Meu alvo passou a ser: passar segurança para minha esposa.

ATENÇÃO DO SEXO OPOSTO

Diga-se de passagem, muitos casais têm dificuldade de tomar essa decisão. Não querem se afastar de amizades que têm influência negativa no casamento. Como regra geral, aprendi que não é aconselhável que o homem casado tenha amigas muito íntimas, nem que a mulher tenha tais amigos. Manter amizades do sexo oposto muito próximas é brincar com o perigo. Normalmente resistimos à ideia de que haja algo de errado com isso, porque no fundo gostamos da atenção. Pensamos também que se não temos uma intenção ruim, de trair ou nos envolver com a outra pessoa, não tem problema. Confiamos demais em nós mesmos. Esquecemos que não controlamos nossos sentimentos nem os da outra pessoa. Por isso, entenda: nenhuma amizade é tão valiosa quanto o seu casamento.

Em vez de manter amizades íntimas do sexo oposto, aprenda a fazer do seu parceiro seu melhor amigo.

Cristiane

Eu já havia aprendido essa lição na escola, por experiência própria. Houve uma época em que me cansei de amizades com meninas que viviam fofocando e comecei a andar com amigos em vez de amigas. Era muito bom porque eles me respeitavam e não ficavam falando da vida dos outros. Só que alguns deles começaram a me ver com outros olhos, sem que eu percebesse. Quando descobri que estavam apaixonados por mim, me distanciei de todos, e disse a mim mesma que nunca mais faria amizade com meninos...

Quando me casei e vi o Renato tendo amizade com mulheres, enlouqueci! Comecei a ter medo de ele desenvolver sentimentos por elas assim como os meus amigos da escola desenvolveram por mim. A princípio, vivia reclamando, condenando, enfim, usava todas as armas para combater aquelas amizades. Não foi fácil vencer minhas inseguranças nesse sentido, mas consegui.

O que me ajudou nesse desafio foi colocar meu foco no que eu estava fazendo de errado em vez de focar no que ele estava fazendo. Você pode até estar certo, mas, dependendo da forma de resolver o problema no casamento, se torna errado e dificulta tudo no relacionamento.

Você não olha para si mesmo enquanto fica listando os erros do outro; e a tendência é que comece a errar cada vez mais, contribuindo para piorar a situação que está tentando resolver. Mas, se o foco estiver em consertar seus próprios erros, você consegue melhorar como pessoa e, quando o outro percebe, começa a mudar também. Quando comecei a mudar minhas atitudes, focando mais em mim, virei uma esposa bem mais agradável, e o Renato já não desligava mais o meu canal.

O bacana é que quando investimos em nós mesmos, passamos a enxergar as coisas que fazemos e que não estão certas. Eu, por exemplo, descobri que também tinha um chamado, e esse chamado não era o de ficar atrás do meu marido, auxiliando-o de longe, e sim ao lado dele. Comecei a vencer minhas fraquezas, principalmente a timidez.

Minha vida já não girava mais ao redor da dele, e sim com a dele, e ao redor de um só objetivo: trabalhar para Deus.

Às vezes a mulher não percebe que, quando ela se torna inconveniente, o homem se afasta. O marido dificilmente aceitará ser afrontado. Quando a Cristiane mudou esse comportamento, se tornou mais desejável para mim. De repente, comecei a me interessar mais por ela, chegar mais perto, chamá-la para sair.

Foi aí que me senti motivado a equilibrar o tempo entre o trabalho e o casamento. Passei a dar mais atenção à minha esposa, pois entendi que ela precisava disso. Enfim, quando nós dois entendemos as raízes dos nossos comportamentos e fizemos o necessário para lidar com elas, acabaram-se os problemas.

O ENCONTRO DAS PERSONALIDADES

É importante conhecer profundamente a outra pessoa — e a si mesmo, também. Para isso, além da bagagem, é necessário entender as diferenças de personalidade que certamente irão impactar o dia a dia de vocês. A personalidade tem muito a ver com a bagagem, pois é ela quem escolhe o que vai ser guardado na mochila e o que não precisa ser carregado. Ela faz o filtro das experiências e influencia seu modo de perceber o mundo ao redor.

Mas é importante não confundir personalidade e caráter. Caráter está relacionado às qualidades morais; personalidade está relacionada às qualidades de comportamento e temperamento. Você pode ter três amigos de ótimo caráter — todos igualmente honestos, responsáveis e justos. Mas em termos de relacionamento, pode se dar muito bem com um, mais ou menos com outro e querer evitar o terceiro. A razão? Cada um tem uma personalidade diferente. Eles têm bom caráter, mas o temperamento e o comportamento de cada um facilitam ou dificultam o relacionamento entre vocês.

E mais: alguém pode ter um péssimo caráter, mas uma personalidade superagradável. Cafajestes que o digam.

A personalidade tem a ver com como nos projetamos para os outros e como os fazemos reagir a nós. O modo como uma pessoa se projeta para você e como você se sente em relação à maneira de ela ser é muito importante para o relacionamento, ainda que o caráter seja naturalmente mais importante. Afinal, não adianta a maçã estar vermelhinha e brilhando por fora se por dentro estiver cheia de bichos.

Muitos relevam falhas no caráter do outro porque ele tem uma personalidade muito agradável. "A gente se dá tão bem!" Outros relevam uma personalidade difícil porque veem na outra pessoa um excelente caráter.

- O que você quer, idealmente, é alguém com as duas qualidades: ótimo caráter e personalidade superagradável.
- O que você não quer, em qualquer circunstância: alguém com mau caráter, seja de personalidade agradável ou não.
- O que você às vezes acaba tendo que administrar: alguém com bom caráter, mas com personalidade difícil.

E, é claro, o seu caráter e a sua personalidade, não só os da outra pessoa, também são partes fundamentais nessa equação.

O estudo das diferentes personalidades típicas das pessoas é algo fascinante, mas além da finalidade deste livro. Para nossos fins, porém, vamos a uma panorâmica essencial e resumida.

Segundo estudiosos, existem quatro tipos básicos de personalidade, que eu rotulo assim para fácil compreensão:

Tipos básicos de personalidade

1. **Realizadores:** gostam de estar no controle de tudo. Estão sempre ocupados e atarefados. Se você vir um Realizador parado, sem fazer nada, cheque o pulso dele. Se quer algo feito, dê a responsabilidade para eles. Como um rolo compressor, vão passar por cima de tudo e todos e fazer o que tem de ser feito. São líderes natos.
   - *Como interagem com os outros três:* costumam se irritar com todos eles. Acham que os Perfeccionistas são muito lentos e detalhistas; que os Sociais só querem saber de brincadeira; e que os pacíficos são moscas-mortas. Não ligam muito para os sentimentos dos outros.
2. **Sociais:** gostam de interagir com outras pessoas, querem se divertir, brincar, fazer graça, rir, sair, ir para festas, estar com pessoas, aproveitar a vida. Quando estão em um grupo (o que é quase sempre), são os mais falantes e os que animam os demais.
   - *Como interagem com os outros três:* os Sociais estão sempre tentando animar ou trazer um pouco de alegria para os outros. Costumam dizer para os Realizadores: "Você trabalha demais, tire uma folguinha!". Para os Perfeccionistas: "Já está bom o suficiente! A vida é curta demais para se preocupar se o quadro na parede está a 90 graus em relação ao chão!". Para os Pacíficos: "Você está triste? Aconteceu alguma coisa? Vou te levar a um lugar que você vai adorar, é muito divertido!". Os Sociais precisam muito da atenção de todos.
3. **Perfeccionistas:** são pessoas que acham algo errado em tudo. Sempre têm uma crítica para melhorar alguém ou alguma coisa. Se você quer algo bem-feito, deixe com eles. São excelentes no que fazem. Mas não espere rapidez. Os Perfeccionistas despendem muito tempo e energia na realização de tarefas porque buscam fazer tudo certinho — e se orgulham disso.
   - *Como interagem com os outros três:* se ressentem dos Realizadores e são rápidos para apontar o defeito deles: "Você faz, mas não faz direito". Acham que os Sociais só querem curtir a vida: "Você não leva nada a sério, por isso não vai para frente". E se irritam com os Pacíficos, sem necessariamente mostrar sua irritação: "Você pode melhorar, tenha mais ambição". São pessoas sensíveis e introspectivas, que muitas vezes preferem fazer as coisas sozinhas.
4. **Pacíficos:** costumam se dar bem com todos, pois priorizam agradar e conviver em paz. Não gostam de confronto e são facilmente influenciados a mudar seu ponto de vista ou aceitar o dos outros. Preferem "ruminar" — analisar, ponderar as coisas internamente.

- *Como interagem com os outros três:* basicamente, procuram não incomodar. O lema deles é: "Não fui eu, não fiz nada, não quero problema com ninguém, está tudo bem".

Agora olhe novamente para o diagrama dos quatro Tipos Básicos de Personalidade. Qual dos quadrantes mais se aproxima do seu temperamento? Você provavelmente se identificará com dois ou até três, porém, sentirá uma proximidade maior com apenas um quadrante. A maioria das pessoas é predominantemente um deles, secundariamente outro, seguidos de traços dos outros dois.

Por exemplo, eu me identifico mais com o perfil Realizador/Perfeccionista. Isso quer dizer que eu valorizo muito fazer as coisas, mas fazê-las bem-feitas. Por isso, faço o que tiver de fazer para ter bons resultados. Meu menor quadrante é o Social.

Já a Cristiane se identifica mais com o perfil Realizadora/Social, o que significa que ela é excelente em fazer as coisas acontecerem, se dá bem com as pessoas, delega com facilidade e valoriza atividades de entretenimento como recompensa por trabalhar tão duro. O menor quadrante dela é o Pacífico.

Dá para perceber os pontos de choque de nossas personalidades?

RENATO	PONTOS DE CHOQUE	CRISTIANE
Realizador	**Nenhum**	**Realizadora**
Perfeccionista	**X**	**Social**
Pacífico	X	Perfeccionista
Social	X	Pacífica

Sabendo disso, vai ficar mais fácil entender grande parte dos conflitos que passamos no início do nosso casamento — e que descrevemos neste livro. Como pode ver, nossas personalidades são bem diferentes. E isso esteve no centro de muitos dos nossos problemas de casamento por doze anos.

O único ponto em comum que temos, em termos de intensidade, é o de Realizador. Mesmo assim, pela Cristiane só ter começado a exercer o potencial dela depois de doze anos de casada, até esse ponto em comum se tornou um problema para nós. Ela se sentia inútil por não estar fazendo mais do que cuidar da casa e de mim.

Além disso, note que o perfil Social dela é o segundo mais importante, enquanto que para mim é o último. Isso explica nossas brigas e desentendimentos quando ela queria sair, passear, ver gente e eu queria ficar em casa, isto é, quando não estava trabalhando.

O meu trabalho foi um grande empecilho em nosso casamento porque eu me doava muito para ele e quase nada para a Cristiane. Não é difícil de entender quando você percebe que meus dois principais perfis têm a ver com realizar muitas coisas e fazê-las bem-feitas, ou seja: trabalho, trabalho, trabalho.

Note que o último perfil dela é o Pacífico, o que quer dizer que ela não me deixava em paz em meio a todos esses desencontros... Ela não é o tipo de pessoa que fica calada quando algo não está do gosto dela.

"Ah, Renato e Cris, mas vocês conseguiram superar tudo e hoje estão muito bem!" — você diz. Sim, de fato. Porém, não sem muita dor por muitos anos de casamento, até que desistimos de mudar um ao outro e decidimos nos adequar. Para que nosso casamento funcione, esse sacrifício é permanente. Na verdade, hoje nem parece mais sacrifício, pois estamos muito bem ajustados e aprendemos a praticar o amor inteligente.

Cristiane

O que tudo isso quer dizer é que vocês têm de estar atentos às suas personalidades e aos potenciais pontos de choque que elas oferecem. Sim, há casais que possuem tipos de personalidade muito diferentes e, mesmo assim, fazem o relacionamento funcionar. É inegável, porém, que dependendo das personalidades, vocês terão de fazer algum esforço — talvez muito ou mesmo extremo — para conviver bem. Muitos casos de frustração no casamento são consequência do choque da personalidade de um com a do outro.

Você já ouviu falar no termo "incompatibilidade de gênios"? É o que se costuma colocar nas sentenças de divórcio como causa da separação — uma espécie de expressão genérica para justificar por que o casal não deu certo. O que esse termo quer dizer, em muitos casos, é exatamente que o casamento não resistiu ao choque das personalidades do casal. Portanto, não subestime a importância de aprender a lidar com isso.

Uma das coisas a ter em mente é que nossa personalidade é algo praticamente imutável. Você pode até, com esforço, atenuar certos comportamentos, mas, no geral, continuará tendo aquela personalidade como base. Se você é uma pessoa que adora estar à frente das coisas, por exemplo, pode, por necessidade, se esforçar para cumprir o papel de coadjuvante, seja no trabalho, no casamento ou em outra situação social. Mas aquilo não lhe será natural.

Por exemplo, Renato e eu somos Realizadores. Logo, nossa necessidade principal é estar à frente de realizações que consideramos importantes. Eu tive de aprender a não podar o desejo do Renato de trabalhar e fazer bem o seu trabalho. É uma necessidade da personalidade dele. Mas é minha também, e eu não sabia. Por isso, tive de me desenvolver como pessoa e passar a realizar meu potencial. Enquanto não fiz isso, fui frustrada e o frustrava também. Do mesmo modo, o Renato teve de entender minhas necessidades sociais e não bater de frente com elas. E assim por diante. Foi assim que nos acertamos.

Em um relacionamento para a vida toda, você precisa aprender a não se chocar com a personalidade do outro. Isso requer um entendimento daquela personalidade e o que é mais importante para ela. De modo geral, estas são as necessidades básicas dos quatro tipos de personalidade, que precisam ser preenchidas para uma boa convivência:

- Realizadores: precisam de reconhecimento, elogio e permissão para realizar seus projetos. Gostam de ouvir: "Você é muito trabalhador. Tudo que colocam em suas mãos você resolve".
- Sociais: precisam de atenção, companhia, aceitação e aprovação à sua maneira de ser. Gostam de ouvir: "Você é muito divertido! Você alegra minha vida".
- Perfeccionistas: querem que as pessoas sejam sensíveis aos seus sentimentos e opiniões; precisam de tempo para fazer as coisas "direito", como acham que merecem ser feitas; querem alguém que lhes ouça, entenda e mostre empatia; e, especialmente, que sua "arte" seja notada, afinal, se esforçaram tanto e levaram tanto tempo para realizá-la... Gostam de ouvir: "Perfeito!".
- Pacíficos: como não pedem muito, o mínimo que querem é respeito por quem são. Não force demais a barra com eles. Se você

passar dos limites, não fique surpreso se eles manifestarem um lado psicopata que a maior parte do tempo está adormecido dentro deles... "Nossa, o que deu nele?" — é o que as pessoas geralmente comentam depois de testemunharem um surto desses. Dê a eles espaço. Gostam de ouvir: "É um amor de pessoa, tão bonzinho".

Todos os tipos de personalidade têm suas vantagens e seus defeitos. Quando não sabe lidar com a pessoa, você erra tentando mudá-la e fazê-la do seu jeito. Queremos que os outros sejam parecidos conosco, por isso tentamos mudar o parceiro. O problema é que não funciona. Temos de nos conhecer e também conhecer o outro; e cada um deve procurar atender às necessidades do outro, sem tentar mudá-lo. Entender que o fato de alguém ser diferente de você não significa que essa pessoa esteja errada é um sinal de maturidade. Podemos aprender muito com a personalidade do parceiro, com sua forma de ver o mundo, de agir e reagir. Essa é uma das formas de crescer e melhorar como pessoa dentro do casamento.

A chave aqui é: dadas as diferenças de personalidade, vocês terão de ceder e sacrificar um pelo outro durante toda a vida.

Tire alguns minutos agora e preencha o quadro a seguir com os seus tipos de personalidade e os de seu parceiro ou parceira. Baseando-se nos perfis explicados anteriormente, comece com a característica mais predominante e termine com a menos presente. Daí identifique os pontos de choque e o que eles representam para o seu relacionamento:

VOCÊ	PONTOS DE CHOQUE	PARCEIRO(A)

Pense em situações e experiências que vocês já viveram que mostrem bem as personalidades de vocês. Cite uma ocasião em que elas se chocaram:

____

____

____

____

Quais as necessidades básicas do seu tipo de personalidade? E as de seu parceiro? (Atente para as duas primeiras que escreveu no quadro.)

Qual o tipo de personalidade menos predominante em você e seu parceiro? Como elas podem estar afetando o seu relacionamento?

Com esses dados em mãos, você será capaz de entender melhor a si mesmo e a seu cônjuge e saberá avaliar os pontos em que precisam se adequar um ao outro. Pode ser que no começo pareça difícil ceder, principalmente se você for do tipo que sempre quer as coisas do seu jeito. Porém, considerar as outras pessoas faz parte do processo de amadurecimento e você, como qualquer outro ser humano, tem dentro de si tudo o que é preciso para fazer isso. Em outras palavras, ainda que pareça difícil, é perfeitamente possível fazer esses ajustes. Basta manter o seu foco no objetivo, que é ter um casamento feliz.

CASAMENTO FELIZ DÁ TRABALHO

Nós, homens viciados no trabalho, precisamos entender que o casamento também é um tipo de trabalho, uma empresa. Se você não trabalhar no seu casamento, inevitavelmente ele irá à falência.

Casamentos felizes dão trabalho e não acontecem por acaso. Quando vir um casal que está junto por muitos anos e vivendo bem, saiba que aquele casamento não é fruto da sorte. Não é porque "foram feitos um para o outro" nem porque "combinam bem". Se olharmos mais de perto, vamos verificar que aquele casal trabalha constantemente na manutenção do casamento. Depois de quase 30 anos de casados, Cristiane e eu continuamos trabalhando, agindo em nosso relacionamento. Um descuido, um pouco de preguiça de fazer algo ou um desleixo sobre algo importante já é o suficiente para probleminhas surgirem. Por isso, nunca negligenciamos esse trabalho. Mas é importante enfatizar algo também:

Casamento infeliz dá mais trabalho ainda.

Se colocar em um lado da balança o que precisa ser feito para manter um casamento feliz e do outro o que você acaba tendo de fazer por causa de um casamento infeliz, os fardos não se comparam.

Infelizmente, muitos casais se dão por conquistados no dia do casamento. Agem como se o esforço de conquistar a outra pessoa tivesse acabado quando partiram para a lua de mel. Pronto, casamos! Fato consumado.

Nós, homens, principalmente, costumamos fazer isso. O período que começa com a primeira conversa e vai até a lua de mel é o mais interessante para nossa natureza competitiva. É emocionante saber que ela aceitou sair conosco, ver que está apaixonada e que pensa que somos o máximo... Tudo isso é como se fosse um jogo para nós (mulheres, estamos sendo honestos... é a nossa natureza. Você vai entender mais sobre isso mais tarde neste livro). Daí, o dia do casamento é como a entrega do troféu.

Quando o campeão recebe o troféu, ele o põe lá em uma estante e aquilo ali vira passado. É assim que muitos de nós, homens, fazemos com nossas esposas depois do casamento. Achamos que o jogo acabou, aquele trabalho todo da conquista já está terminado. Temos até o papel para provar — a certidão de casamento!

Colegas, aqui vai um aviso: o jogo apenas começou! Se pararmos de trabalhar para manter o casamento, perderemos o jogo...

TAREFA

Quais os principais itens na sua bagagem e na de seu parceiro que afetam ou poderão afetar o seu relacionamento no futuro?

Tire alguns minutos para pensar nos principais acontecimentos que marcaram suas vidas, o que lhes formou o caráter e engendrou os princípios e valores que regem o comportamento de vocês. Esta tarefa requer uma viagem ao passado, meditação cuidadosa e provavelmente uma conversa entre vocês para descobrir as respostas do seu parceiro. Escreva o que conseguir identificar, mas fique à vontade de voltar e acrescentar mais coisas nesta lista, ao passo que as descobre.

POSTE:

Já comecei a checar a nossa bagagem.
#casamentoblindado

No Facebook: fb.com/CasamentoBlindado
No Instagram: @CasamentoBlindadoOficial
No Twitter: @CasamentoBlind

CAPÍTULO 4
A ARTE DE RESOLVER PROBLEMAS

Nossas bagagens, diferenças de personalidade, gostos, expectativas etc., preparam o palco para os problemas aparecerem no relacionamento. Quando eles aparecem e você não sabe como lidar com as diferenças, ficam mal resolvidos e o casamento se deteriora. Se nada mudar, dentro de poucos anos o divórcio acontece. A propósito, o que é o divórcio senão uma maneira de fugir dos problemas conjugais que o casal nunca conseguiu resolver?

Casais que se amam acabam se separando ou vivendo juntos como dois estranhos dentro de casa porque não conseguem resolver os conflitos no relacionamento. Na verdade, o que insistem em tentar fazer é mudar a outra pessoa. No fundo, pensam: "Se eu conseguir fazer com que meu marido/esposa seja como eu, então os problemas estarão resolvidos". E aí criticam, acusam, apontam os erros um do outro, enquanto se defendem e justificam suas atitudes. Ficam dando voltas sem chegar a lugar algum. Quando um finalmente cansa dessa insanidade, decide separar.

Viver feliz no casamento é uma arte — a arte de resolver problemas. Existem pelo menos sete bilhões e meio de problemas no mundo hoje — cada ser humano tem pelo menos um, provavelmente muito mais. Ainda assim, todos nós estamos aqui, sobrevivendo apesar dos problemas. Alguns nós conseguimos resolver, já com outros aprendemos a conviver até que encontremos a solução. Problemas fazem parte da vida. Quem é mais hábil em resolver problemas tem mais sucesso; quem é menos fracassa mais. No casamento não é diferente. Se você quer blindar seu casamento, deve começar com a decisão de se tornar um *expert* em resolver problemas.

Note: resolver *problemas*, não resolver *pessoas*. O seu foco tem que ser resolver o conflito entre vocês, mudar a situação, e não lutar contra a outra pessoa. É um erro achar que pode resolver a outra pessoa, mudá-la a seu gosto. Você não somente não conseguirá, mas acabará achando que o problema é ela e que, portanto, o melhor é se separar e encontrar outra. Quer dizer, não aprendeu a resolver problemas no primeiro casamento, parte para o segundo sem essa habilidade, encontra os mesmos e ainda outros problemas, e continua fracassando no casamento. É de surpreender que o índice de divórcio para quem casa pela segunda, terceira vez ou mais só vai aumentando?

Nosso método é mais eficaz: ajudá-lo a enxergar o verdadeiro problema, encontrar a raiz, eliminá-lo e evitar que volte.

Uma das coisas que nos intrigou foi descobrir que o índice de divórcios não varia muito entre pessoas de orientação cristã e pessoas não religiosas. A crença em Deus, o Autor do casamento, parece não ser suficiente para evitar que uma pessoa se divorcie. Isso é no mínimo curioso, pois se há um grupo que deveria ser mais hábil em manter o casamento, esse grupo é o das pessoas que creem em Deus. Mas por que isso não acontece? Porque a maioria dessas pessoas não consegue ou não sabe como aplicar seus conhecimentos teóricos sobre amor no dia a dia de seus relacionamentos. Uma coisa é eu saber que Deus é amor. Outra coisa é saber o que fazer quando a pessoa que eu amo mente para mim, por exemplo. O cristianismo de uma pessoa começa a ser realmente provado quando ela entra no casamento.

ESPELHO, ESPELHO MEU

O casamento nos serve como um espelho. Quando se arrumou hoje de manhã, você olhou no espelho no mínimo umas cinco vezes (se você é mulher, umas vinte...). Por que olhamos no espelho sempre que temos oportunidade? Porque nossos olhos não conseguem nos dar uma visão clara de como parecemos para quem nos olha. Se não existissem espelhos nem câmeras de foto ou vídeo, nunca saberíamos como é o nosso rosto, nem algumas partes do nosso corpo, especialmente a parte de trás (apesar de alguns não acharem isso uma má ideia). Mas graças ao espelho podemos ver um reflexo fiel de como somos, inclusive nas partes normalmente ocultas aos nossos olhos.

Assim é no casamento. Nosso cônjuge se torna um espelho para nós porque reflete exatamente o que somos — tanto nosso lado bom quanto o ruim. Quando olha no espelho, você vê na imagem do seu corpo coisas que gosta e coisas que não gosta. Quando põe uma roupa legal, fica se admirando e dizendo para si mesmo: "Eu fico bem nessa roupa, olha só! Esse sapato caiu direitinho com esse cinto...". Mas também há certas partes que você não gosta de olhar. Se acha seu nariz torto ou grande demais, seus dentes muito abertos ou seu quadril muito grande, você se sente até mal de olhar. Eu conheço alguém que quando vai tirar foto faz questão de posicionar a cabeça em um ângulo de 45 graus relativo à câmera para pegar seu rosto de lado, porque ela acha que tem a cabeça muito grande... Quer dizer, cada um lida com o que espelho mostra da maneira que pode! Mas uma coisa é certa: não adianta xingar nem brigar com o espelho. A culpa não é dele. Ele só está mostrando a realidade.

Quando se coloca diante do espelho do casamento, você começa a descobrir falhas suas que desconhecia. Quando me casei, o meu temperamento forte se manifestou. Não tinha notado esse problema antes, pois nunca precisei viver tão perto de alguém quando solteiro. Quando namorávamos, estávamos próximos, mas não tão perto quanto no casamento. Quanto mais perto do espelho, mais clara e nítida fica a nossa imagem. É isso o que acontece com todos os casais.

O problema é que até o casamento costumamos ouvir da outra pessoa o quão maravilhosos somos. "Você é tão linda." "Gosto muito da sua honestidade." "Você me faz me sentir tão bem que me esqueço de todos os meus problemas." Só elogios. Daí, pensamos: "Essa pessoa vai me fazer muito feliz. Vou me casar com ela". Quer dizer, esperamos que no casamento só ouçamos coisas boas a nosso respeito. Mas o espelho não mente. Depois de casados, chegamos bem perto do nosso espelho e ele começa a nos mostrar nossos defeitos... Em vez de aproveitar aquilo e mudar, projetamos nossos defeitos sobre a outra pessoa e apontamos onde *ela* precisa mudar: "Ele é tão irritante!", "Ela é muito mimada, chora à toa", "Eu não quero ser assim, mas você me provoca". Quer dizer, culpamos o espelho.

É natural se tornar defensivo quando nossas falhas são apontadas. Ninguém gosta. Mas não é uma atitude inteligente. Se você decidisse não olhar mais no espelho porque ele lhe mostra algo desagradável, não estaria melhorando em nada. Em vez de defender sua maneira de ser — o seu jeito — diante de seu cônjuge, use esse feedback positivamente. Aproveite essa informação para melhorar.

Enquanto me irritava com o que a Cristiane apontava de negativo a meu respeito, não melhorei como marido, nem como pessoa. Mas quando usei a cabeça e entendi que minha esposa era o meu desafio pessoal para melhorar, então comecei a usá-la como espelho para lidar com meus defeitos. Você também pode fazer isso.

Entenda uma coisa, desde o início: *você não vai conseguir mudar a outra pessoa.*

Ninguém muda ninguém. As pessoas só mudam quando elas mesmas decidem mudar. Por isso mesmo, quando alguém nos força a mudar, nossa reação natural é resistir. É uma maneira de proteger nossa identidade, nosso direito de ser como queremos ser, ainda que não agrade a alguém. Eu sei, parece loucura, mas o ser humano é assim.

"Então não há esperança para mim?", você pergunta. "Meu marido nunca vai mudar?" "Minha esposa sempre será assim?"

Veja bem, não estou dizendo que ele ou ela nunca irá mudar. Estou dizendo que não será você quem o fará mudar. Mas há uma boa notícia: você poderá influenciar e inspirar essa pessoa à mudança. É para aprender como fazer isso que você está lendo este livro.

Tudo começa com você focando em si mesmo em vez de apontar os erros do companheiro. Lembre-se: se você resolver apenas suas questões pessoais, metade dos problemas conjugais será resolvida antes mesmo de seu companheiro mudar um pouco que seja.

Quando você mudar e parar de exigir que o outro mude, dará o primeiro passo para inspirar a mudança na outra pessoa sem precisar cobrar nada dela. Quero enfatizar: pare de exigir que seu parceiro mude. Em vez disso, olhe para dentro de si, reconhecendo seus próprios erros. Abra a sua bagagem e tire de dentro o que está pesando muito. Não se preocupe com a bagagem dele por agora, seu foco será entender a si mesmo primeiro para depois entender a outra pessoa.

Talvez você tenha começado a ler este livro pensando em descobrir técnicas para mudar seu marido ou sua esposa. Na verdade, você aprenderá como mudar a si mesmo. Se embarcar na missão de se tornar uma pessoa melhor, então o seu casamento melhorará, incluindo seu cônjuge. Mas se sua missão é mudá-lo, pode parar por aqui. Nós não podemos ajudar você. Ninguém poderá.

CESSAR FOGO!

Se você está realmente empenhado em blindar o seu relacionamento, então siga os conselhos e tarefas que lhe recomendamos neste livro.

A próxima tarefa é declarar um "Cessar fogo!".

Quando dois países estão em guerra e buscam uma solução, o primeiro passo é declarar um cessar fogo para negociar um acordo de paz. Param os ataques, como um voto de confiança, um sinal de boa vontade.

Se você tem atacado seu parceiro de alguma forma, ainda que esporadicamente, deve imediatamente cessar esse tipo tratamento. Por exemplo, comentários irônicos, respostas sarcásticas, acusações, ataques verbais, ameaças, mencionar erros do passado — e também as formas passivas de ataque, como dar gelo, omitir informações importantes, tratar com indiferença, ficar fora de casa e coisas do tipo.

Pense: como você poderá blindar o relacionamento contra ataques externos se insiste nos ataques internos? Não é sábio. Os ataques externos que vocês têm que combater já são o bastante, vocês não precisam ser inimigos um do outro. Os inimigos são os problemas que vocês enfrentam, e não vocês mesmos.

Portanto, se seu relacionamento agora está em pé de guerra, pare! Dê trégua a seu parceiro. A partir de agora, enquanto lê este livro, você vai tratar seu parceiro com respeito e civilidade. Isso lhe dará chance para respirar, se concentrar e aprender novos caminhos para a solução dos problemas conjugais.

Outra razão pela qual o cessar fogo é importante: para que você não venha sabotar seus esforços de blindar o relacionamento. Pense: se enquanto você lê este livro continua atacando seu parceiro, os problemas só aumentarão. Chegará um ponto em que você olhará para o livro na sua cabeceira e dirá a si mesmo algo do tipo: "Não está adiantando nada! Não vou mais ler essa droga de livro" — seguido de uma imaginação onde você se vê enfiando o livro na garganta do seu cônjuge... Nada legal.

Então, esta é sua próxima tarefa para blindar seu casamento: cessar fogo!

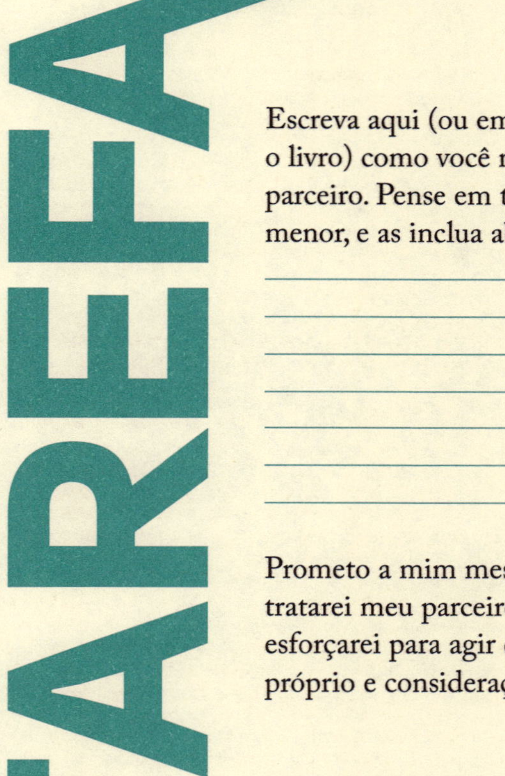

Escreva aqui (ou em outro lugar, se quiser poupar o livro) como você normalmente ataca seu parceiro. Pense em todas as formas, da maior à menor, e as inclua abaixo.

Prometo a mim mesmo que não mais tratarei meu parceiro desta forma e me esforçarei para agir com respeito, domínio próprio e consideração.

POSTE ISTO:
Começo hoje o meu "cessar fogo". #casamentoblindado

No Facebook: fb.com/CasamentoBlindado
No Instagram: @CasamentoBlindadoOficial
No Twitter: @CasamentoBlind

PARTE II
EMOÇÃO *VS.* RAZÃO

CAPÍTULO 5
RESOLVENDO PROBLEMAS COMO UMA EMPRESA

Viver feliz no casamento é uma arte — a arte de resolver problemas. Quem é mais hábil em resolver problemas tem mais sucesso no casamento. Quem é menos, fracassa mais. Se você quer blindar seu casamento, deve começar com a decisão de se tornar um *expert* em resolver problemas.

O que normalmente acontece com os problemas de relacionamento é que eles são contornados, ignorados ou adiados em vez de resolvidos.

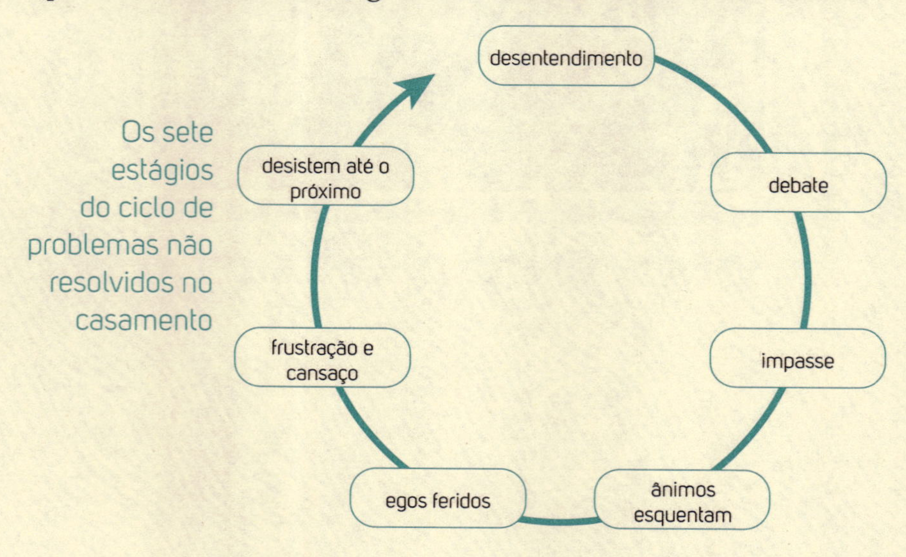

O ciclo costuma ser assim: o casal tem um desentendimento; debate sobre o assunto sem muito progresso; os ânimos se esquentam; um acaba ferindo o outro com palavras ou pela posição inflexível; os dois cansam de debater, pois não conseguem acordo; desistem pelo cansaço e frustração; passa o tempo até que o desentendimento volta novamente.

Nesse ciclo nada é resolvido. O problema é adiado, ou apenas temporariamente contornado, mas depois volta — e quase sempre pior. Muitos casais pensam que o tempo irá resolver os problemas. "Vamos dar tempo ao tempo" é uma expressão que muitos gostam de usar para justificar não lidar com o problema na hora. Mas problemas de casamento não são como vinho, não melhoram com o tempo. Quando se trata de fricções no relacionamento, um problema adiado é um problema piorado. Neste caso, o tempo é inimigo do casal.

Uma das principais razões por que as pessoas decidem não lidar com o problema no relacionamento é o fato de a experiência ser extremamente dolorosa. A falta de habilidade na comunicação, os ataques verbais e a irritação fazem o casal evitar o assunto em vez de resolvê-lo. Isso é especialmente verdadeiro no caso dos homens. Muitos homens correm de uma conversa mais séria com a mulher porque não conseguem dialogar no mesmo nível. As mulheres, por sua vez, se frustram porque parecem nunca conseguir fazer com que o homem as entenda.

Mas não precisa ser assim. Há uma maneira eficaz de homens e mulheres resolverem os problemas conjugais e evitar que se repitam sem ferir ninguém no processo. Eu chamo essa maneira de "tratar seu casamento como uma empresa". Calma! Não significa tratar o relacionamento com frieza ou esquecer que tem sentimentos. A ideia é se lembrar dos objetivos do casal e ter uma visão mais clara de onde vocês querem chegar para, assim, errar menos. Acompanhe meu raciocínio.

OS OBJETIVOS DE UMA EMPRESA

Por que alguém começa uma empresa? Qual o seu objetivo? Pode haver muitos. Ganhar mais dinheiro é um dos óbvios. Ser seu próprio patrão e assim ter maior independência é outro. Muitos sentem a necessidade de realizar seu potencial e veem no criar uma empresa um meio para isso. Outros querem fazer a diferença no mundo em que vivem, ajudar o próximo. Uma coisa é certa: toda empresa tem pelo menos um objetivo. Nenhum negócio existe por existir. Sempre há a busca de resultados.

E aqueles resultados se tornam o foco de todos os envolvidos naquela empresa — especialmente dos proprietários. Se não há resultados, não há razão para a empresa existir.

Nesse aspecto, o casamento também é um tipo de empresa. Ninguém se casa sem objetivos, nem sem buscar resultados. Quando os noivos pensam em casamento, estão na realidade pensando em objetivos, sonhos realizados, entre eles: formar uma família; ter filhos; fazer a outra pessoa feliz e ser feliz; estar sempre ao lado de quem ama e se sentir amado; conquistar juntos materialmente; ter alguém que o apoie na realização de seus sonhos; alcançar o prazer sexual; ter no parceiro um amigo verdadeiro etc.

Cristiane

Quando me casei com o Renato, embora tivesse os mesmos objetivos que ele, tinha algumas expectativas que não batiam com as dele. Foi exatamente nessas diferenças que não estavam alinhadas que tivemos problemas. É muito importante o casal saber todas as expectativas que ambos têm para o casamento. Se tivéssemos sentado para conversar sobre isso antes de nos casar, com certeza saberíamos o que esperar depois um do outro.

Às vezes os casais até chegam a conversar sobre suas metas, mas com o passar do tempo, as expectativas sobrepujam os objetivos iniciais. Se um ajuste e a manutenção dos objetivos não são feitos, a frustração leva os dois a jogar um na cara do outro: "Mas você sempre disse isso ou aquilo, agora quer mudar?". Em vez de dançar conforme a música, o casal começa a dançar músicas diferentes, e aí a coisa fica complicada.

Desde 2012 promovemos a Caminhada do Amor[1] em todo o Brasil e no mundo através do nosso programa, *The Love School*. A cada evento, cerca de dez mil pessoas se reúnem com um único objetivo: conhecer melhor o parceiro através do diálogo. Essa ideia veio justamente por conta de uma experiência que tivemos há alguns anos, quando o Renato me convidou para conversar no parque.

Já tínhamos mais de quinze anos de casados e foi a primeira vez que conciliamos tudo que pensávamos e queríamos em uma

[1] Saiba o que é e como fazer a Caminhada do Amor no site caminhadadoamor.com

conversa. Ele ficou sabendo dos meus sonhos, das minhas preocupações, das minhas dificuldades, do que eu queria e não queria, e vice-versa. Foram horas preciosas que fortaleceram, e muito, a nossa união. Depois dessa conversa, eu sabia exatamente o que ele esperava de mim. Sabia o que fazer para apoiá-lo e como fazer.

Às vezes você pensa que está ao lado do seu parceiro enquanto, na verdade, está bem distante, por ambos ignorarem o que realmente querem um do outro.

O casamento também tem objetivos e existe para produzir resultados, assim como uma empresa.

Por que é importante você entender esse paralelo?

São os objetivos da empresa que guiam tudo o que se faz dentro dela no dia a dia. As decisões que tomam, quem contratam, o treinamento dos funcionários, os produtos que criam, a publicidade que fazem — tudo é movido e guiado pelos objetivos e resultados que a empresa quer alcançar.

Quando trazemos esse pensamento para o casamento, verificamos que infelizmente a maioria dos casais não pensa assim. Eles são apanhados pelo corre-corre da vida, se perdem nos sentimentos e logo perdem de vista os objetivos pelos quais se casaram. Quando os objetivos são esquecidos, então as decisões que tomam e tudo mais que fazem dentro da relação já não contribuem para a realização e o sucesso do casamento.

Quando um marido chega a se envolver com uma amante, por exemplo, é porque ele claramente perdeu de vista os objetivos do casamento. Mas isso não acontece apenas no momento da traição. Foi algo que começou com a primeira decisão de olhar com interesse para outra mulher, para o contato dela no celular ou para a foto dela no Facebook. Aquele olhar já foi um desvio do caminho que buscava alcançar os objetivos do seu casamento. Quer dizer, ele perdeu o foco, abandonou os objetivos da empresa. A persistência dele nesse rumo inevitavelmente levará aquele casamento à falência.

Há vários outros indícios de que a pessoa se esqueceu dos objetivos do casamento e existem casos em que essa é uma tragédia anunciada desde o início. Por exemplo, se um dos cônjuges entra no casamento com a ideia de que aquela união não durará até que a morte os separe, essa pessoa acabará fazendo coisas que sabotarão o casamento, causando o seu fim. Se por outro lado a pessoa se vê ao lado da outra até a morte, então fará tudo para manter a relação. Quer dizer, o foco no objetivo dita o nosso comportamento.

No início do meu casamento, quando eu tinha algum desentendimento com a Cristiane, o meu alvo era principalmente ganhar a discussão. Queria provar para ela que ela estava errada e eu certo. E como sou melhor argumentador que ela, quase sempre saía ganhando. Mas esse era um alvo míope. Eu ganhava a discussão, mas perdia a intimidade e a amizade da minha esposa, que permanecia ao meu lado, sim, mas anulada e desmotivada. É o que muita gente faz: prefere ter razão a ser feliz.

Quando aprendi que o meu casamento é uma empresa, entendi que mesmo as minhas menores decisões e atitudes têm que estar ligadas aos nossos objetivos a longo prazo. Hoje, em nossos raros desentendimentos, sempre me pergunto: que resultado eu quero desta conversa? Daí, trago à mente o meu objetivo e conduzo a conversa para alcançá-lo.

COMO AS EMPRESAS RESOLVEM PROBLEMAS

Você acha que Steve Jobs enfrentou problemas quando começou sua empresa, a Apple? É claro que sim. Desde a Apple até o carrinho de pipocas na esquina da avenida, toda empresa começa com sonhos e objetivos, mas logo encontra problemas. E não é só no começo, não. Por mais bem-sucedida que seja uma empresa, ela precisa enfrentar e resolver questões diariamente. A sobrevivência de qualquer negócio depende da solução dos seus problemas. Se não forem resolvidos, a empresa virá a falir. Na verdade, se você é funcionário, eis aqui a verdadeira razão de ter sido contratado: resolver problemas (e você crente que foi porque gostaram do seu currículo...).

Seja qual for o tamanho do quadro de funcionários — apenas dois, dois mil, ou vinte mil —, as empresas de sucesso conseguem alcançar seus objetivos resolvendo seus problemas. E o interessante é que o relacionamento entre os empregados não é de amor. Muitas vezes é o contrário. Não se costuma ouvir funcionários dizendo “Eu amo meu patrão!”, nem vê-los escrevendo cartas de amor para o colega do departamento contábil. Ora, se eles conseguem ter sucesso nessas condições é porque devem estar fazendo algo muito certo.

Você encontra cooperação, esforço conjunto e foco no objetivo entre colaboradores de uma empresa de sucesso, mas nem sempre encontra essas mesmas qualidades entre duas pessoas que se amam e que, logicamente, deveriam ser ainda mais cooperativas e focadas nos objetivos do casal.

A pergunta é: *por que os casais, que passam por uma quantidade muito menor de problemas, e ainda se amam, muitas vezes não conseguem vencer os desafios da relação?*

A resposta é: porque eles têm usado a ferramenta errada para resolver problemas — emoção.

O segredo das empresas de sucesso é não usar a emoção para resolver problemas, e sim a razão. Entendem que não se resolve nada usando sentimentos. Local de trabalho é lugar de inteligência e atitude, não de sentimentalismo. Por isso, alcançam seus objetivos independentemente dos sentimentos dos funcionários, e mesmo a despeito de um funcionário não gostar muito do outro.

Nessas empresas, se aprende a separar o trabalho das pessoas, e a não misturar as duas coisas. Pensam: "Eu posso não gostar do meu chefe, mas ele mandou fazer isso, e dependo dele para receber meu salário. Então, vou fazer o que tem que ser feito". Quer dizer: separam os sentimentos das atitudes e as pessoas do trabalho, e focam nos resultados desejados. Usam a razão, não a emoção. Grave esta frase em sua mente:

Emoção não é ferramenta para resolver problemas.

É claro, não estamos sugerindo aqui que vocês se tornem robôs sem sentimentos. O que procuramos combater não é a existência da emoção, mas o hábito de deixá-la decidir as coisas e usá-la como ferramenta para resolver problemas. Pense bem, essa estratégia não tem funcionado.

Verifique: todas as vezes que você tomou uma decisão baseada em uma emoção, você se deu mal. Todos os que conduzem seus negócios pelas emoções fracassam. Já ouviu o ditado: "Amigos, amigos, negócios à parte"?, ele resume bem o lema dos empresários bem-sucedidos. "Não importa quem você é, se eu gosto de você ou você de mim neste momento. O que importa é que temos este problema aqui e precisamos resolvê-lo para alcançar nossos objetivos. Portanto, o que vamos fazer para resolvê-lo?"

Este é o foco nas empresas: *o que vamos fazer?*

O que vamos *fazer* para aumentar as vendas? O que vamos *fazer* para diminuir nossos gastos? O que vamos *fazer* para ultrapassar o nosso concorrente?

Fazer. Fazer. Fazer. E não sentir, sentir e sentir.

Sentimento não é ferramenta para resolver problemas.

A DESCOBERTA NO "LABORATÓRIO"

Temos um quadro em nosso programa *Escola do Amor* chamado "O Laboratório". O quadro consiste em filmar um casal enquanto eles discutem os problemas da relação. Cristiane e eu então observamos o casal, identificamos as falhas na comunicação e no comportamento deles e damos sugestões para melhorarem. Antes de ligarmos as câmeras, deixamos o casal a sós no estúdio, sentados de frente um para o outro, e pedimos que comecem a conversar sobre qualquer assunto que acham que precisam resolver entre eles. Daí, ligamos as câmeras. É uma experiência e tanto... Por isso o nome "Laboratório".

Uma de nossas descobertas observando os casais discutindo seus assuntos foi exatamente a intensidade de emoções na conversa e a ausência de foco no que *fazer* para resolver o assunto. Movidos pelos sentimentos de irritação, raiva, mágoa, desprezo, defensividade e incompreensão, os casais ficam a maior parte do tempo fazendo a "Listinha de quem é pior". É mais ou menos assim:

> *Ela: você é muito bagunceiro, deixa as coisas fora do lugar.*
>
> *Ele: o problema é que você quer as coisas na hora. Se não guardo logo os sapatos ou ponho o prato na pia, você já começa a encher a paciência.*
>
> *Ela: mas é muita falta de consideração sua. Não vê que eu limpei a casa toda? O mínimo que você podia fazer é não bagunçar. Você sabe que eu gosto das coisas organizadas.*
>
> *Ele: você também não é tão organizada assim. Outro dia eu abri as gavetas da sua mesa e as coisas estavam todas reviradas lá dentro. O que adianta? A mesa está limpa, mas as gavetas todas bagunçadas.*
>
> *Ela: sim, mas se você me ajudasse mais na casa você ia saber como eu sinto!*
>
> *Ele: e eu não ajudo?*

E por aí vai. Dez, vinte, trinta minutos, passando de um problema para o outro. Veja que a conversa nunca foca no problema nem no que irão fazer para resolvê-lo. Por causa das emoções, um fica tentando provar para o outro que não é tão mau assim, ou que o outro não é tão santo quanto pensa. Enfim, o sujo falando do mal-lavado:

Listinha de quem é pior

SUJO	MAL-LAVADO
Bagunceiro	Quer tudo na hora
Desorganizado	Enche a paciência
Não tem consideração	Não é tão organizada assim
Não ajuda na casa	Não reconhece a ajuda

Quando a conversa acaba, normalmente a lista está bem extensa, equilibrada, e os egos mais feridos. E, é claro, nada foi resolvido. Não é à toa que muitos casais não dialogam mais. Dialogar para quê? Para ouvir da pessoa amada uma lista de todos os seus defeitos? Não, muito obrigado. Prefiro a televisão.

Porém, se usassem a razão em vez da emoção, focariam no problema e no que fazer para resolvê-lo. No final da conversa, teriam chegado a uma conclusão e ambos saberiam exatamente o que fazer para o problema não se repetir. E ninguém sairia ferido.

Agora imagine se nas empresas as pessoas agissem como o casal acima na hora de resolver problemas. O patrão chama o gerente de vendas no seu escritório e diz:

Patrão: João, nossas vendas estão caindo.

João: pois é, por que você não levanta dessa cadeira confortável aí e vem nos ajudar? Talvez as vendas não continuassem tão mal assim.

É claro que a conversa nunca iria partir para esse nível emocional, até porque ela acabaria bem rápido: *"João, você está demitido. Passe no RH"*. Como o João não quer ser demitido, nem o patrão quer perdê-lo, os dois focariam em estratégias para melhorar as vendas. Usariam a inteligência e a razão, e não os sentimentos ou a emoção, ainda que os últimos sejam reais e presentes.

Emoção é a ferramenta errada para resolver problemas no trabalho e também no casamento. O que eu sinto sobre um problema não importa.

O que importa é o que vou fazer sobre o problema. Ninguém "sente" a solução de um problema. O João não chega para o patrão e diz: *"Deixa comigo, já estou sentindo que as vendas vão subir"*. Se o fizesse, lá iria ele passar no RH de novo... Solução se encontra pensando, raciocinando, chegando a conclusões e agindo sobre elas — nunca sentindo.

Usando a razão e não a emoção para resolver problemas, as empresas mantêm dezenas, centenas, até milhares de funcionários unidos em um só objetivo — mesmo sem se amarem. Com certeza, um casal que se ama inteligentemente também pode se beneficiar dessa mesma ferramenta para se manter junto e resolver seus problemas.

SOBREVIVÊNCIA DE UM NEGÓCIO: DUAS REGRAS

Todo negócio, toda empresa, tem de seguir duas regras básicas para a sua sobrevivência. Se você quebrar uma dessas regras, não tem como permanecer no emprego ou manter seus negócios. Quais são elas?

1. **Definir, resolver, prevenir** — Definir o problema (descobrir a sua causa), resolvê-lo e, se possível, prevenir que aconteça de novo, é o arroz com feijão das empresas de sucesso. Por exemplo: vários clientes têm reclamado dos grandes atrasos na entrega do produto. A empresa precisa descobrir o problema que causa os atrasos, resolvê-lo e implementar normas e métodos que eliminarão as chances de os atrasos se repetirem.
2. **Não levar nada para o lado pessoal** — Nos negócios, as coisas têm de permanecer no âmbito racional. Quem é sentimental e costuma levar tudo para o lado pessoal não é eficaz e normalmente não dura muito tempo no trabalho. Sua vida pessoal, seus sentimentos sobre o que se passa em casa ou sobre os colegas de trabalho não interessam à empresa. Você deve saber separar as coisas. O foco na empresa são os objetivos e o que tem de ser feito para alcançá-los. Seu patrão espera que você seja um adulto, não uma criança mimada e que faz birra quando algo não está do seu gosto.

Focando no problema e tirando a emoção — assim as empresas sobrevivem e prosperam; assim seu casamento também poderá vencer todos os desafios.

CAPÍTULO 6
OS DEZ PASSOS PARA RESOLVER PROBLEMAS

Guiadas pelas duas regras básicas descritas no capítulo anterior, as empresas de sucesso prosperam e avançam todos os dias resolvendo desde problemas pequenos e fáceis até os maiores e mais complexos. Podemos decompor esta arte de resolver problemas em dez passos distintos, que se adaptam muito bem à empresa do casamento. Qualquer pessoa bem-sucedida no trabalho, patrão ou funcionário, já segue estes dez passos, ainda que não pense neles desta forma estruturada. É algo instintivo, pois o foco nos resultados somado ao uso da inteligência, em vez da emoção, exige que a pessoa siga este processo natural de solução de problemas.

A mente empresarial está acostumada a seguir esse processo instintivamente, sem mesmo pensar muito nele, assim como os músculos de nossas pernas se acostumam a subir e descer escadas sem que os olhos precisem olhar para os degraus. Mas, como no casamento as emoções entram em jogo, parece que elas ofuscam nossas faculdades mentais, de modo que o que é tão claro e lógico no trabalho não é no relacionamento. Por isso vamos desmontar esse processo para nos ajudar a ver como ele deve se aplicar nas situações conjugais.

Façamos um paralelo usando dois exemplos típicos de problemas, um empresarial e um conjugal. Assim você poderá ver como os mesmos passos que usamos para resolver problemas no trabalho também podem ser usados para resolver problemas no relacionamento.

Suponhamos que você é gerente de Recursos Humanos na empresa Engenhocas Ltda. (É só um exemplo vai, foi o nome que me veio à cabeça.) Você é responsável por todos os aspectos de gerenciamento de funcionários. Um sintoma de problema é trazido à sua atenção: tem havido grande instabilidade na posição de recepcionista da empresa. Nos últimos três meses, quatro recepcionistas entraram e saíram do cargo, e agora a empresa busca a quinta. Altos custos de contratação e treinamento, queda no moral dos funcionários e a falta de sequência no cargo são apenas alguns dos efeitos negativos. É sua responsabilidade resolver esse problema. O seu patrão quer resultados.

Enquanto isso, na sua empresa Casamento Ltda., vocês também enfrentam um sintoma de problema: ele reclama que sente falta de fazer sexo mais vezes e ela acha que a regularidade atual está mais do que suficiente. Isso por vezes tem afetado os ânimos dos dois, fazendo com que ele fique indisposto com ela e ela se sinta pressionada por ele. Vocês dois querem um resultado satisfatório para esse impasse.

Vamos agora aos dez passos para resolver esses problemas:

OS DEZ PASSOS

1. Reunir-se e iniciar comunicação imediatamente

Na empresa: a primeira coisa que você faz é reunir-se imediatamente com as pessoas envolvidas e iniciar comunicação com elas para descobrir o que realmente está acontecendo. Ênfase aqui na palavra "imediatamente". Quer dizer, você não protela o problema porque sabe que um problema adiado é um problema aumentado. No mundo dos negócios sabemos que a velocidade no agir é uma grande vantagem sobre a concorrência. Por isso, você não perde tempo. Convoca imediatamente uma reunião com todos os que podem dar informações úteis sobre a situação — seu recrutador, o responsável pelas demissões, o gerente da recepção etc. Você faz isso independentemente dos sentimentos — seus ou de qualquer dos envolvidos sobre o assunto. O que tem de ser feito, tem de ser feito.

No casamento: aqui já começam os erros da maioria dos casais. Geralmente, quando surgem problemas, ambos se afastam, evitando resolver os conflitos. Acham que o adiamento da discussão supostamente resolverá alguma coisa. Normalmente, os homens são mais culpados disso, dependendo do tipo de problema a ser resolvido. A mulher costuma ser a pessoa que aponta o problema, que levanta o assunto na esperança de que o marido participe da solução. O homem já tende a ser mais simplista, menos preocupado com detalhes e com pouca paciência para discutir uma coisa que ele muitas vezes nem acha que é um problema. No afã de não se chatear, de querer ficar bem, evita falar sobre o assunto e erra tentando adiar ou contornar rapidamente. Arruma desculpas para não ouvir a esposa: "Agora não, estou cansado, deixa para outro dia". (Às vezes faz isso pensando que a mulher vai acabar se esquecendo do assunto e deixá-lo em paz. Ingênuos que somos...)

Quando surge um problema no casamento, você tem de agir na hora para resolvê-lo. Lembre-se, problema não é como vinho, que melhora com o tempo. Portanto, na primeira oportunidade vocês devem se reunir e iniciar a comunicação para expor o problema. Já que terá que ser resolvido cedo ou tarde, melhor cedo, porque tarde poderá ter aumentado. Então, aja rápido.

No caso em questão, ou seja qual for o caso, o casal deve se reunir sem demora e expor o problema que ambos estão enfrentando. Não importa o que sentem a respeito, pois sentimento não resolve problemas. O que importa é que está havendo um conflito e a empresa de vocês não pode prosperar com um problema mal resolvido. Portanto, a melhor hora para resolver um problema, salvo raras exceções, sempre é imediatamente.

2. Ouvir

Na empresa: o segundo passo, após se reunir com sua equipe, é ouvir os envolvidos (o recrutador, o responsável pelas demissões, o gerente da recepção etc.) para encontrar o porquê de recepcionistas não pararem na posição. Você quer ouvi-los porque é um profissional e um chefe inteligente. Um dos piores tipos de patrão que você pode ter é o sabe-tudo. Já trabalhou para alguém assim? Quando toma conhecimento de um problema, já chega diante de seus subordinados com uma ordem e uma solução pré-fabricada: "A partir de agora vocês vão fazer assim e assim". Não quer saber de ouvir ninguém, porque, é claro, já sabe tudo e os subordinados são... apenas subordinados. Mas você não é assim. Você sabe que as melhores informações sobre o problema só podem vir daqueles que estão diretamente envolvidos nele. Por isso, você quer — precisa — ouvi-los atentamente. Você inicia a comunicação falando pouco e ouvindo mais.

No casamento: o segundo passo também já costuma começar errado entre os casais com problemas, e justamente por causa das emoções. Um cônjuge inicia a comunicação apontando um problema e o outro imediatamente se ofende e se coloca na defensiva. Lembra-se da "Listinha de quem é pior" que os casais no "Laboratório" costumam fazer? É aqui que eles pecam. Em vez de ouvir atentamente um ao outro, partem para a defensiva até que cansam e desistem da conversa. Enquanto um parceiro está falando, o outro, em vez de ouvir, já começa a formular na mente uma resposta ou retaliação. Ao fazer isso, deixa de ouvir.

Há uma explicação psicológica e natural por que isso acontece. Quando nos sentimos atacados, nosso instinto é lutar ou correr. Isso é um instinto tão básico que pode ser observado em qualquer animal. Se você atacar um cachorro, por exemplo, o instinto de autodefesa e sobrevivência dele o fará atacá-lo de volta ou fugir de você. O ser humano opera a partir deste mesmo instinto para tudo. Por isso, quem inicia a conversa tem o poder de determinar a reação do parceiro — se vai ser boa ou negativa.

Uma conversa iniciada em tom acusativo ou crítico inevitavelmente provocará uma reação de brigar ou fugir da conversa. O ideal é que o problema seja exposto de forma separada da pessoa. Por exemplo, se o marido fala: "Você é fria, nunca está a fim de nada comigo", a esposa se sentirá atacada pessoalmente e tentada a responder à altura: "Você que é um cavalo, só quer saber de sexo". Pronto, o combate está armado. Ninguém mais vai ouvir ninguém, exceto com a intenção de atacar ou se defender. Mas se ele começa assim: "Amor, como eu posso fazer para nós dois ficarmos mais satisfeitos com nossa vida sexual?", a reação será outra. Notou a diferença? A maneira como o falante inicia a conversa determina se o ouvinte ficará à vontade para dialogar ou não.

Quando seu cônjuge começa a expor o problema, resista à tentação de se defender ou justificar. Inicialmente, apenas ouça para colher informações, deixando a pessoa bem livre para se expressar. Não presuma que já sabe qual é o problema, pois provavelmente a outra pessoa tem uma visão bem diferente da sua sobre o que ele realmente é. Portanto, seja inteligente: ouça.

3. Perguntar

Na empresa: ainda no intuito de identificar e compreender a raiz do problema, você faz perguntas que lhe tragam esta informação. Sabemos as razões da saída de cada uma das quatro recepcionistas? De onde elas foram recrutadas? Quem fez a seleção e quais critérios usou? Qual o salário que pagamos a elas? Está compatível com o mercado? Quais as responsabilidades que a posição inclui? Onde estamos no processo de recrutar a próxima? Enfim, você faz perguntas focadas no que precisa para entender melhor o problema e segue ouvindo atentamente as respostas. Note que essas perguntas não são acusativas nem têm como alvo achar um culpado, apenas buscam as informações relevantes.

Uma técnica desenvolvida por profissionais japoneses diz que se você definir um problema e perguntar por que ele está acontecendo, até cinco vezes, você provavelmente vai encontrar a raiz desse problema. Por exemplo:

- A casa está fria. (Problema) *Por quê?*
- Porque o sistema de aquecimento está quebrado. *Por quê?*
- Porque não foi feita a manutenção periódica. *Por quê?*
- Porque eu não queria gastar o dinheiro. *Por quê?*
- Porque eu sou muito pão-duro e não gosto de gastar dinheiro, a não ser quando não tem outro jeito. (Raiz do problema!)

A solução imediata para o problema de a casa estar fria é, obviamente, consertar o sistema de aquecimento. A solução *permanente*, porém, é uma mudança na minha mentalidade em relação a dinheiro. Eu preciso reajustar os meus pensamentos e compreender o conceito fundamental de "gastar agora para economizar mais tarde". Se fizer a manutenção do sistema de aquecimento periodicamente, vou gastar algum dinheiro agora, mas não tanto como quando o sistema quebrar por falta de manutenção.

É claro que posso decidir apenas consertar o aquecimento agora e não me preocupar com a raiz do problema. Nesse caso, tenho que estar consciente de que o problema voltará no futuro...

Perguntar "por quê?" de maneira inteligente é uma boa forma de encontrar a raiz de seus problemas e assim buscar uma solução permanente. Mas é importante ser bem honesto na resposta e não ter medo de se confrontar com algo feio a seu respeito. Ninguém gosta de assumir que é pão-duro. Se não estivesse disposto a ver o que não gostaria de ver, provavelmente diria que não fiz a manutenção periódica porque tive medo de precisar do dinheiro para outra coisa ou porque não tinha condições ou porque acabei me esquecendo, mas essas são desculpas que nos damos para não lidar com a verdadeira raiz. São mais folhas e mais galhos que usamos para nos distrair da resposta honesta. Tenha coragem de cavar.

No casamento: fazer perguntas para seu cônjuge quando ele ou ela traz um problema para resolver é uma ótima maneira não somente de entender melhor a situação, mas também de mostrar que você realmente está ouvindo e se interessa em compreender a outra pessoa. Da mesma forma que faz no trabalho, foque as perguntas na descoberta da raiz do problema. "Você se considera realizado(a) sexualmente? Por quê? O que eu faço que você gosta/não gosta? Qual a importância do sexo para você dentro do nosso casamento? Por quê? O que eu faço que faz você se sentir pressionada? Quando o ato é prazeroso para você? Quando não é? Há algum momento do dia ou da noite que você prefere reservar para ficarmos juntos? Algum que não? Qual regularidade do ato sexual seria ideal para você?" Enfim, essas perguntas ajudam a explorar o que está por trás do problema, e com certeza as respostas gerarão outras perguntas. Note novamente o tom não acusativo e o foco em descobrir as causas do problema sem atacar ninguém.

4. Focar nos fatos

Na empresa: nos negócios trabalhamos com fatos, números, dados, evidências. É claro que intuição, experiência, personalidade, princípios e outras características mais abstratas influenciam nossas decisões. Porém, a base inicial e mais confiável de nossas decisões no trabalho é aquilo que é tangível, sólido, real e indiscutível. Portanto, suas considerações sobre o que está acontecendo na recepção da Engenhocas Ltda. são baseadas principalmente nos fatos verificáveis em vez de nas opiniões ou suposições.

Se alguém do setor de contabilidade simplesmente diz "Eu não fui com a cara da última recepcionista" — isso não é fato suficiente para ser considerado. São mais importantes informações sólidas como as que o responsável pelas demissões diz: "As quatro últimas recepcionistas alegaram que estavam saindo para ganhar mais em outro lugar". Isso é um fato. "Vários departamentos da empresa costumam dar trabalhos extras para a recepcionista e ela acaba não conseguindo dar conta do trabalho da recepção e dos outros", diz o gerente da recepção. Isso é outro fato.

No casamento: uma cena típica na empresa Casamento Ltda.: o marido chega do trabalho e vai jogando sapato, meia e outras coisas pela casa que a esposa passou o dia todo limpando e arrumando. Rola no chão da sala com o cachorro e em cinco minutos consegue desarrumar o que ela passou horas para fazer. A esposa, exasperada, entra na sala e diz: "Você não tem consideração nenhuma!". Ainda que ela honestamente diga e sinta isso, não é necessariamente um fato. Ainda não encontrei um marido que no caminho do trabalho para casa maquinasse maquiavelicamente contra a esposa: "Tomara que a casa esteja arrumadinha porque, quando eu chegar, eu vou bagunçar tudo, ha ha...". O **fato** não é que ele não tem consideração. Isso é o que **parece**, o que ela sente. Mas os fatos observáveis são simplesmente: "Ele põe as roupas fora de lugar assim que chega do trabalho; parece valorizar o relaxamento e a descontração depois de um dia de trabalho acima da arrumação da casa". Não entra em questão aqui, por enquanto, o certo ou errado, mas simplesmente o fato observável por qualquer pessoa que visse a cena, não somente a esposa.

Temos que tomar cuidado para não darmos uma de juiz do nosso cônjuge. Aliás, se realmente quiséssemos ser um juiz, a primeira coisa que teríamos de aprender seria exatamente focar nos fatos, nas evidências. O bom juiz ignora os sentimentos e olha os fatos, nada mais. Porém, na maioria das vezes que julgamos nosso cônjuge, somos péssimos juízes e sempre damos uma "sentença" favorável a nós mesmos.

Focar os fatos é mais uma forma de separar sentimento e razão, separar as emoções do problema.

No caso do casal com problemas na cama, os fatos observáveis podem incluir, por exemplo: no último mês tiveram relação apenas duas vezes; o marido procurou a esposa dez vezes e em todas elas recebeu um não; a esposa às vezes sente dores durante a relação; a parede que separa o quarto deles e o do filho não oferece privacidade; ela confessa que não vê o sexo como prioridade no casamento e que sente falta da amizade que tinham no início do relacionamento, quando ele não passava tanto tempo nas redes sociais; ela acrescenta que se sente usada quando ele a pressiona a fazer sexo mesmo quando ela não está a fim.

Fatos são fatos — informações verificáveis por qualquer observador, independentemente de opiniões. Este passo é imprescindível para continuar a conversa de forma eficaz e chegar a uma boa solução para o problema.

5. Explorar ideias

Na empresa: note que até aqui, nos quatro primeiros passos, você apenas colheu informações para entender e definir o problema. Agora você está pronto para começar a explorar possíveis soluções para o problema. No mundo corporativo este processo é conhecido como *brainstorming*, uma discussão livre em grupo com o objetivo de gerar ideias e maneiras de resolver um dado problema. Todos são convidados a contribuir com suas ideias. Quanto mais, melhor. Até que, entre todas as ideias oferecidas, as mais interessantes sejam selecionadas e, entre elas, se escolha a melhor proposta para ser executada.

Talvez o responsável pelas demissões sugira aumentar o salário da posição e equipará-lo ao que é pago no mercado. Alguém dá a ideia de até pagar mais que o mercado e aumentar as responsabilidades. Outro sugere que uma descrição de funções seja feita e claramente explicada para a próxima recepcionista e que os departamentos sejam avisados do que ela não está autorizada a fazer. O gerente de recepção dá a ideia de que talvez um plano de carreira possa ser oferecido como incentivo para a recepcionista permanecer no cargo, já que ela verá a possibilidade de crescer na empresa. Todas as ideias são recebidas e devidamente consideradas.

No casamento: este processo democrático de permitir a sugestão de ideias é muito importante no casamento. Muitos casais pecam porque insistem em querer impor um ao outro a sua própria solução. O bom líder no trabalho sabe envolver seus colegas e subordinados na busca de soluções, não apenas pelo benefício político, mas porque sabe que duas cabeças pensam melhor que uma. Assim também o casal deve agir em busca de uma solução que melhor resolva o problema, não necessariamente a que agrada a um mais que ao outro.

Olhando para o problema, que a esta altura já deve ter sido definido pelos quatro primeiros passos, o casal então se pergunta: *como podemos resolver este problema e prevenir que aconteça de novo?*

Este estágio é enfatizado pela criatividade e quantidade de ideias. O casal deve ser criativo e se sentir livre para sugerir soluções sem criticar, condenar ou ridicularizar as ideias propostas. Afinal, realmente há mais de uma maneira de se descascar um abacaxi.

A esposa sugere, por exemplo: "Talvez você possa se esforçar para passarmos mais tempo juntos, como fazíamos antes. Assim eu me sentiria mais próxima de você. Reconheço que preciso ser mais sensível às suas necessidades também, não rejeitar você tantas vezes. Vou me esforçar para valorizar mais a intimidade física, pois sei que é importante. Se você pudesse fazer alguma coisa sobre a parede do nosso quarto, eu ficaria muito mais à vontade. Privacidade é muito importante para mim".

Ele pode dar outras sugestões, como: "Podemos ir juntos a um médico para ver sobre suas dores. Eu reconheço que às vezes falo o que não devo para você quando fico com raiva. Vou ter mais cuidado com minhas palavras. Vou organizar melhor meu tempo para resgatarmos nossa amizade. Onde você e eu podemos ceder para equilibrar melhor as nossas necessidades sem nos impormos um ao outro? Eu quero priorizar o seu prazer e peço que me ajude a descobrir o que excita você. Posso me educar mais sobre o assunto também e buscar ajuda qualificada".

Não se deve descartar a possibilidade de que nenhum dos dois tenha a solução ideal. Por isso, uma ideia pode ser buscar ajuda externa profissional, que possa apontar a melhor solução para o problema.

6. Propor uma solução

Na empresa: entre as várias ideias exploradas, você deve analisar quais seriam as mais viáveis e eficazes para resolver o problema agora e, se não permanentemente, por um longo prazo. Depois de tudo o que ouviram, digamos que você e sua equipe cheguem à seguinte proposta: alinhar o salário da recepcionista com o valor de mercado; propor um plano de carreira para ela dentro da empresa; e manter contato com a nova recepcionista semanalmente pelos primeiros três meses para identificar quaisquer sinais de insatisfação no trabalho, a tempo de acionar uma solução o quanto antes e assim minimizar a desistência. Essa proposta é escolhida porque parece atingir as causas principais do problema.

No casamento: para chegar a uma proposta de solução, tenha em mente que a melhor resposta a qualquer problema conjugal sempre será aquela em que os dois saem ganhando. Se um perde, os dois perdem. Portanto, lembre-se aqui dos objetivos da empresa, da equipe, e não somente dos indivíduos. Como na empresa, proponha o que melhor parece atingir as causas do problema.

O casal conclui, então, por exemplo, que irá procurar ajuda externa de um médico e outra fonte de conhecimento sobre como estimular o prazer feminino; os dois se esforçarão mais para atender com mais equilíbrio às expectativas sexuais um do outro, cedendo quando e onde necessário, sem se impor indevidamente um ao outro; organizarão melhor o tempo para reconstruir a amizade; e um isolamento acústico será instalado na parede do quarto do casal.

7. Concordar com um plano de ação

Na empresa: agora que vocês têm uma proposta, todos precisam crer nela, na sua viabilidade. Nada será feito se não houver acordo entre os responsáveis. A pergunta a ser respondida é: *todos creem e concordam que a proposta poderá resolver o problema?* Todos os envolvidos têm que acreditar e apoiar a proposta.

No casamento: se é imprescindível que a proposta tenha o apoio de todos no ambiente de trabalho, muito mais no casamento. Vocês não precisam concordar em tudo. Às vezes terão que "concordar em discordar" de algumas coisas. Se isso acontecer, comecem procurando pontos em comum. Deem passos curtos. Há problemas que não se resolvem de uma vez e você terá que repetir esse processo muitas vezes. Mas não deixem que as discórdias sobre alguns pontos os impeçam de agir em outros pontos em que há um acordo. Este passo tem de ser concluído com os dois dizendo: "concordo que, se fizermos isso, poderemos solucionar o problema".

8. Definir quem fará o quê, e fazer

Na empresa: quem vai fazer o quê, como e quando? Nas empresas de sucesso, ninguém sai de uma reunião sem decidir esses três pontos. Tarefas precisam ser definidas e distribuídas aos responsáveis, para que cada um saiba o seu papel na solução do problema. Por exemplo, na solução proposta no passo anterior, você, como gerente de RH, buscará aprovação da diretoria para aumentar o salário da posição. O responsável por treinamento e desenvolvimento de pessoal irá preparar um possível plano de carreira para a recepcionista dentro da empresa. O gerente da recepção manterá contato com a nova recepcionista semanalmente para detectar qualquer problema. Prazos são acordados.

No casamento: ela procurará o médico, ele a acompanhará; ele buscará um bom livro que esclareça para o homem fatos importantes sobre o prazer sexual da mulher; ele deixará de pressioná-la; ambos terão mais cuidado com as palavras duras; ele definirá o tempo máximo de uso da internet; ela pensará em atividades para fazerem juntos; ele chamará o profissional que fará o tratamento da parede do quarto; ele será paciente com ela e ela cederá mais a ele.

É claro que o "fazer" é a parte mais importante de tudo isso. Uma vez mais vocês precisarão ignorar o *sentir*, a própria vontade, e simplesmente *fazer* o que é correto e necessário para chegar à solução. Como nos negócios, com certeza os diretores não sentem vontade de pagar um salário maior para a recepcionista, por exemplo. Mas se isso é necessário para evitar gastos ainda maiores com a rotatividade de pessoal naquela posição, então tem de ser feito.

9. Ver se está funcionando

Na empresa e no casamento: mesmo que já se tenha alcançado muito progresso até aqui, o problema ainda não está resolvido, pois até aqui houve apenas conversa! Portanto, tanto na empresa quanto no casamento, depois de tudo acordado e do devido tempo para se executar o plano de ação, os resultados têm de ser monitorados. Não abandone o processo no oitavo passo, que é onde a maioria acha que conseguiu resolver o problema. Acompanhe passo a passo se a solução proposta está funcionando. Na empresa, o bom resultado será a nova recepcionista contratada permanecer no cargo muito mais tempo e/ou crescer na empresa. No casamento, o casal terá maior satisfação sexual, menos frustração e ânimos alterados, e a experiência os terá tornado mais íntimos um do outro.

10. Sim? Continuar. Não? Repetir o processo.

Na empresa e no casamento: seguindo estes dez passos, você provavelmente conseguirá resolver o problema, senão totalmente, pelo menos em parte. Se não for resolvido por completo, não desanime, é absolutamente normal. Mais de uma tentativa pode ser necessária. Na verdade, esse processo nunca acaba, pois novos problemas vão surgindo dia após dia, nos negócios e em casa, e precisamos nos tornar *experts* em implementar esses passos à medida que avançamos.

Muitas vezes ouço as pessoas falarem: "Já tentei tudo, não há jeito para o meu marido", "Minha esposa nunca vai mudar, já fiz tudo o que você pode imaginar por ela, mas ela não mudou. Não tem jeito". Espere aí.

Olhe bem para estas palavras. Já tentou *tudo*? Já fez *tudo o que se possa imaginar*? Não creio. Você pode ter tentado três, cinco, dez formas diferentes de resolver a situação, mas não diga que já tentou tudo. Sempre há algo diferente que você ainda não fez. "Já tentei tudo" são palavras da emoção. Mas a razão recusa a aceitar que não haja solução para um problema.

Por isso, não desista do processo se ao fim de uma tentativa o problema ainda parece estar lá. Repita os dez passos, e agora com o conhecimento do que não funcionou. É assim que fazemos no trabalho.

Os dez passos

1. Reunir e iniciar comunicação imediatamente	DESCOBRIR O PROBLEMA
2. Ouvir	
3. Fazer perguntas	
4. Focar nos fatos	
5. Explorar ideias	BUSCAR SOLUÇÃO
6. Propor uma solução	
7. Concordar com um plano de ação	
8. Definir quem fará o quê, e fazer	EXECUTAR O ACORDO
9. Ver se está funcionando	
10. Sim? Continuar, Não? Repetir o processo	

Atente para esses dez passos e perceba a ausência de emoção neles. É um processo lógico e racional, não emotivo.

A beleza desse processo está no fato de que você já o pratica diariamente no seu trabalho. (Ninguém conseguiria manter uma empresa ou emprego sem praticar isso.) Você já segue esses dez passos instintivamente, ainda que não pense neles como dez passos distintos. Mas você os pratica várias vezes ao dia, a cada minuto.

Quer dizer: você provavelmente não precisa *aprender* esses dez passos, porque já os domina. Precisa apenas *transferir* esse conhecimento para o seu casamento e aplicá-lo quando for resolver problemas.

O TESTE DO TELEFONE

Normalmente quando explico essa ideia de tratar o seu casamento como uma empresa, algumas pessoas dizem logo de cara que nunca irá funcionar para elas. Justificam: "eu tolero as pessoas no trabalho porque não tenho que dormir com elas. Não estou envolvido com elas sentimentalmente, então é mais fácil". Porém, olhando com mais atenção, verificamos que não é bem assim.

Sejamos honestos: a verdadeira razão por que controlamos nossas emoções no local de trabalho não tem nada a ver com gostarmos ou não das pessoas, e sim com dinheiro. Você só não xinga seu patrão ou dá um coice no funcionário porque isso lhe custaria dinheiro. Tanto é que quando uma pessoa já não está nem aí para o emprego é capaz de "soltar os cachorros" em cima de alguém no trabalho, pois já planejava sair, de qualquer maneira. Portanto, controlamos nossas emoções motivados por não querer perder dinheiro. Agora responda: será que não podemos controlar as emoções motivados por não perder o casamento?

Daí o outro benefício de ver o seu casamento como uma empresa: entender que ele é o seu maior investimento. Pessoas casadas normalmente são mais estáveis financeiramente e em todas as outras áreas da vida, como: saúde, espiritualidade e família. Não tem sentido você sacrificar suas emoções para ter sucesso no trabalho, mas não no seu casamento. De que adianta ter sucesso profissional sem ser feliz no amor? De que adianta ter tantos bens sem ser feliz na família?

Deixe-me colocar para você um cenário comum em briga de casal. Marido e mulher estão em casa discutindo sobre alguma coisa, batendo boca para lá e para cá. Os temperamentos estão esquentados. De repente, toca o telefone. O dono do celular olha quem está ligando, vê que é uma ligação importante e decide atender. Mas antes, com voz de raiva, grita com o marido ou a mulher: "*ESPERA AÍ, TENHO QUE ATENDER ESTA CHAMADA!*". Daí, atende a ligação e, em questão de um ou dois segundos, muda a voz e diz em tom polido e suave: *"Alô? Oi, fulano, tudo bem? Pode falar..."*. A pessoa do outro lado jamais imaginaria que, dois segundos antes, quem atendeu a chamada estava gritando, com raiva!

Em outras palavras, podemos ou não podemos controlar nossas emoções no meio de uma briga de casal?

TAREFA

Vamos praticar os dez passos? Identifique um problema que ainda não foi resolvido entre vocês. Talvez seja melhor não começar com nada extremamente sério, por agora, até que você ganhe mais confiança e domínio sobre suas emoções. Pense em algo não tão sensível, mas que precisa ser resolvido. Comece definindo o problema. Escreva o que é em uma ou duas frases apenas. Daí, combine com seu cônjuge um momento sem distrações para tratar do assunto.

POSTE:
Comecei a usar os Dez Passos Para Resolver Problemas.
#casamentoblindado

No Facebook: fb.com/CasamentoBlindado
No Instagram: @CasamentoBlindadoOficial
No Twitter: @CasamentoBlind

CAPÍTULO 7
INSTALANDO UM PARA-RAIOS NO SEU CASAMENTO

No século 18, quando as construções de prédios altos se tornaram mais comuns, o risco dos edifícios serem atingidos por raios aumentou. Verificava-se que quanto mais alto o prédio, maior o risco. O problema era a causa de vários incêndios e mortes, e ninguém conseguia encontrar uma solução nem entender por que os raios eram atraídos por certos edifícios.

Religiosos desprovidos de conhecimento diziam que os raios eram "setas do juízo de Deus" ou provocados por demônios. Porém, curiosamente, os prédios mais propensos a serem atingidos por raios eram as igrejas, devido às suas altas torres. O tocador de sino geralmente era a primeira vítima... O problema era tão sério que as autoridades aconselhavam a população a buscar refúgio durante tempestades "em qualquer lugar menos dentro ou perto de uma igreja". Ninguém entendia por que, segundo os religiosos, o Todo-Poderoso estaria alvejando seus próprios templos ou permitindo a Satanás fazê-lo — sem contar que em dia de chuva ninguém ia à igreja...

A verdadeira razão, porém, não tinha nada a ver com Deus nem com o diabo. Benjamin Franklin comprovou, em 1752, que raios transmitiam eletricidade. Partindo desse conhecimento, Franklin inventou o para-raios — uma haste metálica que, se instalada no topo de um prédio e ligada ao solo por um fio condutor, absorvia a carga elétrica do raio e a descarregava na terra, livrando do perigo o edifício e seus ocupantes. Deus agradeceu, e o diabo riu dos religiosos, que ficaram com cara de tacho.

Emoção é uma forma de energia, assim como a eletricidade. Quando os ânimos estão alterados entre o casal, o risco de "raios" aumenta. Se as emoções não forem controladas, resultarão em explosões de temperamentos que podem levar o casamento à destruição. E assim como certos edifícios eram mais propensos a serem atingidos por raios, certas pessoas têm um gênio mais alterado e são mais difíceis de lidar por se deixarem controlar pelas emoções.

Porém, o mau gênio não é boa desculpa, tampouco se pode culpar a Deus ou ao diabo por suas emoções negativas. Todos nós somos sujeitos a emoções, mas também somos dotados de inteligência para controlá-las.

Muita atenção: não estamos advogando aqui a repressão das emoções. Ninguém é um robô. O casamento é um dos maiores testes do nosso temperamento. Não é razoável esperar que simplesmente venhamos a "engolir sapos" e mais sapos, sem sofrer algum tipo de diarreia depois. Cedo ou tarde, os sapos terão de sair por algum lugar...

Qual é a solução, então? Em vez de reprimir as emoções, você deve encontrar outro recipiente para elas que não seja o seu parceiro. Benjamin Franklin descobriu que não era possível evitar os raios, mas era possível redirecioná-los para outro alvo onde não causariam danos. Quer dizer, temos que instalar um para-raios em nosso casamento para descarregar as nossas emoções em outra coisa. Mas como?

ANTES DO PARA-RAIOS

No início do nosso casamento, não tínhamos para-raios. Cristiane e eu soltávamos faíscas quando nossos ânimos ficavam alterados. Os raios dela se manifestavam como cobranças, insistência, ciúmes e palavras duras. Os meus eram basicamente uma frieza no falar e o famoso "tratamento do silêncio" que eu dava a ela.

Quando as minhas emoções afloravam, não sabia como lidar com elas. Por minha natureza ser calma, eu ficava calado, acumulando sentimentos negativos dentro de mim. Eu não explodia, mas implodia. Por não querer brigar com a Cristiane, me calava. Porém, por dentro, ficava pensando em tudo o que queria falar para ela, imaginando um diálogo, mas guardando tudo em mim mesmo. (Se eu colocasse para fora pelo menos 10% da conversa imaginária que eu fazia na minha cabeça, resolveria o problema muito mais rápido... Mais tarde, aconselhando outros casais, descobri que não estava maluco, pois não era o único que fazia isso!) Eu estava reprimindo as minhas emoções. Os raios estavam me incendiando por dentro e a minha ira incendiava a Cristiane.

O resultado era que eu ficava com raiva dela por dias e a tratava com o silêncio. Algumas vezes, de tanto acumular sentimentos negativos, acabei explodindo e me comportando como um cavalo psicótico preso em um estábulo em chamas. Dá para imaginar, né? Nada bonito.

Não há como não sentir emoções. Somos apenas carne e osso. Mas temos que saber e crer que também somos seres inteligentes, não apenas animais que seguem seus instintos. Se por um lado estamos sujeitos às emoções, por outro podemos sujeitar as emoções à nossa inteligência. Foi isso que aprendi e comecei a colocar em prática no meu casamento. Hoje em dia, quase não há mais situações em que a Cristiane e eu provocamos o temperamento um do outro. Mas nas poucas vezes que alguma fricção ou irritação surge, o meu para-raios tem sido me perguntar: *qual é o meu objetivo nesta situação? Qual o resultado final que eu quero alcançar depois de resolver este assunto?*

Daí eu logo penso: *quero estar bem com ela, dormir abraçado, ter resolvido o problema de forma favorável para nós dois, não quero ficar de mal, quieto, calado por dois ou três dias dentro de casa etc.*

Então, focando nesses objetivos, uso as minhas emoções como energia para resolver o problema racionalmente. Quer dizer, descarrego minhas emoções, destilo meus sentimentos no meu raciocínio e foco nos resultados que eu quero. Esse processo me ajuda a controlar o que sinto em vez de me deixar ser controlado por meus sentimentos.

Uma vez que coloco a minha inteligência no controle das minhas emoções, então, eu inicio o processo de resolver a questão junto com a Cristiane. A essa altura já não há mais raios, porque já foram conduzidos pelo meu raciocínio na direção dos meus objetivos em vez de para Cristiane. É claro, isso às vezes requer que eu tire alguns minutos para organizar meus pensamentos. Se você tem um problema semelhante, também terá que aprender a não entrar em combate impulsivamente e não deixar suas emoções usarem sua boca.

O recado é: encontre algo para descarregar suas emoções que não seja o seu cônjuge. O que acabei de descrever é o que funciona para mim, e você precisa descobrir o que funciona para você. A Cristiane, por exemplo, tem um para-raios completamente diferente do meu, mas muito eficaz.

Cristiane

Quando eu fico muito chateada por alguma coisa, já nem consigo fazer o que o Renato faz sem primeiro orar. Então o meu para-raios é a oração. Entro no meu quarto ou em outro lugar privado e descarrego a minha raiva em Deus — não contra Ele, mas como um desabafo. Descobri que a oração é um canal pelo qual posso levar qualquer frustração a Deus. Afinal, Ele é o Todo-Poderoso, logo, pode suportar a fúria da mulher, ao contrário do meu marido.

Quando comecei a praticar isso, Deus me fez ver que se eu insistisse e levasse adiante determinado assunto, querendo bater de frente com o Renato, não estaria agradando a Ele, ao meu Deus. Então, quando eu oro, não somente descarrego minhas emoções em Deus, mas também recobro minhas forças para decidir não fazer daquela situação um problema. Tomo a decisão de relevar e desistir de criar uma tempestade, o que só traria mais raios de emoções... Portanto, decido sacrificar minhas emoções.

Usando a oração, deixei de cobrar do meu marido e passei a cobrar de Deus; deixei de desconfiar do meu marido e passei a confiar em Deus; deixei de falar duramente com meu marido e passei a falar abertamente com Deus. Isso tem sido o meu para-raios desde então. Funciona, e eu aconselho todo casal a experimentar isso, especialmente a mulher.

Nós, mulheres, costumamos ser mais emotivas e menos racionais. Por isso, a oração é uma ótima maneira de retomar o controle de nossos sentimentos e agir com mais racionalidade. Se você nunca provou isso, experimente.

Note que não estou falando aqui de uma reza nem de um ritual religioso, mas de uma conversa franca que não podemos ter com ninguém — nem com marido, nem pai ou mãe, nem amiga —, pois provavelmente não nos compreenderiam. Mas Deus, que nos fez como somos, sabe exatamente o que se passa dentro de nós, nos compreende e nos dá forças para agir sabiamente.

O mais bacana é que, ao levarmos um problema a Deus em primeiro lugar, já estamos indo diretamente à Fonte. Se não podemos mudar ou fazer nossos parceiros entenderem, Deus pode. Tem coisas que só Deus pode fazer, e geralmente são aquelas que pensamos não ter jeito.

Lembro-me de uma vez em que estava certa e o Renato errado, mas não adiantava, ele não aceitava. Quanto mais eu tentava lhe explicar a situação, mais ele me condenava e se alterava comigo. Aquele sentimento de "coitada e injustiçada" tomou conta de mim, mas decidi parar de bater de frente com ele e tomar um banho. No chuveiro, falei sério com Deus: "O Senhor sabe quem está errado aqui, o Senhor sabe o que realmente aconteceu, agora o Senhor faça justiça, pois não há nada mais que eu possa fazer. Não quero me alterar com o Renato, não quero fazer o mesmo que ele está fazendo comigo, peço que o Senhor me justifique". Quando saí do banho, o Renato ainda estava com aquela cara de quem iria guardar aquele episódio por dias. Não falei mais nada, simplesmente fui dormir, confiando que Deus iria me justificar, cedo ou tarde. Na manhã seguinte, a primeira coisa que aconteceu foi o Renato me abraçar e pedir perdão.

GERANDO ANSIEDADE

Quando nossas emoções não são propriamente extravasadas em algo que pode utilizá-las sabiamente, explodirão sobre nossos cônjuges ou serão reprimidas. Essa repressão de emoções é o que gera a ansiedade, que é uma emoção em estado avançado. A ansiedade é aquele sentimento de constante preocupação, nervosismo, inquietação e mal-estar, causado pela incerteza do que vai acontecer. Todo ser humano está sujeito a isso.

Essa é uma das razões de Deus ter criado a oração, para que pudéssemos lançar sobre Ele nossas ansiedades. Se o fizermos, Ele promete que cuidará de nós[1]. Esse cuidado inclui o alívio do fardo emocional e também o direcionamento para lidar com a situação.

[1] 1 Pedro 5:7.

Você percebe aqui que a fé não é uma coisa religiosa, e sim algo extremamente inteligente. Quando aprende a usar sua fé com inteligência, você consegue tirar proveito da fé para resolver problemas do seu cotidiano.

Portanto, esteja certo: haverá dias nublados, de chuvas e tempestades no seu casamento. Quando eles vierem, trarão com eles os raios das emoções. Isso é inevitável. Mas você pode instalar um para-raios no seu casamento para descarregar as emoções em algo que não seja o seu parceiro. O para-raios para uns é contar até dez, para outros é a oração, para alguns é fazer uma caminhada — enfim, encontre o que é o seu, o que funciona para você.

E nunca se esqueça: emoção é a ferramenta errada para resolver problemas.

TAREFA

O que você usará como o seu para-raios? Defina e comece a praticá-lo já.

POSTE:
Já instalei o para-raios em meu casamento. #casamentoblindado

No Facebook: fb.com/CasamentoBlindado
No Instagram: @CasamentoBlindadoOficial
No Twitter: @CasamentoBlind

CAPÍTULO 8
"O CASAMENTO NÃO DEU CERTO"

"Meu marido é um ótimo homem fora de casa. Trata todo mundo bem, é admirado por todos. Mas comigo ele é um capeta", desabafou uma esposa durante nossa sessão de aconselhamento. As palavras dela ecoam as de muitas esposas e maridos que se frustram em ver as duas caras de seus cônjuges. Essa síndrome das duas caras na verdade é causada pela falha em processar corretamente as emoções negativas.

Quando não descarregamos as emoções de forma útil e positiva, elas vão se acumulando e acabamos jogando tudo em cima do nosso parceiro. Conseguimos segurar as emoções no trabalho porque pensamos que os estranhos não têm a obrigação de aguentar nossas frustrações. Mas achamos, erroneamente, que nosso cônjuge, sim, tem a obrigação de nos ouvir e entender, não importa como nos comportemos. Por esse motivo, vomitamos todo o nosso lixo sobre o parceiro, sem aquela consideração que temos com os estranhos. Somos educados com os de fora, mas dentro de casa somos uma peste.

Não é preciso dizer que essa atitude vai desgastando o relacionamento, causando profundas feridas, e assim muitos casais se distanciam e esfriam no amor.

Entenda uma coisa: *a pessoa que você é em casa é quem você realmente é.*

Pessoas com a síndrome das duas caras costumam se aprofundar ainda mais no erro quando observam o seguinte: em casa, o parceiro está sempre infeliz e vive reclamando do comportamento delas; mas fora, os amigos e colegas todos as apreciam e admiram (porque não conhecem a outra cara). A conclusão a que chegam é: "o problema é meu parceiro. Todo mundo gosta de mim, mas ele/ela não. Tenho que sair desse casamento".

Porém, o problema claramente não é o parceiro. Se elas o tratassem com a mesma educação e consideração com que tratam os estranhos, também teriam a admiração e respeito do parceiro.

A pessoa que somos em casa é quem realmente somos. Por isso, mesmo se nos divorciarmos daquela pessoa que achamos ser o problema e nos casarmos com outra, que nos parece maravilhosa e que nos admira tanto, esta pessoa também começará a ver nossa outra cara e passará a fazer as mesmas reclamações que a primeira. Na verdade, nós é que estamos errados. Muitos não enxergam isso e vão casando e descasando, tentando achar "a pessoa certa". O problema não é que não achamos a pessoa certa. O problema é que não estamos fazendo as coisas certas dentro de casa com aquela pessoa. Estamos agindo racionalmente com os de fora, mas emocionalmente em casa, jogando nossas emoções negativas em cima de nosso parceiro.

Por essa razão, há muitos que são um verdadeiro sucesso no trabalho, mas um terrível fracasso no amor.

CASEI COM A PESSOA ERRADA

Quando o relacionamento começa a dar errado e a pessoa não consegue que o parceiro seja do seu jeito — alguém que aceite todo seu lixo emocional e atenda a todos os seus caprichos —, então a conclusão óbvia vem à sua mente: "casei com a pessoa errada".

"O casamento não deu certo" ou "Casei com a pessoa errada" ou "Não somos almas gêmeas" são expressões que nos isentam totalmente de culpa quando o relacionamento destrambelha para o fracasso. O que aconteceu com o senso de responsabilidade?

Nos velhos tempos, um casamento fracassado era vergonha individual. Quando o casal tinha problemas e alguém corria para a família ou amigos reclamando um do outro, o conselho que geralmente ouviam era: volte, converse e se resolvam. A mensagem era clara: lute por seu casamento. Se o casamento fracassar, o fracasso é de vocês.

Hoje, quem dá os conselhos costuma tomar as dores da outra pessoa e dizer: "Como ele ousa fazer isso com você? Você merece melhor, dê um chute nele!", "Tem mulher aos montes por aí, por que você vai tolerar isso? Não deu certo com essa, pega outra!".

Quer dizer, a culpa é do casamento que deu errado ou da outra pessoa por não ser a "certa". É a nova moda da transferência de culpa e da isenção da responsabilidade pessoal em fazer o casamento funcionar. É como se o casamento fosse uma pessoa com vontade própria que pudesse ser responsável pelo sucesso ou fracasso da união, ou como se somente a outra pessoa pudesse garantir o casamento feliz.

Na verdade, a culpa é dos indivíduos. Casamento não é uma pessoa. As pessoas dentro do casamento é que são responsáveis pelo sucesso ou fracasso da união.

O MITO DA ALMA GÊMEA

Uma das coisas que têm ajudado as pessoas a se esquivarem de qualquer responsabilidade pelo sucesso ou fracasso no casamento é o mito da alma gêmea. A ideia é que todos temos uma alma gêmea, alguém que nos completará e nos fará perfeitamente felizes. Mas de onde surgiu essa ideia? Ela veio da mitologia grega.

De acordo com o mito, o ser humano originalmente tinha quatro braços, quatro pernas e uma cabeça feita de duas faces. Mas Zeus, o chamado todo-poderoso deus grego, temia o poder dos humanos e os dividiu ao meio, condenando-os a passar o resto de suas vidas procurando pela outra metade, que os completaria.

Desde então, a maioria das culturas tem romantizado a ideia de que cada pessoa tem a sua alma gêmea, alguém que compartilha com ela uma afinidade profunda e natural no campo afetivo, simpático, amoroso, sexual e espiritual. Este conceito implica que as pessoas são as duas metades de uma alma e que devem se encontrar para serem felizes.

A lógica do mito faz com que eu pense, portanto, que se a pessoa com quem eu me casei não me "completa", não me faz feliz, não me compreende e não me faz sentir como me sinto quando como chocolate, então ela não é a minha alma gêmea. Logo, é em vão continuar no relacionamento tentando o que nunca será possível conseguir com aquela pessoa (errada). A solução é se separar e continuar a busca pela alma gêmea (a pessoa certa).

Depois de ler isso, talvez você ache esta história um tanto ridícula e inacreditável, mas eu lhe afirmo: esse mito está profundamente enraizado nas mentes da maioria das pessoas. Ele permeia grande parte das obras de dramaturgia, desde Hollywood até as novelas, filmes infantis e livros românticos. Quem já não assistiu a uma cena típica de filme onde a noiva entra na igreja, encontra com o noivo no altar, mas está cheia de dúvidas porque sabe que aquela não é a sua "outra metade"? E todos nós, telespectadores, somos levados a crer que, na verdade, a alma gêmea dela está ali entre os convidados (ou no aeroporto prestes a pegar um avião e ir embora — dependendo do filme que você viu), e ficamos torcendo para que ela não faça a besteira de se casar com a pessoa errada. De fato, ela finalmente vira e sai correndo, abandonando o pobre coitado no altar para se unir à sua "outra metade".

Até no meio cristão, apesar de não haver nenhuma base bíblica para esta crença de que Deus teria criado uma alma gêmea para cada pessoa, muitos vivem orando para encontrar a sua "cara-metade"... E ficam solteiros por muito mais tempo que deveriam porque nunca estão certos se esta ou aquela pessoa é a certa, talvez porque não "rolou aquela química". Muitos vivem aterrorizados pela ideia de casamento. A dúvida e o medo sempre presente: "Não sei se é ele/ela".

O mito da alma gêmea ganhou grande aceitação em todas as culturas e até religiões por ser muito romântico e atraente. A ideia de que existe apenas uma pessoa nesse universo capaz de completá-lo, de que Deus criou uma pessoa só para você, é muito bonita. (Parece que ninguém pensa: e se essa pessoa vive lá no Cazaquistão, por exemplo?)

Não é difícil entender o que faz essa ideia tão irresistível. Ela elimina a necessidade de esforço da nossa parte e nos isenta de responsabilidade quando o casamento não dá certo. "Não era minha alma gêmea." Pronto. A culpa não foi sua. Você apenas ainda não achou sua cara-metade...

No entanto, não existe "alma gêmea" ou "pessoa certa". Casamento feliz é fruto de trabalho em dupla. Isso é algo que nem todos querem ouvir. As pessoas não querem ter trabalho, querem as coisas prontas. É do caráter do ser humano. Micro-ondas, café instantâneo, pílula para emagrecer... Felicidade num estalar de dedos.

Nessa linha de pensamento, as reações são emocionais, instintivas e automáticas, não racionais. Quando estão passando por problemas crônicos no relacionamento, logo começam a pensar em jogar a toalha. "Já tentei, mas não deu certo." "Está muito difícil, não vou aguentar."

Ora, o que fazemos no trabalho quando tentamos resolver um problema e fracassamos? É claro, tentamos de novo. E se falhamos novamente? Seguimos tentando, de várias maneiras, até achar a solução, porque dela depende a sobrevivência da empresa e o nosso ganha-pão. Não desistimos. Não jogamos a culpa nos outros. Assumimos nossas responsabilidades e saímos em busca da solução. Deixamos o que sentimos de lado e usamos a inteligência, a criatividade e a perseverança para resolver o problema. E se não conseguimos resolvê-lo, encontramos uma maneira de não deixá-lo afetar o resto da empresa. Fazemos a devida compensação. Mas desistir? Jamais.

E mais: esse espírito de perseverança, de enfrentar os problemas sem medo e encontrar uma solução custe o que custar, é a principal razão do sucesso de uma pessoa no seu trabalho ou empresa. As pessoas de sucesso não fogem do problema — elas o enfrentam. Sabem que todo desafio é proveitoso, todo problema apresenta uma oportunidade. Então encaram as dificuldades com naturalidade e passam a ser confiadas com mais responsabilidades no trabalho, sendo promovidas a cargos maiores.

Quando você é conhecido no trabalho como a pessoa que resolve problemas, todo mundo vai a você. Você é o cara. Todos sabem que, se querem algo feito, têm que colocar na sua mão. E isso vai lhe dando mais experiência, respeito, e você vai crescendo como pessoa e dentro da empresa.

Por outro lado, quando não toma a responsabilidade de resolver os problemas no seu trabalho, mas fica dando desculpas, jogando a culpa nos outros, ninguém mais quer lidar com você. Ninguém quer ouvir desculpas. Você não foi contratado para dar desculpas, apontar o erro dos outros ou se lamentar. A verdade é que, enquanto não assume a responsabilidade de resolver os problemas, você não cresce como pessoa e não se desenvolve em nenhuma área.

A Cristiane me desafiou a ser uma pessoa melhor. Tive que aprender a resolver problemas que eu nunca havia encontrado antes. Tive também que reconhecer falhas e ter a humildade de mudar. Mas fui perseverante, pois as mudanças não vieram rápido. Tive que tentar de várias maneiras e sempre resistir à ideia de desistir.

É isso que temos que fazer no casamento. O que você está aprendendo neste livro são coisas que funcionam e podem transformar seu relacionamento e até você como pessoa. Mas não espere uma mudança imediata, pois é preciso tempo para os frutos começarem a aparecer. É um investimento a longo prazo, principalmente se você está lutando praticamente sozinho (ou sozinha) para salvar o casamento e a outra pessoa está endurecida ou cética de que você possa mudar. Não espere que seu cônjuge acredite na sua mudança hoje só porque você começou a agir diferente ontem. É preciso resgatar a confiança do outro. Seja constante. A outra pessoa precisa ver que a sua mudança é verdadeira e permanente. Aceite o desafio — pelo casamento e por você mesmo.

PESSOA CERTA *VS.* ATITUDES CERTAS

A chave para um casamento feliz não é achar a pessoa certa, é *fazer as coisas certas.*

Se você fizer o que é certo para o relacionamento, o casamento dá certo. Se fizer o que é errado, dá errado.

Quando Deus criou o homem e a mulher, não os criou como "almas gêmeas". Depois de criar o homem, Ele decidiu criar uma auxiliadora idônea[1] para o homem, que o ajudasse. Não falou nada de completar um ao outro, nem os colocou sob a responsabilidade de fazer um ao outro feliz. Falou em ajudar. "Auxiliadora idônea" significa auxiliadora adequada. Adequada, não certa. Segundo o dicionário, adequado é "que está bem adaptado a algo; ajustado". Adaptar-se um ao outro é algo que vocês podem fazer.

Os dois devem se ver como auxiliadores um do outro, pessoas que estão comprometidas a se adaptar para ajudar uma a outra. É claro que um subproduto desta parceria é a inevitável felicidade dos dois e a percepção de que os dois são um só, *uma só carne.*

Portanto deixará o homem o seu pai e a sua mãe, e apegar-se-á à sua mulher, e serão ambos uma carne.[2]

Note bem que os dois se tornam uma só carne apenas *depois* que se unem. Não eram "duas metades" antes de se casarem, como se já estivessem predestinados a se unir, não. O milagre da fusão dos dois indivíduos

[1] Gênesis 2:18.
[2] Gênesis 2:24.

acontece quando ambos se unem em um só propósito de fazer o casamento funcionar, não importa o que vier.

É claro que se você ainda é solteiro (ou solteira) e está considerando alguém para se casar, deve buscar a melhor pessoa que puder (não vá se casar com um psicopata e achar, "com amor eu posso mudá-lo"). Mas a verdade é que um casamento feliz não depende tanto da pessoa ser a "certa" quanto de que os dois façam as coisas certas.

O que faz o relacionamento funcionar é a obediência a certas leis de convivência. Quando Deus criou o homem e a mulher, estabeleceu certas leis que regulam esse relacionamento. Se vocês respeitarem essas leis, serão felizes. Caso contrário, não há "alma gêmea que aguentará ficar com você.

O negócio com leis é o seguinte: você as respeita, elas o protegem; você as desrespeita, elas o punem. Se pular de um prédio de dez andares, certamente vai morrer. A lei da gravidade se certificará disso. Se você for a um safári e sair do carro para tirar uma fotinho com um leão, porque ele é tão fofo e parece tão bonzinho, provavelmente vai virar o almoço dele. A lei da selva garante isso. Quer você creia nessas leis ou não, está sujeito a elas.

As leis do relacionamento estabelecidas por Deus não são desconhecidas de ninguém. Coisas como perdoar, tratar o outro como também quer ser tratado, ter paciência, servir, ajudar, ouvir, não ser egoísta, falar a verdade, ser fiel, respeitar, ter bons olhos, tirar a trave do próprio olho primeiro, cuidar, agradar etc., são básicas para que haja um relacionamento. Isso é o que as pessoas sabem que devem fazer, mas não fazem. Quebram essas leis e colhem as consequências disso.

Se você obedece às leis do relacionamento, elas o protegem; se você as desobedece, elas o punem. Simples assim.

Não há outro caminho. Podem tentar culpar o casamento como instituição, facilitar o divórcio, inventar relacionamentos alternativos, viver em busca da alma gêmea, mas a única maneira de um relacionamento ser bem-sucedido é respeitando as leis que o regem. E este poder está em suas mãos. É sua responsabilidade. Entender isso foi o ponto decisivo em meu casamento — o que aconteceu durante uma ligação telefônica.

CAPÍTULO 9
A LIGAÇÃO QUE SALVOU NOSSO CASAMENTO

Cristiane e eu nunca tivemos um casamento que alguém pudesse chamar de conturbado. Ao contrário, vivíamos bem a maior parte do tempo. Quem nos via de fora podia jurar que éramos um casal perfeito. Não vivíamos brigando, nunca houve traição e tínhamos os mesmos objetivos. Porém, de tempos em tempos, a cada quatro ou seis meses, tínhamos uma grande discordância sobre algum assunto. Era como se a coisa ficasse ruminando no estômago do nosso relacionamento por meses até que voltava à boca e era vomitada; coisas que nunca haviam sido propriamente digeridas e processadas entre nós; raízes de problemas que não conhecíamos e, portanto, nunca haviam sido cortadas.

Às vezes a discordância era sobre ciúmes, ora sobre a minha falta de atenção a ela, ora sobre o trabalho que fazíamos, ora sobre como me sentia desrespeitado por ela, e outras vertentes. Tudo folhas e galhos. Não víamos as raízes dos problemas.

Quando tínhamos essas grandes desavenças, ficávamos horas trocando palavras dentro do quarto. Às vezes os ânimos esquentavam. Ela chorava. Se levantava a voz, eu levantava mais ainda. Chegava a um ponto em que cansávamos e, então, pelo menos para mim, o objetivo já não era resolver o problema, mas apenas sair daquela situação desagradável. Contornávamos a situação, mas nada era resolvido. Eu ficava quieto com ela por alguns dias e ela ficava com os olhos inchados de tanto chorar.

Tudo voltava ao "normal", pelo menos por mais uns quatro ou seis meses. E assim foram os primeiros doze anos do nosso casamento.

Na minha cabeça eu pensava: "O problema é ela. Não estou fazendo nada de errado. É ela que é cabeça dura e impossível de entender. Preciso me manter firme nessa linha porque em algum momento ela vai ter que ceder e mudar". E não fazia segredo disso. Várias vezes falei para a Cristiane: "Você é que é o problema! Eu estou bem, não estou fazendo nada de errado. É melhor você se resolver aí com seus pensamentos porque não tenho tempo para isso". E ela respondia ora com lágrimas, ora insistindo em seu ponto de vista.

Eu não estava querendo ser mauzinho. Realmente pensava daquela maneira. (Coisa dura é estar sinceramente errado.)

Em um dia horrível — que se tornou belo — tivemos uma dessas brigas e a discussão se prolongou mais do que o normal. Já era madrugada e não havia fim à vista. Até que a Cristiane teve uma ideia: "Vou ligar para o meu pai". Eu achei ótimo. Peguei logo o telefone e dei na mão dela. "Liga agora! Você vai ver só como estou certo."

Pelo que eu conhecia do pai dela, a quem respeito muito, e pelo assunto que estávamos discutindo, tinha certeza de que iria confirmar que ela estava errada. Como ele nunca foi parcial nem a ela nem a mim, eu o tinha como a voz da razão. Por isso, apesar da vergonha e de não gostar de ter de levar aquele problema para ele, vi a decisão dela como uma boa opção.

Saí do quarto e deixei que ela falasse com o pai. Passados uns cinco minutos, ela sai do quarto, bem mais calma, me passa o telefone e diz: "Ele quer falar com você".

— Sim, senhor — atendi.

Ele foi direto na jugular, em alto e bom som: "Renato, deixa eu falar uma coisa para você. Esse problema aí É SEU. RESOLVA!".

Aquilo me pegou de surpresa. Não foi o que eu esperava. Achava que mostraria empatia para comigo, que diria que havia falado com ela, e que agora ela me entenderia melhor, e que eu teria que ter paciência com ela. Mas aquelas palavras "esse problema aí é seu, resolva" funcionaram como um ferro de marcar gado na minha mente.

Ele não falou mais nada. Fiquei mudo e, depois de alguns segundos, respondi: "O senhor pode ter certeza de que nunca mais receberá uma ligação como essa, porque eu vou resolver". Agradeci e desliguei o telefone.

"Esse problema aí é seu, resolva." As palavras ficaram ecoando na minha mente. De repente, as escamas me caíram dos olhos. "Esse problema é meu. Eu é que tenho que resolver!" Tudo começou a clarear.

Até então eu vinha batendo na mesma tecla, falando para a Cristiane: "Você é que é o problema". Aquele modo de pensar me fazia jogar o problema para ela e culpá-la pela falha em resolvê-lo. Automaticamente, eu me isentava de culpa e "lavava as mãos". Se esse casamento falhar, não vai ser culpa minha, pensava. Essa mentalidade, além de me fazer pensar que a responsabilidade não era minha, ainda piorava a situação de duas maneiras: (1) deixava o poder totalmente na mão da Cristiane para fazer o que quisesse da situação (desistir do casamento, lutar por ele, continuar como estava) e (2) dava a ela a impressão de que eu não me importava com ela nem estava disposto a fazer nada para mudar a situação.

Se ela fosse outro tipo de mulher, teria agarrado aquele poder que eu inconscientemente pus nas mãos dela, juntaria o sentimento de desprezo que eu transmitia com a minha atitude e teria dado um fim ao nosso casamento. E hoje entendo que eu teria sido o maior responsável. Por quê? *Porque eu não teria cumprido o meu papel de líder e cabeça no meu casamento.*

O que aquela ligação me fez entender foi que, como marido, todo e qualquer problema que acontece no meu casamento é meu problema também. Não posso separar alguns problemas para mim e outros para minha esposa. Todos os problemas são nossos. Se ela tem um problema, eu tenho um problema. Se ela está doente, eu estou doente. Se ela tem uma reclamação, eu preciso ver o que é e agir rápido na fonte do problema — mesmo que eu ache que aquilo é "coisa de mulher". Esse conceito mudou minha visão sobre nossos problemas conjugais.

Vejo que os homens, de forma geral, têm a tendência de jogar o problema para a esposa e continuar vivendo a própria vida como se tudo estivesse normal. A natureza do homem tende a fazê-lo evitar ou fugir da chateação da mulher. Por isso, quando confrontado por ela com um problema, ele logo quer apontar o dedo de volta e sair da conversa. Daí é que vêm os hábitos tipicamente masculinos de tirar o foco da mulher e colocá-lo no trabalho, no futebol, na televisão, no videogame, no celular etc., como uma forma de escape. Esses homens precisam entender que evitar ou fugir do problema não vai resolvê-lo. Repito, problema não é vinho.

O homem tem que tomar as rédeas da situação e, como um bom líder, buscar a solução do problema junto com a esposa.

E foi isso que eu fiz imediatamente após aquela ligação.

A LISTA

Com a bênção do pai dela, e com a nova visão de que o problema era meu e que cabia a mim resolvê-lo, entrei de volta no quarto com a Cristiane e fui pragmático: "Vamos fazer uma lista de tudo o que está errado no nosso casamento. Quero que você diga todas as suas queixas e vamos escrevê-las. Depois é a minha vez. Daí vamos trabalhar juntos para eliminar cada item da lista". E começamos.

O placar final foi 6 x 11, seis itens dela sobre mim e onze meus sobre ela. Mais um e eu dobraria a vantagem, ha ha... Mas o interessante é que, quando nos sentamos para fazer a lista, tivemos mais progresso em trinta minutos do que nos doze primeiros anos de casamento. É incrível como o uso da razão é eficaz na solução de problemas, especialmente no casamento. Aquele exercício foi um ato de lucidez, de inteligência e de emoção zero. Por esse motivo, os resultados foram positivos.

Não vou falar aqui quais foram os itens na lista, mas posso dizer que se resumiam a duas categorias:

- Coisas ruins que não íamos mais fazer, que entristeciam ou feriam um ao outro.
- Coisas boas que íamos começar a fazer pelo outro, coisas que agradariam e fariam a outra pessoa feliz.

Simples assim. Essa lista nos ajudou a parar de ficar olhando os defeitos um do outro e começar a olhar para nós mesmos, para aquilo que tínhamos de fazer para melhorar o relacionamento. Agora, com a lista, tínhamos uma meta clara e objetiva. Ambos entendemos que, se trabalhássemos juntos para eliminar cada item da lista, cada um fazendo sua parte sem ficar apontando as falhas do outro, então não teríamos mais aqueles problemas. E aquela perspectiva, de nunca mais passar por aquelas experiências dolorosas a cada seis meses, nos motivou bastante. Eu estava determinado a fazer tudo o que ainda não havia feito para resolver aquele problema de uma vez por todas. Afinal, se nada fosse resolvido, o fracasso seria mais meu que dela, já que eu era o líder e cabeça do meu casamento.

Porém, eu sabia que precisava de ajuda lá do alto. Não era suficiente somente confiar nas minhas próprias habilidades, pois a lista era grande, dezessete itens, sem contar seus filhotes... Não ia ser fácil.

Por isso, lá pelas 2h30 da manhã, naquela mesma noite, quando terminamos a lista e concordamos que trabalharíamos nela, eu a coloquei no bolso, entrei no carro e fui para a igreja onde eu trabalhava. Não podia esperar amanhecer. Era agora ou nunca.

Entrei na igreja, tudo apagado, e me dirigi ao altar. Não havia ninguém lá, só eu e Deus. Ali eu derramei a minha alma diante dEle. Admiti meus erros, pedi perdão, pedi forças e direção para a minha vida e o meu casamento. Eu não aceitava que o que havia acontecido no casamento de meus pais viesse a acontecer no meu. Jamais iria aceitar aquilo, e por isso estava ali pedindo a Deus que colocasse a mão sobre mim e a Cristiane. Levantei a lista para Ele e pedi ajuda. Foi uma verdadeira limpeza espiritual, um momento muito íntimo e real que tive com Deus. Saí dali leve e fortalecido. Nada ainda havia mudado na prática, mas na verdade tudo começou a mudar a partir dali.

Voltei para casa, abracei a Cristiane e dormimos juntos. Amanhã era outro dia. O primeiro dia do nosso novo casamento.

As coisas não mudaram de uma vez, mas fomos nos dedicando. Não demorou muito. Em algumas semanas, já percebíamos que nosso casamento havia renascido.

Ainda tenho essa lista e enquanto escrevia este capítulo fui dar uma olhada nela, só de curiosidade. Foi uma alegria ver mais uma vez que todas as metas que escrevemos um para o outro já foram alcançadas, e muito mais. O círculo vicioso de problemas foi quebrado; as raízes, cortadas.

É o poder de entender: "Esse problema aí é SEU. É você que tem que resolvê-lo".

Agora que você entende isso, vou deixar a Cristiane contar no próximo capítulo como foi a conversa dela com o pai durante e depois daquele telefonema, e como isso a mudou.

TAREFA

A lista funcionou para nós e tenho certeza de que pode funcionar para você. Muitas vezes subestimamos o poder de escrever, de colocar algo no papel. Então, hoje quero encorajá-lo a escrever a sua própria lista. Pergunte ao seu parceiro(a) o que faz com que você seja uma pessoa difícil de se lidar. Escreva uma lista, independentemente de como se sente. Se o seu companheiro(a) estiver fazendo o mesmo, dê a sua opinião para que ele/ela também possa escrever uma lista. Importante: esta não é uma oportunidade para atacar o seu cônjuge ou para desenterrar defuntos... Nem é hora de ficar na defensiva. O seu objetivo nessa tarefa é compilar uma lista de coisas nas quais você começará a trabalhar para resolver em seu relacionamento. Sempre olhe essa lista e vá agindo em cada ponto dela até terminá-la.

Decisão: a partir de agora, vou trabalhar em cada item que defini com meu cônjuge que precisamos cumprir/eliminar. Estes problemas são MEUS, e eu irei resolvê-los.

POSTE:
Fiz "a lista" com meu(minha) esposo(a).
#casamentoblindado

No Facebook: fb.com/CasamentoBlindado
No Instagram: @CasamentoBlindadoOficial
No Twitter: @CasamentoBlind

CAPÍTULO 10
O SOL DO MEU PLANETA

Cristiane

Quando o meu pai atendeu o telefone, tentei explicar a situação. Estava em prantos, não conseguia nem falar direito, até porque, quando falamos com nossos parentes sobre problemas, aí é que nos desmanchamos ainda mais de emoção. Ele só ficou escutando e, depois de alguns minutos, tudo o que disse foi: "passa o telefone para o Renato, deixe-me falar com ele". Você já sabe o resto da história.

Aquele telefonema foi o ponto de partida para as mudanças em nosso casamento, porém, o que realmente me levou a mudar foi a continuação daquela conversa que tive pessoalmente com meu pai alguns dias depois. A lista que eu e o Renato fizemos renovou o nosso compromisso de lutar para mudar e fazer o que fosse necessário para agradar um ao outro. Mas dentro de mim havia um problema mais profundo, que nem eu mesma sabia que existia. Só o descobri quando meu pai veio me visitar e me perguntou como eu estava depois daquela ligação.

Ele nunca foi de se intrometer em nosso casamento, mas, por causa do que tinha acontecido, era de se esperar que quisesse saber. Respondi que estava "tentando" mudar. Não entrei em detalhes, só disse isso mesmo. Para ser sincera, naquele momento eu não tinha tanta certeza se as coisas tinham mudado ou não. Muitas vezes no passado, havia dito para mim mesma que mudaria, mas passavam-se alguns meses e lá estava eu cobrando as mesmas coisas. Quem me garantiria que ambos fariam a sua parte naquela lista?

Percebendo minha dúvida de longe, meu pai então foi direto ao assunto. Nunca me esqueço daquele dia. Estávamos no jardim, e ele se virou para mim e disse: "Minha filha, homem nenhum gosta que a mulher fique implorando a atenção dele. Você perde o seu valor de mulher. Ocupe-se em ajudar as pessoas, faça alguma coisa com seus talentos, desenvolva o seu chamado".

Foi só o que ele disse. Era tudo que precisava ouvir. Descobri que em todos aqueles anos de casamento, estava na verdade fazendo do Renato o sol do meu planeta.

Como esposa de pastor, ia à igreja, ajudava no que me era confiado, fazia o máximo que podia fazer, mas, no final do dia, o meu foco sempre caía no Renato. Tudo que eu queria era chamar a atenção dele, conseguir sua apreciação, sentir-me sua parceira, ser importante ao seu lado — o que não era pedir demais, mas quando isso é tudo para uma pessoa, aí são outros quinhentos. Você acaba fazendo tudo em função do outro. E parece que, se ele não lhe der a devida importância, tudo o que fez não valeu de nada.

Embora na época não tivesse consciência total disso, foi o que descobri sobre mim mesma. Todos aqueles anos, em vez de estar ao lado do meu marido, tinha me colocado atrás dele. É claro que ele não ficaria olhando para trás, enxergando o que eu estava fazendo ali. Na realidade, eu carregava uma mentalidade errada do que a esposa representava para o marido.

Eu ouvia muitas mulheres falarem que nós somos aquele suporte do porta-retratos, ali escondidinho. Enquanto nossos maridos estavam em pé, lá na frente, nós, esposas, tínhamos de estar atrás deles, dando todo o suporte necessário. Uma ideia antiquada, sem nenhuma base fundamental. Creio que, por essa e outras, muitas mulheres têm defendido o feminismo. Se eu não tivesse acordado para a realidade, teria feito o mesmo. Chega uma hora que cansa só ficar nos bastidores, sentir-se menos importante do que o próprio parceiro e ficar na dependência dele para suprir seu valor.

Foi naquela palavra do meu pai que finalmente embarquei em uma jornada interessante, cheia de aventuras e superprodutiva. Eu me conheci melhor.

APRESENTANDO: CRISTIANE 2.0

Comecei a desenvolver talentos que estavam escondidos ou adormecidos, investindo não somente em ajudar outras pessoas, mas a mim também. A cada vez que fazia algo novo, diferente e produtivo, minha autoestima agradecia. Ajudava as demais pessoas e, à medida que eram ajudadas, elas me valorizavam e, consequentemente, isso me ajudava a vencer toda aquela insegurança que carregava dentro de mim.

Deixei de fazer as coisas para chamar a atenção do Renato. Pude entendê-lo melhor porque agora estava no mesmo barco, trabalhava pelos mesmos objetivos que ele, só que em parceria com ele e não nos bastidores. Deixei de focar nele para focar em mim, em como eu poderia também desenvolver meus talentos e, com eles, ajudar as outras pessoas. Saí do meu casulo.

Incrível como uma simples mudança de foco muda tudo. Os problemas que anteriormente me faziam chorar e reclamar viraram picuinhas que não valiam mais um centavo de minha atenção.

Um exemplo foi a questão do Renato não me levar para sair com muita frequência. Antes eu até tentava fingir não fazer questão por um tempo, mas chegava uma hora que eu não aguentava, e pronto, tínhamos outra briga. Depois dessa mudança de foco, isso já não merecia ser chamado de problema ou falta de consideração. Eu me adaptei ao jeito caseiro dele. Quando era nosso dia de descanso, não ficava mais na expectativa de que faríamos alguma coisa, pelo contrário, achava o que fazer em casa. Fazia vídeos no computador, lia livros, alugava um filme, fazia uma limpeza de pele, enfim. Sabe o que aconteceu? Eu me tornei uma esposa bem mais agradável.

Não demorou muito para o Renato enxergar essa mudança em mim e me achar mais interessante. O que antes era uma raridade começou a se tornar algo diário entre nós. Nossas conversas eram divertidas, dividíamos ideias, falávamos das nossas experiências diárias sem eu precisar pedir para isso. Tirei o foco do Renato, deixei de criticá-lo por tudo o que ele não supria e coloquei o foco em mim. Foi então que consegui me enxergar e ver em que eu estava deixando a desejar.

Todos aqueles anos, tudo o que o Renato precisava de mim era de uma parceria. E honestamente pensava ser essa parceira para ele até esse ponto da vida, quando descobri que parceria não é correr atrás do parceiro, e sim correr ao lado. Por isso ele não se interessava em dividir o seu dia comigo, não me incluía em seus planos diários. Eu não estava no mesmo barco, e sim em um barquinho atrás, tentando chegar perto do iate dele. Interessante que ele já havia comentado sobre eu me envolver mais no que ele fazia...

Uma coisa é o seu parceiro lhe falar o que você deve mudar, outra completamente diferente é você descobrir em quê você tem que mudar. Um simples ajuste de foco transformou o nosso casamento.

E quando eu já havia me adaptado ao jeito caseiro do Renato, ele se adaptou a mim. Começamos uma competição saudável: quem agrada mais ao outro! Conseguimos, enfim, nos adequar um ao outro. Infelizmente, muitas pessoas demoram a entender que a melhor maneira de alcançar essa parceria no relacionamento é desenvolver um equilíbrio.

Vejo esse problema quase todos os dias no trabalho que faço com as mulheres. Parece que temos essa tendência de focar mais nos outros do que em nós. Vamos de um extremo ao outro. Umas param no tempo por causa da vida amorosa, e outras largam a vida amorosa para seguir uma carreira, como se não pudéssemos ter os dois ao mesmo tempo e ser feliz.

E assim muitas mulheres inteligentes acabam virando mulheres frustradas. Por mais que a carreira seja algo importante a seguir, precisamos do nosso parceiro para aproveitá-la de verdade. E por mais que a vida amorosa seja importante, precisamos ser independentes dela para que não nos façamos insuportáveis à pessoa que amamos. Se você depender de alguém para ser feliz, nunca conseguirá fazer alguém feliz.

O seu parceiro não tem a menor chance de ser o seu sol. Ele tem falhas, nem sempre poderá iluminar você ou suprir tudo o que precisa. Por isso não é sábio colocá-lo nessa posição. Você pode até estar fazendo tudo certo, que era o que eu pensava, mas mesmo assim não vai mudar a situação em que está. Seus olhos precisam estar focados em você primeiro, para que então haja uma mudança real e concreta em seu relacionamento.

Nunca me esqueço de uma frase que ouvi em uma reunião na igreja: "Enquanto você olha para as demais pessoas ao seu lado, vai sempre ter problemas".

LUZ PRÓPRIA

Lembro-me de uma mulher que só depois de quase vinte anos de casada descobriu que seu marido nunca a amou. O seu mundo desabou, caiu sem paraquedas, até que ela finalmente acordou e se apegou à fé. Muitas em seu lugar teriam feito um desastre de suas vidas. Mas a história dela pode ilustrar o que acabamos de escrever.

Imagine uma linda mulher, inteligente, superprendada, cheia de valores que todo homem de verdade procura. Ela viveu todos os anos de casada correndo atrás do marido, que não dava valor algum ao que ela fazia. Com o tempo, ela se adaptou ao jeito estranho dele, pois nunca pensou sequer em uma suposta separação no futuro. Ela havia casado para o resto da vida e, por isso, aturou tudo e mais um pouco. Até que um dia, do nada, ele finalmente revelou com palavras que não a amava.

Em vez de ela já ter enxergado isso lá atrás, desde o início do casamento, ela ficou surpresa, como se ele houvesse mudado da noite para o dia. Por que ela não havia percebido aquilo antes?

A mulher que faz do marido o seu sol tem essa desvantagem. Ela não se valoriza e por isso não coloca certos limites. Quando você faz outra pessoa mais importante do que você mesmo, você se diminui e se desvaloriza diante dela. Ela tem todo o poder no relacionamento; se quiser feri-lo, pode fazê-lo quantas vezes quiser, porque sabe que você jamais a deixará. Sua vida gira ao redor dessa pessoa e, em vez de investir em você mesmo, nos seus valores e talentos, guarda tudo em um baú dentro de si, a sete chaves.

Até conhecer o marido, essa mulher era uma jovem cheia de vida, sonhos e planos para o futuro — uma jovem superinteressante, que cativou o coração do rapaz a ponto de ele pensar: "quero passar o resto de minha vida ao lado dela". Depois que se casou, guardou tudo dentro do baú e passou a ser uma chatinha. Vivia reclamando dele, impondo suas vontades e achando defeitos em tudo que ele fazia.

Ela não fazia isso de propósito, ninguém faz. Eu, por exemplo, não me dava conta do que fazia. Pelo contrário, pensava que era o meu papel. Deve ser a nossa natureza de mãe, sempre querendo arrumar as coisas, dar um jeitinho em nossos filhos, fazer deles os melhores em tudo. Só que nossos maridos não são nossos filhos.

Não estou sugerindo que o marido dessa mulher deixou de amá-la por causa da atitude dela, mas isso pode ter contribuído — e muito. O homem tem a natureza de conquistar, como vamos explicar nos próximos capítulos. Quando sua esposa deixa de ser uma conquista diária, ele é bem capaz de procurar outras conquistas. Ou seja, ela não pode nem deve deixá-lo sentir que ele é o centro de sua atenção.

O valor da mulher está no seu mistério, na sua discrição, no seu jeito de florescer uma situação. É exatamente o que o meu pai me orientou: homem não gosta de mulher fácil, mesmo que seja a própria esposa. Quando me ocupei em ajudar outras pessoas, desenvolvendo novos talentos no processo, o Renato começou a sentir a falta da minha constante atenção. Obviamente, me tornei uma nova conquista para ele. Passei a ter luz própria.

Não há como seu casamento florescer com os anos se você, como mulher, não floresce a cada dia. A cada conquista que faço, a cada livro que escrevo, a cada projeto que crio, mais autoconfiante me torno e mais interessante fico para o Renato. Volto a ser aquela jovem que o Renato conheceu, cheia de sonhos, superdivertida e uma ótima companhia para o resto da vida. Isso, sim, é ter parceria; isso, sim, é ser um time.

Quando o Renato ouviu pela primeira vez que no passado eu fazia dele o meu sol, perguntou, com uma carinha de quem perdeu uma posição muito importante: "Posso pelo menos ser sua lua?". Todo marido quer a sua devida atenção, afinal... Não é porque não podem ser o nosso sol que vamos deixá-los de lado e viver nossa própria vida. Não foi isso o que eu fiz; se você fizer isso, pode esquecer tudo o que aprendeu neste livro, pois seu casamento estará fadado ao fracasso.

O que queremos dizer é que, se você não está bem consigo mesma, se não se conhece nem reconhece seu próprio valor, a tendência é fazer do seu parceiro esse sol, o seu porto seguro. Isso não é inteligente.

Mesmo que o seu parceiro não queira mais investir no casamento e esteja até com outra pessoa, não deixe de florescer só porque ele não se encontra mais em sua vida. Essa mulher, cujo marido a largou depois de quase vinte anos, hoje está muito mais linda em todos os sentidos, parece até que a partida dele lhe fez bem. O certo seria você melhorar enquanto estão juntos e quem sabe até reconquistar o coração da outra pessoa.

HOMEM PEGAJOSO

A mulher tende a fazer da pessoa que ama muito o seu sol, porém, ela mesma odeia ser o sol. Eu sei, eu sei, gostamos muito de atenção, porém, quando é exagerada e grudenta, dá nojo. Mulher nenhuma gosta de homem grudento. Para nós, mulheres, o homem tem que transmitir uma força, certa independência e liderança. Podemos não mostrar isso muitas vezes, especialmente quando estamos batendo de frente com alguma decisão dele ou quando reclamamos que ele sempre faz o que quer fazer. Mas por outro lado, se começa a fazer tudo que queremos... O relacionamento enjoa.

Conversando com uma amiga outro dia, achei interessante o que ela me disse a respeito do atual relacionamento.

— Esse namorado é pra valer, Cris. Ele tem o que os outros anteriores não tinham. Ele é durão.

Fiquei intrigada e quis saber mais...

— Como assim?

— Ah, os outros faziam tudo que eu queria. O relacionamento ficava chato. Esse é assim: eu digo "vamos por aquele caminho que não tem trânsito", e ele diz "não, quero ir pelo caminho que gosto de ir".

Pude perceber uma coisa que nunca havia pensado antes: nós, mulheres, gostamos de testar nossos limites, ver até onde podemos ir. E se o homem nos dá uma liberdade ilimitada, perdemos totalmente o interesse! Não é que gostamos de ser dominadas, mas... Também não gostamos de tudo tão fácil assim. Deixamos de ter o respeito que queríamos ter pelo nosso amado.

Por isso, homens, por favor: não fiquem nos alimentando de uvas frescas enquanto ficamos deitadas tendo tudo aos nossos pés. Essa ideia de Cleópatra não é legal.

Aliás, diga-se de passagem, homens que não veem os defeitos de suas mulheres e, por essa razão, não as ajudam a melhorar como pessoa são facilmente manipulados por elas. Toda vez que errei, tive no Renato o parceiro que precisava, que, com amor, me mostrou os meus erros e me pôs de volta na linha. Mulher gosta disso.

Onde e de que forma você pode estar sugando a energia do seu parceiro e se tornando inconveniente? Tire alguns minutos agora para pensar nisso. Escreva como você agirá para se comportar de maneira mais equilibrada nessas situações. Que talentos e atividades saudáveis você poderia desenvolver para dividir o seu foco excessivo sobre seu marido ou esposa?

____

____

____

____

____

____

____

Decisão: Prometo a mim mesmo que deixarei de fazer do outro o sol do meu planeta.

POSTE:

Ele (ou ela) não é mais o sol do meu planeta. #casamentoblindado

No Facebook: fb.com/CasamentoBlindado
No Instagram: @CasamentoBlindadoOficial
No Twitter: @CasamentoBlind

PARTE III
DESMONTANDO E REMONTANDO O AMOR

CAPÍTULO 11
A MALDIÇÃO DO HOMEM E DA MULHER

Como praticamente todos os problemas da humanidade, a relação de amor e ódio entre homem e mulher teve início lá no Jardim do Éden. (Espero que Adão e Eva tenham um lugar todo especial no Céu, bem reservado e protegido, porque lhe garanto uma coisa: vai ter muita gente querendo tirar satisfação com eles lá...) A desobediência de ambos resultou em uma maldição que afetou diretamente o relacionamento deles e de todos os seus descendentes. Primeiramente, vamos entender o que aconteceu lá. Sei que você conhece a história, mas talvez não por este ângulo.

Antes de a vaca ir para o brejo[1] lá do Éden, Adão e Eva viviam muito bem, em todos os sentidos. Eles tinham recebido do Criador uma posição privilegiada na Terra, com autoridade para fazer e acontecer:

> *E disse Deus: Façamos o homem à Nossa imagem, conforme a Nossa semelhança; e domine sobre os peixes do mar, e sobre as aves dos céus, e sobre o gado, e sobre toda a terra, e sobre todo o réptil que se move sobre a terra.*

[1] Para nossos leitores mais jovens: a vaca ir para o brejo é uma situação em que a desgraça é praticamente inevitável. Quando uma vaca entra no brejo, a probabilidade de que saia sozinha é quase zero. Atolada no terreno pantanoso, a coitadinha acaba morrendo de sede, fome ou exaustão. E, se isso acontece, quem dependia dela fica sem o sustento. Triste para o boi, ruim para o dono e péssimo para a vaca. Então, o melhor para todos os envolvidos é que ela nunca vá passear no brejo.

E criou Deus o homem à Sua imagem; à imagem de Deus o criou; homem e mulher os criou. E Deus os abençoou, e Deus lhes disse: Frutificai e multiplicai-vos, e enchei a terra, e sujeitai-a; e dominai sobre os peixes do mar e sobre as aves dos céus, e sobre todo o animal que se move sobre a terra.

E disse Deus: Eis que vos tenho dado toda a erva que dê semente, que está sobre a face de toda a terra; e toda a árvore, em que há fruto que dê semente, ser-vos-á para mantimento. E a todo o animal da terra, e a toda a ave dos céus, e a todo o réptil da terra, em que há alma vivente, toda a erva verde será para mantimento; e assim foi. (Gênesis 1:26-30)

O homem foi colocado por sobre todos os seres animais e vegetais e sobre toda a Terra. Esta autoridade era também dividida com a mulher: *"...e Deus* lhes *disse..."* Essa posição significava que toda a natureza foi colocada como serva do homem e da mulher. Os dois administravam a Terra como bons líderes e a natureza lhes dava generosamente tudo aquilo de que necessitavam.

Com todo esse poder e toda essa harmonia, somados à companhia de Deus, o lindo casal vivia no paraíso, literalmente. Não tinham contas a pagar nem defeitos para apontar um no outro. Adão tinha a mulher que pediu a Deus, e Eva o homem que... Bem, o único que estava disponível. De qualquer forma, era um casal sem problemas.

Mas a vaquinha tinha que dar um passeio no brejo e, para piorar, naquele dia tinha uma serpente por lá. Eva desobedeceu a Deus e levou o marido a fazer o mesmo. Hora de acertar as contas.

Deus chamou primeiro a Adão, e este foi rápido em jogar a culpa em Eva. O Senhor, porém, não comprou a ideia, reforçando que o líder é responsável por tudo o que acontece sob sua responsabilidade. Lembra do capítulo 9, "esse problema é SEU"? Adão teve que aprender isso amargamente. Por consequência de seu fracasso e sua desobediência, Deus determinou para o homem:

Porquanto deste ouvidos à voz de tua mulher, e comeste da árvore de que te ordenei, dizendo: Não comerás dela, maldita é a terra por causa de ti; com dor comerás dela todos os dias da tua vida. Espinhos, e cardos também, te produzirá; e comerás a erva do campo. No suor do teu rosto comerás o teu pão, até que te tornes à terra; porque dela foste tomado; porquanto és pó e em pó te tornarás. (Gênesis 3:17-19)

Eva, por sua vez, jogou a culpa para a serpente. Mas não era um bom dia para dar desculpas:

> *E à mulher disse: Multiplicarei grandemente a tua dor, e a tua conceição; com dor darás à luz filhos; e o teu desejo será para o teu marido, e ele te governará.* (Gênesis 3:16)

É interessante que, como resultado da maldição, homem e mulher foram sujeitados aos elementos de onde saíram, de onde foram criados: o homem ficou sujeito à terra e a mulher, ao homem. E aqui começou a maldição[2] dos dois. Vamos entender agora as consequências e o impacto desta maldição no casamento.

ESCRAVO DO TRABALHO

A maldição que afetou o homem foi diretamente relacionada ao seu trabalho. Enquanto antes dela havia um relacionamento harmonioso e de total cooperação entre o homem e a Terra, depois da maldição a Terra se tornou inimiga do homem. Não haveria mais cooperação, mas sim uma luta, um labor, uma contenda entre a natureza e o homem. Era como se a Terra relutantemente passasse a dar o seu fruto ao homem — e muitas vezes espinhos em vez de frutos.

Essa condenação perduraria até o fim da vida do homem, quando este então finalmente perderia a batalha e voltaria para o lugar de onde veio: o pó. (Note que até aqui não havia morte; o homem foi criado para viver para sempre, mas o seu pecado limitou seu tempo de vida na Terra. Portanto, quando Deus uniu Adão e Eva, o plano não era "até que a morte os separe", mas para toda a eternidade.)

Considere uma agravante: o homem foi designado o provedor da família. Quer dizer, não há como ele fugir dessa maldição. Ele tem que trabalhar, e trabalhar para tirar o sustento de uma terra que se tornou inimiga dele. A pressão de sustentar a família, de ser o caçador, de não

---

[2] Deixe-me esclarecer aqui que uma análise cuidadosa do texto bíblico revelará que Deus não amaldiçoou a Adão e Eva. O texto diz que o Senhor amaldiçoou a Terra e a serpente, mas não o ser humano. É claro que mesmo não tendo sido diretamente amaldiçoados, eles colheram as consequências dessas maldições, às quais me refiro aqui no singular: "a maldição do homem e da mulher".

deixar a família passar necessidade, faz o homem cobrar de si mesmo o resultado do seu trabalho. É uma questão de honra, de orgulho próprio, de satisfação aos pais da esposa, e até mesmo de senso de valor próprio. Este impulso de querer provar o próprio valor através do trabalho e de suas conquistas está no DNA do homem.

Por isso, a maior frustração que um homem pode passar é o fracasso profissional. Um homem pode perder o casamento, viver longe dos filhos, até viver com uma deficiência, tudo isso ele pode superar, desde que se sinta útil e tenha sucesso no trabalho. Não quer dizer que será feliz, mas seu ego estará mais satisfeito pelas conquistas do trabalho do que por qualquer outra coisa. Essa é a sua maldição, a sua carga.

A maldição o faz se sentir sempre insatisfeito, não importa o quanto tenha conquistado. Dificilmente você verá um homem dizendo: “Estou realizado, consegui todos os meus sonhos, vou parar por aqui”. Se ele trabalha noite e dia por um objetivo, coloca todas as suas forças e alcança um bom resultado, normalmente ele diz: “Poderia ter sido melhor”. Ele nunca acha que chegou lá. Está sempre se cobrando.

É fato conhecido que muitos homens quando se aposentam caem em depressão; alguns adoecem e até morrem pouco depois. É como se o trabalho fosse a vida deles. Muitos nem querem se aposentar e continuam trabalhando enquanto a saúde lhes permite.

Além dessa insatisfação, ele ainda fica se comparando com outros homens de maior sucesso, sempre querendo superá-los ou se sentindo diminuído por não ser tão bom quanto eles. Seu espírito competitivo é inigualável. Não é de espantar que a maioria dos que se encontram no *Guinness Book of Records* são homens, especialmente nos feitos competitivos. Para se ter uma ideia, há uma categoria neste livro na qual dezesseis recordes foram quebrados por homens, sendo que um deles foi quebrado por uma equipe de doze ginastas alemães... O feito? “O maior número de cuecas vestidas em 90 segundos por meio de salto mortal.” Estão imbatíveis desde 2011, com 95 cuecas... Você com certeza não encontraria doze mulheres dispostas a competir por esse tipo de coisa.

E como isso afeta o relacionamento?

Você já deve ter adivinhado. O tempo que o homem passa no trabalho não é uma das questões clássicas pelas quais a mulher reclama dele? Não é a “tendência de gastar” (o dinheiro que ele suou para ganhar) uma das principais reclamações que o homem tem da mulher? Agora você sabe o porquê.

No início do relacionamento, durante o namoro, o homem vê a mulher como uma conquista, ou seja, um trabalho. É como se fosse uma competição — quem vai ganhar a menina? Quem ela vai escolher para ser o seu namorado? Então, isso o motiva a trabalhar pela atenção e pelo coração dela. Mas quando finalmente a conquista e se casa, vira as atenções para o próximo desafio, que sempre tem a ver com algum trabalho. Por isso, ele mergulha no trabalho e deixa a esposa quase morrendo de falta de atenção em casa. E quando ela reclama, ele olha para ela, perplexo, e pergunta: "Mas você não vê que eu tenho que trabalhar, e que estou fazendo isso por você?". A primeira metade da frase ele acertou; na segunda, não foi sincero. É mais por ele que trabalha, nem tanto por ela.

A maldição do trabalho faz o homem escravo do sentimento de realização, o qual ele raramente consegue obter. E, na busca por ele, vai sacrificando a família, a esposa, a saúde, e outras coisas tão ou mais importantes. Peça para o marido conversar com a esposa sobre a família e o relacionamento, e ele não tem assunto. Peça para ele conversar com os amigos sobre o trabalho, e ele não vai parar.

A mulher, sem entender o comportamento do marido, acha que ele não a ama porque não passa tempo com ela, não conversa, e parece ter mais prazer no trabalho e nos amigos do que na esposa e nas coisas relacionadas a ela. Mas é um erro levar isso para o lado pessoal, achando que há algo de errado com um ou com o outro. O que ela vai fazer? Como deve lidar com essa maldição e ajudar o marido? Primeiro, precisa entender a maldição que caiu sobre ela.

ATENÇÃO DO MARIDO

A maldição que afetou a mulher está relacionada à dependência dela da atenção e da aprovação do marido. Colocando as dores de parto de lado, as quais este livro não se propõe a solucionar (sinto muito, mulheres!), a segunda parte da maldição determinou para a mulher: *o teu desejo será para o teu marido, e ele te governará.* Quer dizer, você estará sempre desejando algo do seu marido, e ele será o seu líder. Assim como o homem ficou escravo do trabalho, sujeito à terra, ela ficou dependente da aprovação do marido e de ter nele a pessoa que cumprirá os seus desejos e sonhos.

Até aquele momento, homem e mulher não se preocupavam com "quem mandava em quem". Era uma união harmoniosa, que simplesmente funcionava sem resistência de um nem imposição de outro. Os dois eram um. Mas agora, devido ao erro da mulher, ela foi propositalmente colocada sob os cuidados e a liderança do marido, como que para lembrá-la do erro que cometeu ao induzi-lo ao pecado.

Sei que este conceito é anátema para a maioria das mulheres, mas na verdade poderia ter sido muito pior. Pense bem, mulher: ficar sujeita ao homem que a ama? Ruim seria se fosse condenada a se sujeitar a um que a odiasse... De qualquer forma, o conceito de submissão é assunto para um capítulo posterior, que esclarecerá muito mais a questão e tirará o veneno que a ideologia feminista injetou na palavra.

O que esta maldição resultou na mulher foi o desejo de ter a atenção total dos olhos do marido. Ela quer ser a princesa, a escolhida, a mulher acima de todas as mulheres; aquela por quem ele arrisca a vida e deixa as pessoas e as coisas de que mais gosta. Porém, raramente consegue essa atenção por muito tempo. Ele, sob os efeitos da própria maldição, está sempre olhando para o trabalho, a próxima conquista, e ainda fica ressentido quando ela lhe cobra a atenção. Ele a vê como uma interferência em seus objetivos. Chateia-se porque a esposa "não entende" que ele precisa trabalhar e acha que ela não o aprecia por ser um homem tão trabalhador e dedicado.

Na busca pela atenção do homem, a mulher inconscientemente se desvaloriza, pois começa a fazer tudo o que pode para que os olhos dele se voltem para ela. Investe nas roupas atraentes e sensuais, na beleza física, na estética, nos cabelos... mas isso é só o começo. Também chora, faz drama, se faz de vítima ou coitada, cria situações de ciúmes, fica cobrando o marido, faz chantagem emocional, deixa de fazer as coisas em casa, compete com a sogra, com o cachorro... Hoje em dia muitas mulheres comprometidas, mas infelizes no casamento, são capazes até de ter um caso só para chamar a atenção do marido.

Essa busca desesperada é o que está por trás de muitas mulheres consideradas superinteligentes na profissão, mas que acabam se sujeitando a homens cafajestes em troca de um pouquinho de atenção. É o caso de Roseane, a quem aconselhamos em nosso consultório.

Roseane é contabilista. Aos 34 anos, ela é o orgulho da família por chegar onde chegou. Abriu seu escritório contábil há apenas dois anos, já atende a mais de cinquenta clientes e emprega cinco funcionários. É uma mulher ágil, decidida. Mas o que sobra em determinação e autoconfiança para os negócios, falta para o amor.

Há quatro anos Roseane vive um relacionamento bandido com Roger. Ele, 31 anos de nenhuma realização, é a encarnação do perfeito cafajeste: bonito, 1,80m de charme e voz de veludo que sabe falar o que toda mulher quer ouvir.

Roger não tem emprego fixo nem profissão, pelo menos até o dia em que cafajestagem ganhe esse direito. Se dependesse dele, já teria até sindicato. O talento dele é contar histórias, onde ele é o protagonista e a vítima ao mesmo tempo. A mamãe sempre afiançando apartamento para ele, até que "aquele" emprego venha. O papai dá o carro, pois, "coitado, ele precisa se locomover". E a Roseane dá amor, comida quente em casa quando ele a visita, sexo e, de quebra, ainda lhe compra umas roupinhas. Namorado dela tem que se vestir bem.

Em troca, Roger já a traiu pelo menos três vezes, que ela saiba. Não está "pronto" para casamento. Vive aparecendo no escritório da Roseane para lhe contar uma de suas histórias e, entre abraços e beijos, convencê-la a lhe passar um cheque que ele jura que é tudo o que precisa para começar um negócio muito promissor.

Roseane é uma de muitas mulheres superinteligentes que não conseguem enxergar as burrices que fazem no amor. Por que você acha que elas se sujeitam a isso? É a maldição da mulher.

DUAS PELO PREÇO DE UMA

As duas maldições, a do homem e a da mulher, são, na verdade, uma e a mesma: a insegurança.

Na essência, no fundo de tudo isso, o homem é inseguro de si mesmo. Alguns mostram essa insegurança mais que outros, sem dúvida, mas todos sofrem do mesmo mal. Até mesmo homens que aparentam bravura e coragem imensas, que possuem temperamento forte — muitos deles usam esses comportamentos como máscaras para esconder a insegurança. Consciente ou não, é o peso da rejeição que sofreu lá no Éden, cujo principal culpado foi ele mesmo.

O medo do fracasso, da pobreza e o sentimento de insuficiência o faz se matar de trabalhar. A voz de cobrança de um pai ou mãe extremamente exigente durante a infância ainda ecoa e o faz sentir que nunca corresponde às expectativas, não importa quão bem-sucedido seja.

O orgulho que o impede de reconhecer os erros e de aprender com outros é ainda mais fortalecido quando vê outros homens terem êxito onde ele tem fracassado. A raiva, a agressividade, os vícios, a mentira e outros comportamentos autodestrutivos são maneiras com que ele lida com a insegurança no mais profundo do seu interior. Tudo isso são folhas de figueira para cobrir a nudez da sua insegurança.

A insegurança da mulher, por ela ser emocionalmente mais aberta que o homem, é mais fácil de perceber. Conheço mulheres lindas que se acham feias apenas por uma parte do corpo não estar de acordo com os padrões de beleza das revistas femininas. Outras têm ciúmes de tudo que diz respeito ao marido: do trabalho, do futebol, da cunhada, do carro, da mulher no ponto de ônibus, da colega de trabalho, da ex-namorada, de tudo aquilo em que o marido põe a atenção e até naquilo em que não põe — por causa da insegurança.

A autoestima da maioria das mulheres é naturalmente baixa. E da mesma forma que muitos homens usam o machismo, a força e o temperamento forte para mascarar a insegurança, muitas mulheres se rebelam contra a própria maldição e se declaram independentes dos homens. "Não preciso de homem para ser feliz", "Homem é tudo igual, só muda de endereço", "Homem não manda em mim" e outras frases do tipo formam o credo delas. No fundo, porém, permanecem infelizes.

Resumindo: são dois inseguros desesperadamente carentes da segurança e afirmação um do outro. (Um joinha aqui para Adão e Eva. Valeu, hein?!)

Agora a pergunta mais importante: como se livrar dessa maldição?

CAPÍTULO 12
O LIVRAMENTO

Boa notícia e má notícia. Vamos logo à má: a primeira coisa que homem e mulher precisam entender é que não vão mudar um ao outro. O homem sempre será movido pelas conquistas do trabalho e a mulher sempre será movida pelo desejo de ter toda a atenção do homem. Não adianta se rebelar contra esses fatos. Os que se rebelam caem para o extremo oposto, que não é nada melhor. O homem desiste de ser um conquistador, se torna um fraco, um banana, uma vergonha para si mesmo e para a família; a mulher que se rebela contra o homem se torna amarga, endurecida, inalcançável para qualquer homem e, portanto, solitária. Não adianta se rebelar contra a maldição. Você apenas tem que saber lidar com ela — a sua e a de seu cônjuge.

Agora, a boa notícia: há uma forma eficaz de lidar com a maldição. Consiste de duas partes: uma que você pode fazer e outra que só Deus pode.

Vamos ao que o homem pode fazer sobre a sua e como a mulher pode ajudá-lo.

A ESTRATÉGIA PARA O HOMEM

Por toda a Bíblia, Deus dá ao homem a dica do sucesso, que se resume nestas palavras: "Trabalhe em parceria comigo". Uma das passagens mais claras a esse respeito está no Salmo 127:

Se o Deus Eterno não edificar a casa, não adianta nada trabalhar para construí-la. Se o Eterno não proteger a cidade, não adianta nada os guardas ficarem vigiando. Não adianta trabalhar demais para ganhar o pão, levantando cedo e deitando tarde, pois é Deus quem dá o sustento aos que Ele ama, mesmo quando estão dormindo.

Aí está o segredo! Deus deixa explícito que o homem tem que trabalhar em parceria com Ele. Seu sucesso depende do seu relacionamento com o Criador. Ainda que ele tenha que trabalhar, não deve confiar apenas nas próprias habilidades, mas também depender de Deus. Quando o homem trabalha em parceria com Deus, fica tranquilo a respeito do resultado. Afinal, o Sócio que ele tem trabalha até enquanto ele dorme! Por isso, não há uma autocobrança excessiva nem insegurança nem depressão por um resultado aparentemente insatisfatório. O homem não é mais escravo do seu trabalho, pois entende que o seu Sócio é o maior interessado em que ele cresça. Há uma confiança, uma paz, uma certeza de que o futuro será bom.

A mulher pode ajudar o homem aqui o lembrando da importância dessa dependência. Além de orar pelo sucesso de seu trabalho, ela deve com sabedoria influenciar o marido a ter um relacionamento com Deus, pois ela mesma se beneficiará disso. O recado que deve passar para ele, com suas próprias palavras, é: "Sozinho você consegue o possível. Com Deus você consegue o impossível".

O outro conceito que o homem precisa absorver e praticar para neutralizar os efeitos da sua maldição é o equilíbrio. Nós, homens, devemos lembrar que trabalho sempre vai existir e, por mais que trabalhemos, o trabalho nunca vai acabar. Se trabalharmos 24 horas sem parar, no dia seguinte haverá mais trabalho. O homem, especialmente o casado, tem de lembrar que deve atender a outras coisas importantes na vida, como a esposa, por exemplo. Por isso ele é equilibrado.

A Bíblia diz que Deus criou o sábado para "o homem"[1]. Eu creio que Ele se referiu mais especificamente ao homem do que à mulher, pois se não determinasse o sábado como dia de descanso, o homem trabalharia sete dias na semana. Deus não precisou mandar o homem trabalhar, mas precisou mandá-lo descansar...

---

[1] Marcos 2:27.

A mulher entende muito bem o conceito do sábado. Cristiane que o diga... Se não fosse por ela, me lembrando e planejando o que vamos fazer para relaxar pelo menos algumas horas por semana, eu só pararia para dormir e comer. No início do casamento, resisti às suas tentativas. Era desequilibrado, trabalhava praticamente sete dias na semana. E lhe dizia que ela tinha que aceitar, se enquadrar na minha rotina, se conformar. Ela queria um pouquinho da minha atenção, mas o que eu dava era praticamente zero e ainda ficava chateado com ela por insistir que eu tirasse um tempo para nós.

O homem deve aceitar essa ajuda da mulher, pois ela é um recurso que Deus usa para ajudá-lo a ter equilíbrio. Homem, se a sua mulher está reclamando que você não passa tempo com ela nem com os filhos, que você está trabalhando demais etc., provavelmente está certa. Ouça sua esposa. Seja equilibrado.

E a outra coisa com a qual todo homem deve tomar muito cuidado para não piorar a maldição é ficar se comparando com os outros. Um pouco de competição é bom, ter mentores e exemplos para se inspirar é positivo, mas cuidado com as comparações. Ficar se comparando com outros homens, medindo o seu sucesso pelo sucesso dos outros, é receita certa para frustração e insegurança.

Devemos confiar e desenvolver os talentos que temos, e não querer ser igual aos outros. Conheça a si mesmo, desenvolva sua identidade, identifique seus talentos e trabalhe com eles. Aprenda a celebrar o sucesso dos outros e os seus também. Aprenda a se parabenizar por suas realizações. Não foi isso que Deus fez quando criou o mundo? O relato da Criação diz que, ao final de cada dia, Deus contemplava Suas obras e via que "o que havia feito era bom"[2] (e mesmo sendo Deus, tirou um dia no final da semana para descansar). Nós, homens, temos que praticar isso, pois é um forte antídoto contra a maldição.

A mulher tem aqui um dos seus papéis mais importantes para ajudar o marido. Primeiramente, ela nunca, jamais, deve compará-lo com outro homem. Dizer: "Você tinha que ser igual ao meu pai..." ou "O marido da fulana é que é legal..." nunca vai trazer o resultado que você quer, mulher. Você pensa que com essas palavras vai motivá-lo a melhorar, mas na verdade elas são como uma faca na autoconfiança e no orgulho dele.

---

[2] Gênesis 1:18.

Vale a pena repetir, pois é muito importante: nunca compare seu marido (tampouco seu filho) com outro homem, nem em sonho[3].

Em vez de compará-lo, reconheça e elogie abertamente suas qualidades e realizações. Não critique negativamente nem aponte falhas. Seja a voz encorajadora, que mostra confiança nas habilidades dele. Isso é essencial em tempos bons e muito mais em tempos ruins. Nada coloca o homem mais para baixo do que quando ele tem algum fracasso profissional. Quer ver um homem deprimido? Mande-o embora do emprego, ou nem tanto: basta apontar um fracasso dele no trabalho. Com certeza naquele dia ele vai direto para o bar ou vegetar na frente da TV se sentindo a pior criatura. Muitos homens quando são despedidos não contam nem para a mulher. Saem de manhã como se fossem trabalhar, mas na verdade estão tentando achar outro emprego. Em uma situação dessas, a mulher pode levantar ou acabar de enterrar o marido.

Lembro-me de Cristina, esposa do grande cestinha brasileiro Oscar Schmidt. Ela nos contou durante a entrevista do casal na *Escola do Amor* que, faltando três meses para se graduar em psicologia, decidiu largar os cinco anos de faculdade para acompanhar o marido quando ele foi contratado para jogar na Itália. Cristina disse que uma das coisas que a motivou foi pensar nas lutas e desafios que o marido certamente passaria no novo país. A possibilidade de o marido passar momentos difíceis enquanto ela estaria longe dele no Brasil terminando a faculdade fez com que ela priorizasse o casamento. Abandonou tudo, foi para a Itália com ele e nunca se formou. Como se ela tivesse adivinhado, Oscar perdeu os primeiros sete jogos em que atuou. Mas, com a esposa ao lado, se levantou e teve treze anos de uma carreira brilhante na Itália, sem contar os títulos internacionais que ganhou para o Brasil. Foi o jogador de basquete com mais pontos marcados que qualquer outro, um sucesso absoluto não só nas quadras, mas também em casa. O crédito ele dá à esposa: "Sem o apoio dela eu nunca teria feito o que fiz", disse ele. O casal está junto há mais de 40 anos.

---

[3] Uma guerra civil que se arrastou por anos em Israel começou quando o rei Saul foi negativamente comparado a Davi pelas mulheres de Israel. Assim que derrotou Golias, e em seguida o exército dos filisteus, Davi voltava para Jerusalém com Saul e seu exército. Recebidos com grande festa, as mulheres cantavam: "Saul matou mil, Davi matou dez mil!". O inseguro rei Saul não suportou aquilo e foi o que acelerou a sua ruína.

Cristiane

É muito comum nós, mulheres, pensarmos que, se elogiarmos nossos esposos, o ego deles vai atravessar o teto. É um medo que a mulher tem de fazer seu marido ficar arrogante e autossuficiente. Mas esse medo é devido à nossa própria insegurança. Achamos que um elogio pode fazê-los pensar que são melhores do que nós. É por isso que muitas mulheres até admiram seus maridos, mas quase nunca verbalizam essa admiração.

Com o entendimento de que o homem está sempre correndo atrás de uma conquista, de um reconhecimento e de uma autoaprovação, você entende como é importante o seu papel ao seu lado.

Uma das coisas que sempre vi na minha mãe foi sua apreciação e admiração pelo meu pai. Não que ela fingisse não ver os seus erros, mas os seus elogios eram tantos que os erros do meu pai se tornavam irrelevantes e insignificantes. Isso contribuía para que nós, suas filhas, o admirássemos e o respeitássemos também, além de deixar o exemplo para fazermos o mesmo com nossos maridos. E nisso o Renato não teve do que reclamar...

Quando a mulher se faz a fã número um de seu marido, ela ganha também — e muito. É como em um jogo de futebol: ele faz o gol e imediatamente corre para os braços dela para celebrar. Se ele perde o jogo, também corre para os seus braços, sabendo que ela não vai criticá-lo por isso, pelo contrário, vai lhe dar uma palavra de apoio e ainda terá aquele olhar amoroso que desmancha qualquer tristeza. Ora, quem não quer isso de seu jogador favorito? A nossa natureza feminina adora essa "dependência" masculina!

Muitas mulheres erram nisso, mas não porque querem, e sim porque pensam que precisam ser duronas com os maridos, pois eles se fazem de durões. Você diz que ele está bonito e ele vira o olho como se não precisasse daquele elogio. Se acreditar nessa "dureza" masculina, vai pensar que ele não precisa disso. É aí que você erra. Ele precisa disso, e muito. O homem pode se fazer de durão, mas no fundo almeja seus elogios, até porque quem vai lhe dar isso, fora você e sua sogra? Seus colegas de trabalho?

Só porque eles não reagem da mesma maneira que nós, mulheres, reagimos não quer dizer que não gostem. Todo mundo pode criticá-lo, mas se você o criticar, vai doer muito mais. A sua palavra de esposa pesa demais, não se esqueça disso.

Se você, mulher, apoiar o seu marido nas conquistas e até nas derrotas, ele nunca a abandonará — salvo se for realmente burro (nesse caso, estará lhe fazendo um favor).

A ESTRATÉGIA PARA A MULHER

A maldição dela faz com que ela espere que o marido a faça feliz e realizada em todos os departamentos e de todas as formas. Vamos esclarecer uma coisa: nenhum homem é capaz de satisfazer todas as necessidades e expectativas de uma mulher. Não há homem neste mundo que consiga fazer isso, mesmo que fosse projetado e criado por uma mulher (pois o resultado seria outra mulher, que ela iria achar incompleta também).

Na verdade, nenhum homem pode satisfazer todas as necessidades de uma mulher, nem uma mulher satisfazer todas as necessidades de um homem. Isso é utopia. Ouço muito as pessoas falarem "estou procurando alguém que me complete", ou "meu marido não me completa". Pare por aí. Não existe essa pessoa que "completa" você. Nossa vida é completada por uma combinação de coisas, não só por uma pessoa. E, mesmo assim, por mais completa que seja a vida de alguém, ela terá seus problemas.

Mulher: não fique cobrando do seu marido o que ele não pode dar. Seu marido não é responsável por fazê-la feliz, assim como você não é responsável por fazê-lo feliz. Aliás, se você ainda é solteiro e está lendo esse livro em preparação para se casar, mas se julga uma pessoa infeliz, por favor: não se case! Poupe a outra pessoa de uma vida miserável. Primeiro você tem que resolver suas infelicidades, se tornar uma pessoa feliz e, aí sim, se casar para compartilhar sua felicidade com a outra pessoa. E esta felicidade no casamento vem de um conjunto de coisas, nas quais seu marido certamente está incluído. Mas há coisas que ele não pode fazer por você. Não posso dar à minha esposa, por exemplo, o que Deus dá a ela. Eu não sou Deus. Ele dá para a Cristiane coisas que não posso nem imaginar que ela precisa em dado momento, como consolo, sabedoria e paz. Não posso lhe dar um conselho de mãe. Isso é algo que ela recebe só da mãe dela. Não posso fazê-la se sentir útil e valorizada além do que eu reconheço e falo para ela. Mas quando recebe o feedback do trabalho dela de ajudar outras pessoas, sua percepção de valor próprio aumenta. Então tudo isso vai se somando e fazendo dela uma pessoa feliz em si mesma, de modo que não depende exclusivamente de mim para ser feliz.

A mulher deve entender que esperar que todos os seus desejos sejam cumpridos e satisfeitos pelo homem é a própria maldição em si. Portanto, ela não deve correr ao encontro da maldição. Você, mulher, tem que buscar o preenchimento também em outras coisas, como no seu relacionamento com Deus, no seu trabalho, no seu valor. Isso a fará deixar de sufocar seu marido e a tornará uma pessoa mais interessante e atraente para ele.

Tire o foco excessivo de cima do seu marido. Não seja como um polvo, agarrando-se a ele com todos os tentáculos. Não seja sufocante (uma das reclamações mais comuns que ouço dos maridos).

Tudo o que é fácil e demasiado não tem valor. Ninguém corre atrás do que é fácil. Quando a mulher se faz muito fácil, chatinha, recebe o contrário do que busca: o desprezo dele. Mas quando ela se controla um pouco e dá só por medida, mantém nele o interesse da conquista. Não insista que ele a leve para sair, por exemplo. Pode revelar seus gostos e desejos, mas não fique mendigando a atenção. A mulher sábia faz o homem trabalhar para conquistá-la. Para o homem, o relacionamento tem que ter a motivação e o gosto de conquista de um trabalho. Às vezes, é bom que ele venha atrás de você.

O livramento da maldição deve ter por alvo a volta ao estado original antes da queda lá no Éden: o homem voltar a dominar a Terra, em vez de ser escravo dela, e a mulher voltar à posição de auxiliadora e companheira de equipe do homem.

Quando se faz auxiliadora dele, ajudando-o a alcançar seus objetivos, ela se torna preciosíssima para ele. E é exatamente aí que recebe dele o que mais quer: a sua atenção. Tem mulher que quer competir com o marido em vez de entrar para o time dele; o foco principal de sua vida é provar que é melhor do que ele — o que não o ajuda em nada. Aí não dá. Quando a mulher não ajuda e ainda dá trabalho, realmente ela dá um tiro no pé: se torna indesejável para o marido.

Cristiane

O nosso problema é que, no fundo, não aceitamos ser mulher. É o cúmulo, mas quantas não quiseram um dia ter nascido homem? A imagem que temos do sexo feminino é totalmente negativa. Pensamos que ser mulher é ser fraca, inútil, carente, sentimental e boba. Está aí a razão de tantas rixas com homens! A mulher insegura de si mesma precisa se autoafirmar inferiorizando o homem. Ela não se valoriza, então quer que ele a valorize. Ela não se respeita, então quer que ele a respeite.

A mulher tem sido a inimiga número um da própria mulher. Somos altamente críticas com a aparência e facilmente nos autodestruímos com palavras e pensamentos. Temos uma inveja secreta do sexo masculino e não suportamos ser diferentes deles. Por isso tanta competição. Por isso tanto movimento para nos empoderar. No fundo, a ideia desses movimentos não é fazer a mulher se tornar consciente de seu valor como mulher, mas sim provar que ela pode fazer as mesmas coisas que um homem, que é melhor do que ele, como se o padrão masculino fosse o único importante e a mulher precisasse provar que pode competir com os homens para se encaixar nesse padrão. Quem tem certeza do seu valor não precisa provar nada para ninguém!

Se você, como mulher, não aprender a se aceitar para então se dar valor, não adiantam os esforços externos. Você não consegue valorizar mais nada em sua vida e realmente se torna uma pessoa difícil de conviver. Já passei por isso. Eu tinha tudo, um casamento dos sonhos, uma família exemplar, saúde e até beleza natural, mas não me aceitava. Me achava inferior ao meu marido.

Constantemente achava problemas no meu casamento porque o Renato não me dava atenção suficiente. Eu dizia que ele não me amava — e um dia cheguei ao cúmulo de perguntar se ele queria o divórcio. Não conseguia enxergar minha própria beleza, vivia mudando o visual, tentando estilos diferentes, e nunca me achava. Quando vejo algumas fotos dessa época, me pergunto o que tinha na cabeça para usar aquela roupa. Incrível como até coisas superficiais como roupa e cabelo deixam transparecer essas inseguranças. A insegurança gera cegueira e você não consegue ver sua beleza, seu valor, sua capacidade e nem mesmo sua importância no relacionamento.

Um dia, com dez anos de casada, passando por algumas dificuldades de adaptação em Joanesburgo, tive uma discussão feia com o Renato e, como sempre, ele ganhou e eu fiquei chorando pelos cantos da casa. Só que, por coincidência ou simplesmente intervenção divina, meu pai me ligou do nada para checar como iam as coisas. A minha voz triste logo revelou meu estado de espírito, e ele então me perguntou o que estava acontecendo. Caí em prantos e disse a ele que queria ter nascido homem.

Meu pai, como sempre muito sábio, me repreendeu por pensar assim. "Como você pode pensar assim, Cristiane? A mulher tem um papel tão importante na vida do homem e na Obra de Deus, minha filha! Eu não seria quem eu sou se não fosse a sua mãe. Creio que Abraão falaria o mesmo de Sara e todos os grandes homens de fé. O Renato não seria quem é sem você!"

Aquelas palavras foram confortantes para mim naquele dia e nunca vou me esquecer daquela ligação, mas não foi ali que a ficha caiu. É o que acontece com muita gente que ouve falar que precisa se respeitar, se aceitar e se amar, e até gosta do que ouve, mas não sabe como fazer isso na prática.

O primeiro passo foi aceitar ser mulher! Parece óbvio, mas não é, por incrível que pareça. Uma vez que eu comecei a entender o que era ser uma mulher, que eu não era fraca como pensava ser, que eu não servia só para certas coisas, então finalmente entendi o meu valor.

Quando a mulher foi criada, Deus fez questão de dizer:

Não é bom que o homem esteja só; Eu farei uma ajudadora idônea para ele[4].

Duas grandes lições aqui:

1. Não é bom que o homem esteja só. Viu, meninas! Talvez eles nem saibam disso direito, mas eles precisam da gente — e muito, afinal, foi Deus Quem falou!
2. Fomos feitas ajudadoras idôneas. Idônea quer dizer adequada, ou seja, somos o suficiente para o homem! Tudo que ele não tem e precisa, só vai conseguir encontrar em nós. E só somos assim

[4] Gênesis 2:18.

porque somos diferentes deles; portanto, a nossa diferença é que nos faz necessárias aos homens.

E, como se o que Deus disse não bastasse, Ele fez questão de deixar o perfil da mulher por escrito, só para ela saber o que realmente significa ser uma ajudadora idônea. Já leu a respeito da mulher virtuosa? Convido você a ler Provérbios 31 a partir do versículo 10. Começa assim...

Mulher virtuosa, quem a achará? O seu valor muito excede ao de rubis.

Ela é descrita como extremamente valiosa e preciosa. A pergunta "quem a achará?" não quer dizer que essa mulher quase não existe, mas que é raro encontrá-la. E, nos dias de hoje, em que a mulher não tem aceitado ser essa mulher, é ainda mais raro vê-la agir como tal.

Se você leu o capítulo 31 de Provérbios, do versículo 10 até o final, percebeu que essa mulher:

- É confiável ao marido
- Só faz bem a ele
- Trabalha duro, mas com boa vontade
- Cuida do seu lar
- Empreende
- Faz negócios
- É inteligente
- É prevenida
- Ajuda ao próximo
- Prospera
- Se veste bem
- É o orgulho do marido
- É forte
- É honrada
- É sábia
- É espiritual
- É admirada pelos filhos e marido
- É temente a Deus

Note que essa mulher não é fraca, mas também não é dominadora e masculinizada. Ela tem consciência de seu valor como mulher e não faz todas essas coisas para se autoafirmar ou provar que é superior ao marido. Ela faz todas essas coisas porque valoriza sua família, tem uma parceria com o marido e sabe que seu papel é ser a força construtora da família. Ela busca sabedoria em Deus para cumprir suas responsabilidades e se alegra em ver o fruto do seu trabalho. Ela é forte, mas é doce. Seu marido confia nela porque sabe que tem ali uma amiga, uma ajudadora a quem ele também tem prazer em ajudar justamente por ela ser essa apoiadora.

Muitas quando leem essa passagem na Bíblia pensam que é impossível ser essa mulher — está aí mais uma razão por que é tão raro encontrar uma! Se nós não reconhecemos a nossa força e capacidade, quem vai reconhecer?

Apenas quando entendi isso, como descrevi um pouco no capítulo 10, foi que tudo mudou. Era como se os meus olhos estivessem fechados até então. Consegui enxergar o meu potencial — e que potencial! Se a mulher soubesse de seu potencial, não se desvalorizaria tanto como nos dias atuais...

E sabe o que é mais legal? Você foi criada para ser essa mulher virtuosa, a quem gosto de chamar de "Mulher V"[5]. Basta aceitar ser uma!

COMO O MARIDO PODE AJUDAR A MULHER A SE LIVRAR DA MALDIÇÃO?

Ele tem que passar segurança para ela de todas as formas possíveis. Por exemplo: não dar bola para outras mulheres, exaltar suas qualidades, notar e comentar sua beleza, colocá-la acima de tudo e todos, buscar e valorizar sua opinião, investir em seus talentos, ajudá-la a desenvolver seu potencial, enfim, tudo o que puder levantar a autoestima dela. Ele não deve esperar que ela se resolva por si, sem a ajuda dele.

Deixar a esposa sozinha com seus problemas e lutas não é inteligente. Às vezes a mulher vai buscar ajuda em terceiros porque o marido não a ajuda (e aí ele fica ressentido com ela, mas a negligência foi dele). O

[5] Escrevi um livro sobre esta mulher: *A Mulher V: moderna à moda antiga*. O Renato sempre diz que não só mulheres, mas homens também deveriam ler...

apoio e o reconhecimento genuíno do marido são muito mais valiosos do que os de qualquer outra pessoa. Mas se ela vê que ele é tão prestativo com os outros e não com ela a insegurança só aumenta.

O marido precisa entender que investir na mulher é ganho para si mesmo. Há um versículo interessante em Provérbios[6] que diz:

> *Não havendo bois, o estábulo fica limpo, mas pela força do boi há abundância de colheita.*

Quer dizer: se você não tiver bois, não terá cocô de boi para limpar. Mas também não terá colheita. Se quiser ter muita colheita, tem que limpar o cocô dos bois... É uma maneira de entender o casamento. Dá trabalho, às vezes cheira mal, precisa limpar a sujeira, mas o resultado final é muito bom. Casamento feliz dá trabalho. Homens: isso deveria ser boa notícia para nós... Trabalho é com a gente mesmo, não é?

COMPENSANDO

Agora que você entende a maldição inerente ao homem e à mulher, pode entender melhor por que você e seu cônjuge fazem as coisas que fazem. E agora que entendem o que os dois enfrentam, devem ajudar um ao outro, fazendo as devidas compensações.

Os casais maduros e bem-sucedidos são aqueles que aprendem a balancear isso e trabalham em equipe, um ajudando ao outro.

[6] Provérbios 14:4.

Medite no que leu neste capítulo e no anterior. Quais os efeitos desta maldição que você percebe em você e em seu cônjuge? Escreva quais são e como você passará a lidar com eles a partir de agora, em vez de continuar fazendo o que tem feito.

POSTE:
Já tenho o antídoto para cancelar a maldição.
#casamentoblindado

No Facebook: fb.com/CasamentoBlindado
No Instagram: @CasamentoBlindadoOficial
No Twitter: @CasamentoBlind

CAPÍTULO 13
A RAIZ DE TODOS OS DIVÓRCIOS E CASAMENTOS INFELIZES

Se perguntarmos a um grupo de pessoas divorciadas qual foi o motivo que levou seus casamentos ao fim, teremos várias respostas diferentes. Muitos dirão que foi por infidelidade do cônjuge, outros culparão a tal "incompatibilidade de gênios", outros responsabilizarão os problemas financeiros ou a falta de compromisso do parceiro. Se pedirmos aos que vivem infelizes no casamento para listarem as razões da infelicidade, dirão coisas do tipo "ele não me dá atenção", "não confio mais nele", "brigamos muito", "ela é teimosa" e outras semelhantes.

É claro que nem todo casamento é infeliz pelas mesmas razões e que nem todo divórcio acontece pelos mesmos motivos. Mas todos têm a mesma raiz principal. Os motivos dados pelos casais são apenas consequências de um problema muito mais profundo, que é a raiz de todos os casamentos infelizes e divórcios. E quem nos revela esta raiz não é um psicólogo nem um terapeuta de casal. É o próprio Autor do casamento.

Entender esta raiz e cortá-la é algo tão eficaz que se você fizer apenas isso, de tudo o que aprender neste livro, já poderá transformar seu casamento.

IMPOTENTE PARA IMPEDIR O DIVÓRCIO

Para descobrir esta profunda raiz, trago duas informações da Bíblia que podem parecer incoerentes à primeira vista. A primeira é que o divórcio é permitido na Lei dada por Deus a Moisés, no início do Antigo Testamento[1]. A segunda é que, no último livro do mesmo Antigo Testamento, encontramos a informação de que Deus odeia o divórcio[2]. A palavra usada é essa, mesmo: "odeia". Você não encontra muitas vezes na Bíblia Deus dizendo que odeia alguma coisa. Ele não usa esse termo a não ser que esteja sendo literal. Ele realmente *odeia* o divórcio. Por que o divórcio provoca o ódio de Deus?

Quando o casal se divorcia é como se dissesse a Deus: "Olha, o Senhor cometeu um erro. Esse negócio de casamento não funciona". O divórcio é uma afronta a Deus, já que foi Ele quem estabeleceu a aliança do casamento; é uma anomalia que nada tem a ver com o que Ele tinha em mente quando uniu a mulher ao homem.

Mas se esta é a opinião de Deus a respeito do divórcio, por que então abriu uma exceção, fazendo com que fosse permitido pela lei que Ele próprio criou? E sendo Ele tão poderoso, por que parece incapaz de impedir uma coisa que odeia?

Foi esta a dúvida que os religiosos trouxeram até Jesus. Ao contrário de você, eles não estavam realmente querendo saber a resposta. Queriam apenas lançar uma pegadinha para ver se conseguiam alguma declaração que pudesse ser usada contra Ele no tribunal — literalmente. Como sempre, se deram mal, e o resultado foi uma revelação maravilhosa do Senhor Jesus sobre este assunto tão controverso:

> *Então chegaram a Ele os fariseus, tentando-O, e dizendo-Lhe: É lícito ao homem repudiar sua mulher por qualquer motivo? Ele, porém, respondendo, disse-lhes: Não tendes lido que Aquele que os fez no princípio macho e fêmea os fez, e disse: portanto, deixará o homem pai e mãe, e se unirá à sua mulher, e serão os dois em uma só carne? Assim não são mais dois, mas uma só carne. Portanto, o que Deus ajuntou não o separe o homem.* (Mateus 19:3-6)

Ao responder, Jesus aponta o plano original de Deus e revela o sentido real do casamento. Na matemática de Deus, 1+1=1 — ou seja, o homem e a mulher unidos pelo casamento se tornam uma só pessoa. Há uma fusão de dois indivíduos, que se transformam em uma

---

[1] Deuteronômio 24:1.
[2] Malaquias 2:16.

pessoa diferente. Não sou mais a pessoa que era quando solteiro, nem a Cristiane. Quem nos conheceu quando solteiros e nos conhece hoje pode ver isso claramente. Nós nos tornamos pessoas diferentes (e bem melhores) em virtude do casamento. Houve uma fusão de nossas personalidades. Costumamos fazer uma analogia com o purê de batatas, que ilustra muito bem este processo. Antes de se fazer o purê, temos as duas batatas isoladas. Ao cozinhá-las e amassá-las no leite, elas se fundem e se transformam em um terceiro elemento: o purê. O purê não é mais nem leite, nem batata... Não tem como separar os dois. É exatamente isso o que Jesus quis dizer com *"não são mais dois, mas uma só carne"*. O texto citado por Ele está em Gênesis 2:24: *Portanto deixará o homem o seu pai e a sua mãe, e apegar-se-á à sua mulher, e serão ambos uma carne.*

A palavra hebraica para "se apegar" no original deste texto significa "grudar como cola", com o objetivo de fundir dois objetos de modo que não se consegue mais separá-los sem grande dano. Imagine rasgar a própria carne. Isso é o divórcio. Causa feridas profundas, difíceis de cicatrizar e violenta os que o sofrem. O casamento foi idealizado para que houvesse uma fusão e o surgimento do terceiro elemento, com a intenção de nunca ser revogado.

Muitos querem se casar, mas permanecendo a mesma pessoa que eram quando solteiros. Resistem à fusão e nunca se tornam uma só carne. Os dois continuam como indivíduos distintos e não maleáveis dentro do relacionamento. Nunca vai funcionar assim. Não estou dizendo que você deve abdicar da sua personalidade e deixar de ser você. A ideia é melhorar quem você é, aceitando as influências positivas da outra pessoa e se moldando a ela. É como um filho do casal. O filho tem as características do pai e da mãe — nariz de um, olhos do outro, cabelo de um, cor da pele do outro etc. —, mas ainda assim tem a própria personalidade. É assim no casamento. Vocês acabam se tornando um produto da sua união. Por isso, quando se casa, você tem que começar a pensar mais como "nós" e menos como "eu".

Quando para justificar-se ao seu parceiro de algum erro, você diz: "Eu nasci assim, eu cresci assim, vivi assim, vou morrer assim, vou ser sempre assim... É o meu jeito", na verdade, Gabriela[3] (ou Gabriel), você

[3] Como na música *Modinha para Gabriela*, com letra de Dorival Caymmi: *Eu nasci assim, eu cresci assim, eu sou mesmo assim, Gabriela, sempre Gabriela...*

está querendo manter a sua individualidade à custa do seu casamento. Se o seu jeito não é bom para o relacionamento, você tem que dar um jeito no seu jeito, ou não vai ter jeito para vocês dois.

"Eu sou assim, esse é meu jeito" era um dos chavões que eu usava para encerrar qualquer impasse que eu tinha com a Cristiane. Eu perguntava: "Por que *agora* você quer me mudar, se eu já era assim quando você me conheceu?". Essa era a voz da minha individualidade resistindo à fusão de me tornar uma só carne com ela. Muitos dão ouvidos a essa voz até finalmente se separarem. Por que esta obstinação? É por causa da maldita raiz, que Jesus revelou em seguida.

CORAÇÃO DE PEDRA

> *Disseram-Lhe eles: Então, por que mandou Moisés dar-lhe carta de divórcio, e repudiá-la? Disse-lhes Ele: Moisés, por causa da dureza dos vossos corações, vos permitiu repudiar vossas mulheres; mas ao princípio não foi assim.* (Mateus 19:7-8)

Eis a verdadeira raiz de todos os divórcios e casamentos infelizes: o coração endurecido. O divórcio não estava nos planos de Deus. Não era uma opção quando Ele criou o casamento. No entanto, pelo coração petrificado do ser humano, Ele teve de tolerar — e até permitir — algo que tanto odeia. Consegue imaginar isso? Quando você endurece seu coração, nem Deus pode impedir o divórcio! Mas Ele não pode todas as coisas? Como não evita algo que tanto odeia? E pior: ainda legaliza! Não poderia ter proibido de uma vez? Deus não é um tirano. Ele respeita nossas escolhas, não vai invadir nosso coração e nos forçar a mudar.

Nem Deus pode ajudá-lo quando você endurece o coração, que dirá seu cônjuge! Só você pode fazer alguma coisa para evitar o desastre. Mas antes você precisa entender o que é um coração de pedra. O que faz endurecer o coração de uma pessoa? Será que o seu coração está petrificado e você não sabe?

Há muitas coisas que podem endurecer seu coração. Quando falamos de coração, nos referimos ao centro das emoções e sentimentos. Todo sentimento negativo que não é devidamente processado e eliminado do coração acaba se tornando pedra. Uma das principais pedras que endurecem um coração é o orgulho.

Orgulho é o concreto dos corações. A pessoa orgulhosa é cega aos seus erros. Em geral, se julga muito humilde e acha que o erro está sempre nos outros. Ela é a vítima incompreendida, tem alergia a admitir suas falhas e prefere extrair um dente sem anestesia a pedir perdão. O orgulhoso, por se achar sempre certo, fica esperando a outra pessoa se rebaixar e ceder. É incapaz de ver o quão importante para a pessoa ferida é ver a outra reconhecer o erro e pedir desculpas. Muitos problemas seriam resolvidos se o orgulhoso apenas dissesse: "Me desculpe, eu errei, não vou mais fazer isso". Mas prefere endurecer ainda mais o coração.

Lembro-me de um casal de idosos, cujo casamento foi arranjado quando a moça tinha quatorze anos. A família, preocupada com o fato de ela ter personalidade muito forte, acreditava que o casamento seria uma boa forma de "domesticá-la". Pobre rapaz! Na primeira briga, já na lua de mel (achou que demoraria mais do que isso?), ele disse uma bobagem, afirmando que a única mulher que amou na vida foi a namoradinha de infância, para a qual levava frutas quando tinha dez anos de idade. Agredida com aquela "revelação" descabida, ela guardou por décadas a informação: "ele não me ama e nunca vai me amar". Ele, acreditando que ela é que estava errada, nunca pediu perdão. Ela, sentindo-se agredida, se empenhou em fazer da vida dele um verdadeiro inferno.

O que ganharam com isso? Um casamento em ruínas, uma família despedaçada, anos de sofrimento inútil. Ele encontrou na rua a apreciação que não tinha em casa e ela engoliu as diversas traições do esposo, acumulando uma mágoa sobre a outra. Nenhum dos dois dava o braço a torcer, mesmo que se amassem. A vida passou rápido demais e somente perto do final perceberam que perderam a oportunidade de ser feliz durante todos aqueles anos que estiveram juntos.

Quantas oportunidades o orgulhoso está perdendo! Mal sabe ele que se fosse menos duro seria muito mais feliz. Poderia aprender coisas novas, descobrir uma maneira diferente de ver a vida... Por que você acha que Deus determinou que duas criaturas tão diferentes quanto o homem e a mulher vivessem juntas?

Pensando bem, casamento parece até uma piada de mau gosto de Deus. Posso imaginar o Pai, o Filho e o Espírito Santo rindo e esfregando as mãos enquanto dizem: "Tive uma ideia! Vamos criar o homem. Ele vai ser assim, assim... Pronto! Agora vamos criar a mulher...

ela será... exatamente o oposto! Vamos ver o que acontece! Eles vão ter que viver na mesma casa. Ah, e tem mais: não podem se separar!". Parece brincadeira! Mas é claro que, felizmente, há um propósito.

Deus permite que duas pessoas totalmente diferentes fiquem juntas não para torturar suas criaturas, mas para que uma desafie a outra a ser uma pessoa melhor. Ele nos fez bem diferentes para que possamos nos complementar. Mas só é possível melhorar como pessoa através da convivência com o cônjuge se o seu coração for aberto e maleável. É preciso uma boa dose de humildade para matar essa raiz e aproveitar o que o casamento tem de melhor.

Voltemos ao exemplo daquele casal de idosos. O problema começou com uma bobagem dita pelo marido. Se ele tivesse engolido o orgulho e pedido perdão sincero à esposa, teria evitado cinquenta anos de inferno em sua vida. Ou, se pelo menos ela não levasse a sério a bobagem que ele falou e tratasse o marido com respeito e carinho, ele não teria outra saída senão fazê-la feliz.

Parente do orgulho, o egoísmo também é capaz de petrificar um coração. O pensamento do egoísta é essencialmente guiado por estas máximas: *o que eu quero, o que é bom para mim, os meus desejos primeiro.* A pessoa egoísta não se importa com o ponto de vista do outro. Ela escuta, mas não ouve, pois a voz do seu eu é alta demais e abafa a voz do parceiro.

No início do meu casamento, eu não estava preocupado com as necessidades da minha esposa. Contanto que eu estivesse satisfeito no meu trabalho, estava bom. Achava que desde que não estivesse faltando nada em casa, ela não teria do que reclamar. Se você acredita que seu cônjuge tem reclamado de barriga cheia, já que você dá isso, faz aquilo... Entenda uma coisa: não adianta você dar muito de algo que a pessoa já tem o bastante e não dar nada daquilo que ela realmente precisa e está sentindo falta.

Procure saber o que sua esposa ou seu marido precisa. Ouça com atenção e controle a vontade de se defender, se justificar ou dizer o quanto ela ou ele está errado. Se a sua voz é a única ouvida, é bem provável que esteja vivendo um relacionamento de ilusão, que de uma hora para outra pode desaparecer — quando seu cônjuge se cansar de viver anulado.

Conheci um rapaz que acreditava que sua esposa era muito feliz. Ele se espantou quando um belo dia (nem tão belo assim para ele) a mulher anunciou que estava saindo de casa. Teorias conspiratórias invadiram sua mente. Quem teria "virado a cabeça" daquela mulher perfeita e submissa com quem vivia há seis anos? Um irmão? Uma amiga? Um pastor? O filho do primeiro casamento, com o qual nunca se deu bem? Era injusto, ele, um excelente marido, "que sempre lhe deu tudo", que sempre esteve ao lado dela, com quem se dava tão bem, agora ser abandonado sem mais explicações.

O que ele não imaginava é que ela se sentia deixada de lado na maior parte daqueles anos de casamento. Tudo o que o marido fazia e dizia era em função dele mesmo. Jamais se interessou em saber o que ela gostava, o que queria. Eles não se comunicavam, ele se achava muito mais inteligente — ou pelo menos era assim que ela interpretava — e impunha a ela passeios culturais que não a interessavam. Ela também estava errada, já que nunca deixou que ele soubesse que nada do que faziam a agradava. Mas se ele tivesse olhado menos para o próprio umbigo, teria percebido que ao seu lado havia uma mulher anulada e infeliz.

Entenda isto: você perdeu o direito de pensar apenas em si mesmo no dia em que assinou a certidão de casamento.

NÃO VOU MUDAR

Dureza de coração é basicamente uma teimosia, insistir no que não funciona. É o que faz o marido dizer que não vai mudar, mesmo vendo o casamento ir por água abaixo. É o que faz a esposa insistir no jeito de ser e permanecer surda aos pedidos do marido. Se o seu jeito de ser não é bom para o casamento, e você não quer mudar, saiba que seu destino é morrer sozinho.

Muitas vezes endurecemos nosso coração por autodefesa. Depois de sofrer muito, talvez depois de traição, mentira, palavras duras, ou outra experiência dolorosa nas mãos do nosso parceiro, é natural que o nosso coração se endureça. Nós nos afastamos, desligamos emocionalmente, para que nunca mais aquela pessoa possa nos ferir. O problema é que levantar muralhas para proteger nosso coração não é inteligente — a não ser que você queira ficar trancado lá dentro, sozinho, com todos aqueles sentimentos ruins, como prisioneiro na casa dos horrores. Quem constrói muralhas acaba em uma prisão construída por si mesmo.

Pense nisso: se seu cônjuge está realmente determinado a feri-lo e você vê que não há mais por que lutar por este casamento, então saia dele de uma vez por todas. Mas se você ainda está aí tentando, porque crê que há esperança, então você tem que derrubar essas muralhas e amolecer seu coração. Viver ao lado de seu parceiro, mas manter as muralhas entre vocês é gostar de sofrer. Lembre-se: se a dureza de coração permanecer, nem Deus poderá ajudar.

Veja se estas pedras estão em seu coração:

- Orgulho
- Egoísmo
- Inflexibilidade no seu jeito de ser
- Sempre defensivo
- Preso a um ponto de vista
- Incapaz de perdoar
- Resiste e/ou nega intimidade física
- Falta de vontade de mudar
- Nunca está errado
- Gosta de receber, não de dar
- Preso ao passado
- Tem construído muralhas que seu parceiro não pode ultrapassar
- Não é sincero, oculta os sentimentos
- Costuma focar nos pontos negativos do parceiro
- Raramente pede desculpas
- Não se importa com os sentimentos do parceiro
- Não quer ouvir
- Tenta impor mudanças ao parceiro
- Tem uma opinião formada (que é a única certa, é claro)
- Faz chantagens emocionais
- Tenta controlar o parceiro
- Usa "esse é o meu jeito" como uma desculpa para tudo
- Não reconhece que precisa de ajuda com seus problemas pessoais
- Usa palavras que magoam
- Frieza e distância emocional
- Não consegue se abrir e compartilhar com o parceiro

Analise a si mesmo à luz dos pontos anteriores. Faça um exame honesto de seu coração. Será que não há algumas pedras que precisam ser quebradas? O que seu cônjuge diria a seu respeito, se alguém lhe perguntasse sobre isso? Enquanto você mantiver a dureza de coração, não se permitirá ser feliz na sua vida amorosa.

Cristiane

Para complicar ainda mais a situação, existem dois tipos de corações duros: aquele que todos veem, cuja dureza é facilmente notada, e aquele que pensa que é a vítima. Ambos estão endurecidos e ambos acusam um ao outro.

Era assim comigo e com o Renato. Durante os primeiros doze anos de nosso casamento, eu o culpava por não ser o marido que eu precisava que ele fosse. O seu jeito de "resolver" nossos problemas era terrível. Ficava de cara amarrada comigo por dias e, no final, eu é que tinha que pedir desculpas. Eu pedia, senão o casamento não andava para a frente, mas na realidade não pedia desculpas de coração. Continuava pensando que ele era o problema, tanto é que vivia orando pela mudança dele (era justa aos meus próprios olhos).

Eu me achava uma esposa mal aproveitada, lhe dava tudo de mim e ganhava pouco de volta. Cheguei até a compor uma música bem triste e sentimental para a trilha sonora de nossa história de "amor". Até que chegamos à época do telefonema de que falamos no capítulo 9. Mudei muito, foquei mais no que eu podia fazer e descobri que durante aqueles anos todos eu também tinha um coração duro. O meu era aquele que se chamava de vítima.

Sim, o Renato me devia a atenção de marido. Não, ele não deveria me punir por dias sem falar comigo por qualquer coisa que não gostasse que eu fizesse. Mas o que adianta você saber que o seu cônjuge não faz o que ele deveria fazer se você também não faz o que deveria fazer?

A princípio, eu me assustei com essa revelação. Sempre me considerei uma ótima esposa para o Renato, sempre dando o meu melhor para ele. Como poderia também estar sendo má, estar sendo dura com ele? É aí que muitos continuam no círculo vicioso do desamor. Amar é dar. Mas quando chega a ponto de ambos pararem de dar para ver quem dá primeiro, já era. Ficam dando voltas e mais voltas, uma verdadeira "mudança" de 360 graus! Mudam nos primeiros meses, mas daqui a pouco estão no mesmo lugar da partida.

Meu coração duro insistia em demandar a mudança do Renato. Eu o cobrava constantemente. Quando eu fazia algo que ele havia pedido, logo ficava esperando para ver o que ele iria fazer por mim. E quando não via nada no horizonte, voltava a cobrar. E você sabe que existem várias maneiras de cobrança. Você reclama, faz cara feia, joga um comentário verde para ver se colhe algo maduro, faz chantagem emocional, faz comparações, e por aí vai. Todas essas coisas são derivadas de um coração duro que pensa ser a vítima.

Eu creio ser esse o pior dos corações duros, porque não conseguimos nos enxergar. Pensamos que estamos certos, levantamos a bandeira do "até quando terei que dar?" — mas que o que adianta dar com uma das mãos enquanto cobra com a outra?

Eu tinha esse coração duro e por isso nossos problemas duraram mais do que deveriam. Tenho total consciência disso, tanto é que, assim que amoleci o meu coração, o Renato mudou, e o meu casamento se transformou, como se eu estivesse bloqueando todas as minhas orações e as nossas tentativas de mudanças.

A minha mudança foi bem simples. Aliás, creio que para a vítima a mudança não é tão complicada como para o réu. Eu simplesmente deixei de impor. Sacrifiquei o que eu achava que ele deveria fazer, parei de apontar aquilo, deixei de cobrar. Olha a simplicidade da coisa! Só isso foi o bastante. E o que ganhei de volta, nossa... Estamos aqui escrevendo um livro sobre o assunto para você ver como vale a pena!

Quem cede primeiro tem o privilégio de dizer o que eu digo hoje: eu mudei primeiro, para o meu marido mudar. Isso não é para qualquer um.

LIVRANDO-SE DAS PEDRAS

Se você reconhece que há pedras e muralhas em seu coração e quer mudar, o primeiro passo é pedir ajuda Àquele que odeia o divórcio. Lembra-se dEle? Ora, podemos concluir que, se Deus odeia o divórcio e a dureza de coração é a responsável pelos casamentos destruídos, logo, Deus quer ajudá-lo a vencer isso. Veja o que Ele diz:

> *E dar-vos-ei um coração novo, e porei dentro de vós um espírito novo; e tirarei da vossa carne o coração de pedra, e vos darei um coração de carne.* (Ezequiel 36:26)

Ele pode substituir seu coração de pedra pelo coração que você precisa para ter um casamento feliz. Mas para que Deus possa ajudar, você precisa assumir o seu erro. Você pode começar fazendo uma oração sincera, com humildade: "Meu Deus, quero trocar de coração. Tire meu coração de pedra e me dê um coração de carne. Me mostre como tenho de ser e me ajude a ser a pessoa que o Senhor quer que eu seja".

Se você acha que "não é bem assim" e quer continuar a fazer as coisas do seu jeito, esqueça. Nem Deus pode ajudar a quem não quer abrir mão do coração petrificado. Mas, se você tiver esse desejo sincero de se entregar e permitir que Deus o molde na pessoa que você deve ser, Ele ajudará a quebrar seu coração, recuperar seu casamento e evitar até um futuro divórcio.

Mas não pense que ter a ajuda de Deus significa que você poderá ficar de braços cruzados enquanto Ele trabalha. Não funciona assim. A ação de Deus exige parceria. Ele vai ajudá-lo naquilo que você não consegue sozinho, mas seu esforço é necessário nesse processo. Deus lhe dará as ferramentas para você mesmo quebrar seu coração duro. Quebrar pedras nunca é uma tarefa fácil, mas vamos lhe dizer o que fazer — e o que não fazer — para conseguir isso.

Reconhecer seus erros é muito doloroso, mas você terá de fazer isso para começar. Sinta essa dor agora e terá um alívio por toda a vida. A alternativa é se agarrar aos seus erros e afundar com eles, sentindo dor à prestação por anos a fio. Qual você prefere?

TAREFA

Vocês terão uma conversa. Faça a seguinte pergunta ao seu cônjuge: o que me faz uma pessoa difícil de conviver? Anote as respostas. Depois invertam: você responderá a pergunta e seu cônjuge anotará suas respostas. Ainda que seu cônjuge não queira fazer essa tarefa, lembre-se das principais queixas que costuma ouvir e anote-as. Não se esqueça: o mais inteligente é o que dá o primeiro passo rumo à mudança. Atenção às regras: papel, caneta, ouvir e escrever. Você não deve rebater, nem se defender, nem questionar. Zero sentimento nesta tarefa. Apenas explore o ponto de vista da outra pessoa, mesmo que discorde dela. O importante é entender o que o outro está sentindo.

Não leve para o lado pessoal. Lembre-se de guardar suas emoções na gaveta antes de iniciar esta tarefa. Ainda que não concorde, respire fundo e continue. Não faça ataques ao caráter, tente se expressar de maneira a focar o problema. Guarde esta lista com a sua vida. Não a perca. Mostre ao seu cônjuge que está levando a sério.

Se você tirar a emoção e souber manter o foco, terá nesta lista algo muito útil para ajudar a mudar a si mesmo. Não é competição. Não se preocupem com qual lista ficará maior do que a outra. O que importa é colocar tudo para fora. Outro ponto crucial: a partir desse exercício você não vai mais apontar esses itens para a outra pessoa, nem cobrar que ela faça algo com a lista. Você é responsável apenas pelo seu trabalho.

Mãos à obra, peguem suas marretas. Hoje vocês começarão a quebrar pedras.

POSTE:
Comecei a quebrar as pedras do meu coração. #casamentoblindado

No Facebook: fb.com/CasamentoBlindado
No Instagram: @CasamentoBlindadoOficial
No Twitter: @CasamentoBlind

CAPÍTULO 14
A ORDEM DOS RELACIONAMENTOS

Aprendemos na escola que "a ordem dos fatores não altera o produto". Essa máxima pode servir muito bem na hora da multiplicação, mas nem sempre pode ser aplicada em nossa vida. Dentro do casamento, a ordem dos fatores altera — e muito — o produto. Após uma competição olímpica, os vencedores são colocados no pódio em ordem de importância e recebem as recompensas de acordo com suas posições finais. Ninguém daria medalha de ouro ao terceiro lugar, muito menos deixaria o primeiro lugar ficar com o bronze, mas você pode estar fazendo isso em sua casa neste momento, simplesmente por não saber a quem pertence cada uma das três posições do pódio de seu casamento.

ESSE JUIZ NÃO É LADRÃO

Deus deixou bem claro que Ele deve estar em primeiro lugar na vida de todos nós. Isso não é egocentrismo da parte dEle. Ele sabe o que está fazendo, conhece muito bem o ser humano e sabe por que o caos é inevitável quando essa regra não é seguida. Se você não coloca Deus em primeiro lugar, naturalmente quem ocupa esse lugar é você mesmo ou outra pessoa. E quando você se coloca em primeiro lugar em sua vida... Sai de baixo! Ninguém aguenta. Você faz um monte de besteira e acaba caindo no egoísmo de que falamos no capítulo anterior, endurecendo seu coração e colocando tudo a perder. E quando a outra pessoa é colocada em primeiro lugar, você se torna escrava dela... ou seja, esse lugar tem apenas um Dono porque só Ele merece estar ali. Deus sugere que O coloquemos em primeiro lugar para que haja um árbitro em nossa vida. E, no casamento, ter um árbitro sobre vocês dois é essencial.

Casamento é a união de duas pessoas completamente diferentes, portanto, é natural que, apesar do amor, haja momentos em que vocês não entrem em acordo. Um vai dizer A, o outro vai dizer Z e os dois vão se achar certos. Como resolver essa situação? Só tem uma solução: alguém acima de vocês, estabelecido como o árbitro, o juiz. É a lei dEle, imparcial, que irá decidir.

Sem sombra de dúvidas, posso atribuir meu casamento ao fato de nós dois colocarmos Deus em primeiro lugar. Se não fosse isso, não tenho certeza de que estaríamos juntos. Houve vezes em que tive de retirar as minhas razões, e a Cristiane as razões dela, e deixar que as razões de Deus prevalecessem. Já não era o que eu queria, o que eu achava certo ou o que ela achava certo, mas o que Deus fala e determina que deve ser. Você não pode imaginar como isso simplifica a vida do casal, resolve uma porção de problemas.

Não foi isso que Jesus determinou quando foi questionado sobre qual era o mandamento mais importante de todos? *Amarás o Senhor teu Deus de todo o teu coração, e de toda a tua alma, e de todo o teu pensamento. Este é o primeiro e grande mandamento. E o segundo, semelhante a este, é: Amarás o teu próximo como a ti mesmo.*[1] Primeiro Deus, depois a si mesmo e depois o seu próximo, nesta ordem. E quem é a pessoa mais próxima de você? Não é seu marido ou esposa?

Quando trabalhávamos no Texas, a deficiência espiritual era muito visível. Alguns casais ficavam muito entusiasmados com o curso Casamento Blindado, falavam para todos os amigos e até viam mudanças na relação. Mas essas mudanças não conseguiam transformar seus casamentos de forma permanente. Embora a maioria pertencesse a alguma igreja, já que o estado é praticamente evangélico, não mantinham um relacionamento real com Deus. Há uma grande diferença. Manter um relacionamento real com Deus, tratá-Lo como a pessoa mais importante em sua vida, e com atitudes, não tem a ver com religião ou práticas religiosas.

[1] Mateus 22:37-39.

Gostei da forma que meu colega Marcus Vinícius falou sobre como o casal deve olhar para Deus, em um de nossos cursos em São Paulo:

> *Ao olhar para Deus, procure afastar o preconceito religioso. Veja Deus como a justiça, como a verdade. Não a sua verdade, nem a do seu cônjuge, mas a verdade que vai ajudar vocês dois a superar juntos o problema. Não tem nada a ver com religião, e sim com verdadeiros valores que todo ser humano precisa e aprecia. Não é nem inteligente não tê-Lo em primeiro lugar em sua vida. Se a justiça do seu parceiro é uma e a sua é outra, qual delas vai se superar no final? Somente a justiça que vem do alto, ou seja, a justiça perfeita, é que pode trazer equilíbrio e justiça verdadeiros para vocês — uma vez que sem justiça não pode haver amor.*

Se você não tiver essa justiça maior mediando os conflitos, acaba amarrado a achismos. Quem está certo? Ela acha que é ela, ele acha que é ele, mas achar não significa nada, não prova coisa nenhuma. Por isso todo esporte tem regras, todo país tem sua Constituição. Você não pode chegar de bermuda no seu trabalho, a menos que seja salva-vidas, é claro. As coisas são organizadas, ou tudo vira bagunça. Por que no casamento seria diferente? Você pode não gostar das regras, mas elas existem para regular os relacionamentos.

Se não fosse o juiz no campo de futebol, o jogo nunca acabaria, as faltas não seriam reconhecidas e a confusão seria inevitável. Os dois times iriam querer jogar até a exaustão e nunca teria acordo nenhum. Mesmo quando não gostam do juiz, os times (e a torcida) entendem que ele é necessário para manter a ordem. É muito difícil ter um jogo limpo e justo sem obedecer às regras do esporte; da mesma forma, é muito difícil haver casamento feliz sem obedecer às regras estabelecidas por Deus.

Quando Deus ocupa o primeiro lugar em nossas vidas, Ele se torna o Juiz no casamento. Vale muito naquelas horas em que não conseguimos chegar a um acordo... É aí que buscamos saber o que Deus acha a respeito e fazemos então a vontade dEle, com confiança de que será para melhor. Afinal, Ele não é juiz ladrão.

E A MEDALHA DE PRATA VAI PARA...

A resposta está na passagem bíblica que cita a criação do casamento. Lembra-se dela?

*Portanto deixará o homem o seu pai e a sua mãe, e apegar-se-á à sua mulher, e **serão ambos uma carne**.* (Gênesis 2.24)

Em um relacionamento saudável, os dois se tornam uma só carne e um vai cuidar do outro sem descuidar de si mesmo. O segundo lugar do pódio é seu e do seu cônjuge, pois vocês dois são um. Funciona como em uma empresa com dois sócios que têm funções diferentes, mas um não está abaixo nem acima do outro. Cada um tem direito a 50% do negócio, mesmo que desempenhem papéis diferentes dentro da companhia.

Não importa se você é homem ou mulher, não é possível manter um casamento saudável sendo dominador, se colocando em um pedestal, nem sendo capacho, colocando o outro em um pedestal. Você deve ter consciência de seu próprio valor, assim como do valor de seu parceiro. Se perceber que o outro está se colocando abaixo ou acima de você, deve ajudá-lo a se lembrar, com amor e respeito, que o lugar dele (ou dela) é ao seu lado. Relacionamento é parceria e a força do casal está em se ver como uma equipe, com papéis diferentes, mas complementares e interdependentes. Por isso a única maneira de preencher corretamente o segundo lugar do pódio é se lembrar de que vocês dois são um e precisam estar juntos.

Um dos erros que mais vemos nos casais de hoje é colocar o outro acima de si mesmo. É um dos motivos por que as pessoas sofrem tanto no amor. Colocar o outro em um pedestal dá a essa pessoa poder para fazer o que quiser com você, inclusive maltratar, desprezar e definir sua felicidade. Você se torna vulnerável.

Mesmo quando não há maus-tratos, essa vulnerabilidade não faz bem a nenhum dos dois. Isso aconteceu conosco, quando a Cristiane fazia de mim o sol do seu planeta, como ela contou no capítulo 10. Foi tão ruim para ela quanto para mim. Não adiantava ela ter Deus em primeiro lugar se quem vinha um degrau abaixo dEle na vida dela era eu. Além de colocar bastante pressão sobre mim para suprir todas suas necessidades, a medalha de prata a fazia me olhar como seu superior, o que consequentemente a fazia achar que era inferior e poderia facilmente ser trocada.

Uma pessoa que pensa que é inferior a outra vai se comportar como inferior também. É por isso que ela tinha tanto ciúme de mim; no fundo, tinha medo de me perder. Colocar outra pessoa acima de você não só traz inseguranças mas também desvalorização. Em poucos anos, você se torna uma pessoa anulada e dependente. Porque o outro é seu tudo; caso o perca, é como se perdesse a razão de viver. Por esse motivo, há quem caia em depressão e pense em morrer ao perder um casamento.

Essa sabedoria dos relacionamentos vem lá dos ensinamentos do Senhor Jesus, quando interrogado a respeito do maior mandamento da Lei:

> *E Jesus disse-lhe: Amarás o Senhor teu Deus de todo o teu coração, e de toda a tua alma, e de todo o teu pensamento. Este é o primeiro e grande mandamento. E o segundo, semelhante a este, é: Amarás o teu próximo como a ti mesmo.* (Mateus 22:37-39)

Veja a segunda parte do segundo grande mandamento... "como a ti mesmo", ou seja, o seu amor pelo próximo deve ser como o que tem por si mesmo. O que não quero para mim, não quero para a Cristiane. O que acho que eu mereço, ela merece também. Se eu mereço respeito, tenho que respeitá-la também. Se eu quero ser feliz, preciso fazer minha parte para que ela também seja feliz. Valorizar a si próprio e ao cônjuge como a si mesmo é pré-requisito para cumprir esse mandamento. É questão de inteligência: se não consegue fazer isso nem no casamento, como vai fazer com os outros?

Em um relacionamento saudável, há esse equilíbrio. Os dois juntos no segundo lugar do pódio, abaixo apenas de Deus, sempre se lembrando de seu lugar e ajudando o outro a se manter a seu lado.

Nesse pódio há lugar apenas para vocês dois, que agora são um. Não tente colocar seu filho, sua mãe, seu pai, seus amigos, seu cachorro ou qualquer outra criatura disputando espaço no degrau. Lembre-se da regrinha que veio com o manual de instruções para o casamento, quando Deus o criou:

> *Portanto* ***deixará o homem o seu pai e a sua mãe, e apegar-se-á à sua mulher****, e serão ambos uma carne.* (Gênesis 2:24)

Para o homem (e a mulher) se casar, primeiro tem que deixar seu pai e sua mãe, sair do ninho. Se devemos deixar os pais, que são as pessoas mais influentes em nossas vidas, quanto mais os irmãos, os amigos, o celular e o Facebook da ex-namorada! "E serão uma só carne" mostra o início de uma nova família. Quando se casa, você deixa sua família de origem e forma uma nova família. Sua nova família é seu cônjuge. Seus pais e irmãos, toda a sua família de origem, se tornam parentes, como no diagrama a seguir.

Sua família de origem se torna seus parentes depois que você se casa.

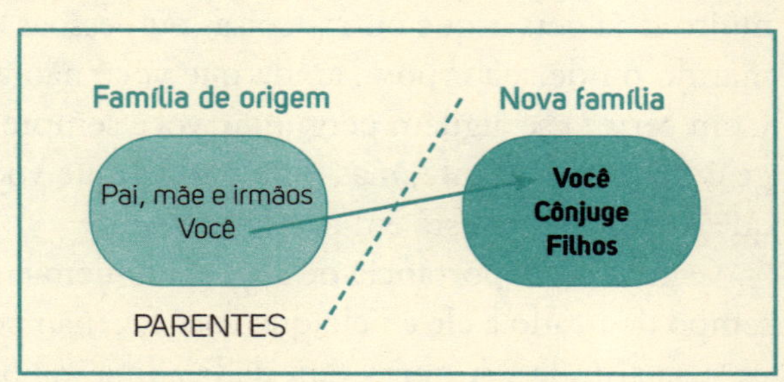

Não estou dizendo que seus pais e irmãos deixaram de ser importantes, mas você migrou para seu próprio ninho e agora tem uma nova família — é necessário estabelecer limites claros para manter um relacionamento saudável com todos. Se essa linha não fica bem clara, começa a haver interferência.

Um dos erros comuns cometidos por recém-casados e seus parentes é achar que enquanto o casal não tem um filho, não deve ser visto como uma família. Mas a família se forma no dia do casamento e, a partir de então, deve se comportar como tal. O homem se une à sua parceira e se tornam uma só carne. A família está criada, completa e fechada, sem espaço para intromissão de terceiros. Tirando Deus em sua vida, não existe outra coisa nem outra pessoa que possa ser mais importante para você do que você mesmo e seu marido ou sua esposa. Se vocês são uma só carne, quando cuida do seu cônjuge está cuidando de seu próprio corpo e quando ele cuida de você, está cuidando dele mesmo.

Infelizmente, muitas mulheres pensam que esse é o tipo de relacionamento que devem ter exclusivamente com seus filhos, sangue do seu sangue. Carregam os bebês por nove meses dentro de si e sentem-se ligadas a eles para o resto de suas vidas, mais até do que ao pai da criança. Mas essas crianças que saíram de dentro delas crescem e vão querer viver suas próprias vidas e formar suas próprias famílias. Não faz sentido tornar-se uma só carne com alguém que inevitavelmente sairá de sua casa em poucos anos. É receita para frustração e sofrimento.

E se nem os filhos podem ocupar esse lugar, quanto mais o trabalho, os amigos, parentes e distrações. A força do relacionamento está na união do casal, e a única maneira de se conseguir isso é estabelecendo as prioridades corretamente. Quem coloca outra coisa ou pessoa acima do cônjuge cria um abismo em seu relacionamento. O problema é que é muito fácil deixar que outras coisas ou pessoas se instalem acima do seu marido ou de sua esposa, ainda que você não admita isso verbalmente. Com certeza se alguém perguntar, você sempre vai dizer que seu cônjuge é mais importante, mas é na prática que você mostra quem — ou o que — realmente está em primeiro lugar.

O grau de importância de algo ou alguém em sua vida é medido pelo tempo dedicado a ele e pelo que você faz, não pelo que você fala. Observe suas atitudes. A quem tem dedicado a maior — ou melhor — parte de tempo, esforço, atenção e pensamentos? Seu tempo deve ser, preferencialmente, para você e seu cônjuge. Se você tem mais tempo para estar na casa da mamãe, das colegas ou no trabalho e coloca essas coisas à frente de seu companheiro, está colocando seu casamento em situação de risco — e sem equipamento de proteção. Isso exige muita atenção de sua parte no dia a dia. Meça as suas atitudes.

Eu dizia "eu te amo" para a minha esposa, mas a maneira como eu a ignorava e não lhe dava atenção invalidava as minhas palavras. O que eu fazia mostrava para ela que na minha vida o mais importante era o meu trabalho. No meu caso é ainda mais difícil porque o meu trabalho é servir a Deus. É muito fácil misturar as estações e achar que, se Deus está em primeiro lugar, tudo o que é relacionado a Ele também deve estar. Não confunda Deus com a Obra de Deus.

Mesmo trabalhando como pastor, servindo a Deus, não poderia colocar o meu trabalho acima da minha esposa. É o que Ele deixa claro quando fala dos pastores, dos bispos, dos que fazem o serviço dEle, ao dizer que têm de ser bem casados, cuidar da casa primeiro, para depois poder cuidar da igreja. Deus não está se contradizendo ao afirmar que o pastor deve cuidar primeiro da família e depois da Obra dEle. Ele continua em primeiro lugar, pois a Obra de Deus não é Deus. Veja como Ele valoriza o casamento! Ele nem quer que você faça a obra dEle se dentro de casa você não dá o exemplo e não faz do seu cônjuge sua primeira ovelha. O casamento, na verdade, serve como um termômetro que mede o nosso relacionamento com Deus. Se estou bem com Deus, tenho que estar bem no meu casamento. Se estou mal no meu casamento, não posso estar bem com Deus.

Para um casamento funcionar, é necessário que ambos, marido e mulher, se importem um com o outro acima de todas as demais pessoas e coisas. Se isso não acontece, não há casamento de fato. Na posição correta do pódio, a esposa sente-se especial por ter sido escolhida acima de todas as outras mulheres. Se colocada para escanteio, será uma mulher amarga e infeliz. Uma mulher infeliz faz um lar infeliz e, convenhamos, não é isso o que você deseja. O marido colocado no lugar correto sente-se respeitado por sua responsabilidade de cuidar de sua esposa como se fosse seu próprio corpo.

Agora que você sabe disso tudo, e sendo os dois uma só carne, tire da equação os terceiros. Vocês têm de estar tão juntos que pareçam colados, inseparáveis. Não pode haver terceira pessoa entre vocês, nem mesmo o filho.

É claro, salvo raras exceções. Suponhamos que seu marido seja agressivo, usuário de drogas, e este comportamento tem gerado risco para toda a família. Neste caso, você e seus filhos — se existirem — se tornam prioridade, pois as atitudes de seu marido fizeram com que ele se tornasse um risco para a segurança da família. Pode ser necessária, nesta situação, uma separação temporária para que ele busque tratamento. É claro que se Deus estivesse em primeiro lugar na vida desse marido, ele não seria dependente químico, mas isso é assunto para outro livro.

Com o primeiro e o segundo lugares devidamente ocupados por Deus, você e seu cônjuge, o terceiro lugar fica para o restante da humanidade: filhos, parentes, amigos e demais pessoas. Organizem-se aí.

A ordem dos relacionamentos, conforme determinada por Deus.

E OS ABELHUDOS?

Não é fácil traçar as linhas que seus amigos e parentes não poderão ultrapassar, principalmente se eles já tinham o hábito de se intrometer em sua vida antes de você se casar. Mas antes de reclamar de seus familiares, pare de alimentar a intromissão. Quando leva seus problemas a parentes ou amigos, dá a eles autorização para fazer julgamentos a respeito de seu cônjuge, formar opiniões parciais e tratar sua vida como se fosse a deles. Se expuser sua vida como novela das oito para todos os parentes, nem adianta reclamar depois.

E lembre-se: a imagem que eles terão de seu parceiro será formada, principalmente, por suas palavras a respeito dele ou dela. Pense bem antes de fazer reclamações, desabafos e comentários de cabeça quente, pois a tendência a exagerar e dramatizar é muito grande e você pode se arrepender por ter dito algo que não correspondia exatamente à realidade, mas aos seus sentimentos.

Muitos só falam dos problemas de seus cônjuges. E os parentes, que não têm por eles o mesmo sentimento, começam a ver o recém-chegado como um problema ambulante, já que pouco ouvem de suas qualidades. Analise o que tem saído de sua boca a respeito de seu marido ou de sua esposa e, a partir de agora, preste mais atenção às qualidades e às coisas boas que ele ou ela faz ou fez. Assim, ficará mais fácil falar bem dele ou dela por aí. Não se esqueça de que vocês são um.

Se o seu relacionamento tem sido invadido por parentes intrometidos, o que fazer? Não adianta brigar, nem espernear. Aja com a cabeça. Aquele que não pertencia à família de origem e que está sendo visto como o invasor, precisa entender que os parentes serão sempre parentes. Não é inteligente ficar contra eles, pois estará atacando as origens de seu parceiro e criará um problema ainda maior. O ideal é tratá-los da melhor forma possível e tentar conquistá-los.

Corte o mal pela raiz e não leve nada para o lado pessoal. Muitas vezes a raiz da implicância da sogra com a nora, por exemplo, está na insegurança. Se tratar bem a mãe de seu companheiro, deixando claro que não está ali no papel de rival e que seu objetivo é fazer dele a pessoa mais feliz do universo, transmitirá segurança a ela e, aos poucos, eliminará os problemas. Ela deve ver em você uma aliada, alguém que a ama e respeita, jamais uma inimiga. Aprenda a amar sua sogra, ainda que neste momento você acredite que isto seria missão impossível. Se você leu este livro até aqui, sabe que não é. Lembra-se de Dian Fossey e os gorilas?

Se são seus os parentes que gostam de se intrometer em seu casamento, você deve saber priorizar a sua nova família e mostrar isso com atitudes. Seja educado, não agrida a ninguém, mas estabeleça limites claros para que os parentes saibam que sua família é sagrada e que quem fala dela, fala de você. Quem gosta de você terá de aprender a gostar de seu cônjuge, pois agora vocês são um.

Os casos em que o casal quer colaborar com um parente que precisa de ajuda financeira têm grande probabilidade de gerar conflitos. Porém, se antes de decidir ambos conversarem e entrarem em consenso, não há problema algum. O casal deve ser equilibrado e priorizar suas necessidades, para depois ajudar a quem precisa.

Conhecemos um casal que passou por sérios problemas financeiros. Logo no início do casamento, os dois contraíram uma dívida. Com três anos de casados, ainda estavam se esforçando para pagar. Nessa época, a esposa se compadeceu da mãe, que estava com várias contas atrasadas e, movida por emoção, convenceu o marido a fazer um empréstimo bastante alto para ajudá-la. Chegou para ele com o assunto decidido, sem dar alternativa, valendo-se da velha chantagem emocional.

Mesmo sem poder, o marido cedeu, mas aquela atitude, além de aumentar a dívida, causou um grande desgaste no relacionamento. Ele se sentiu desvalorizado ao ver que a mulher não priorizou as necessidades da nova família, nem considerou o esforço dele em quitar a dívida inicial.

Só resolveram o problema depois que ela entendeu a ordem certa dos relacionamentos e colocou a si mesma e a seu marido no lugar correto do pódio. Trabalhando na blindagem de seu casamento, conseguiu recuperar a confiança do marido e, com o tempo e esforço de equipe, pagaram as dívidas e ela ensinou a mãe a administrar melhor o dinheiro. Hoje, eles decidem juntos se devem e podem ajudar parentes em dificuldades. (Mais sobre como lidar com as finanças no casamento no capítulo 21.)

Muitos casais fazem o que é certo na ordem errada. Não é errado ajudar a família de origem, desde que seja feito no momento certo e da maneira correta, sem passar por cima do outro. Se isso faz seu parceiro se sentir desprezado, você plantará problemas.

Cristiane

Nunca vou me esquecer do que meu pai, que conduziu minha cerimônia de casamento, me disse no altar: "Agora não tem mais mamãe e papai, minha filha. Os seus problemas terão de ser resolvidos entre você e o Renato". De tudo o que ele disse naquela noite, isso foi o que ficou mais marcado em mim, acho que devido ao fato de eu ser muito jovem ainda e muito apegada à minha família.

Aquela palavra dura e direta me levou a aprender sobre a nova ordem em que eu estava entrando ao me casar. Agora a minha família era o Renato, e a família dele era eu. Nossos pais se tornaram nossos parentes. Os problemas que tivemos no início do nosso casamento ficaram entre nós dois. Isso não é nada fácil, especialmente para nós, mulheres, que temos necessidade de colocar para fora o que sentimos...

Não é tão difícil de entender que quando estamos formando uma nova família temos que deixar a anterior, mas isso tem sido um dos maiores problemas entre muitos casais de hoje em dia. Não era tanto assim há alguns anos. As pessoas já se casavam com o objetivo de formar sua família. Tanto é que se uma mulher não se casava, era malvista não somente pela sociedade, mas também pela própria família.

Na época, muitos casamentos eram feitos sem qualquer sentimento. Era um dever se casar e pronto. Nem sempre se amava a pessoa com quem se estava casando. Com os anos, muitos casais que haviam se casado sem sentimento desenvolviam o verdadeiro amor, porque partiam do princípio de que agora formavam uma família e deviam agir como tal. Ou seja, aja, no dia a dia, como alguém que ama seu marido ou sua esposa e vocês serão um casal. E se o casal tratar um ao outro como primeiro em suas vidas, abaixo apenas de Deus, se tornarão uma família — e ninguém poderá se meter entre eles e separá-los.

Que ajustes você terá que fazer para seguir a ordem correta nos seus relacionamentos? Escreva o que fará, na prática, especialmente o que fará de diferente para que seu cônjuge se sinta a pessoa mais importante para você abaixo de Deus, e o que fará de diferente para se colocar na posição correta, ao lado do seu parceiro.

POSTE:
Acertei a ordem dos meus relacionamentos.
#casamentoblindado

No Facebook: fb.com/CasamentoBlindado
No Instagram: @CasamentoBlindadoOficial
No Twitter: @CasamentoBlind

CAPÍTULO 15
COMO HOMENS E MULHERES FUNCIONAM

Para começar este capítulo eu fiz uma rápida pesquisa para ilustrar como a mente dos homens funciona diferente da mente das mulheres. Pausei a escrita por um momento, saí do escritório e fui ao quarto onde a Cristiane estava secando os seus lindos cabelos enquanto o iPad tocava uma música. Sem ela saber o que eu estava fazendo, entrei como quem não quer nada, lavei as mãos na pia, olhei para ela pelo espelho e perguntei: em que você está pensando?

Sem hesitar, ela respondeu: "Estou pensando aqui que a Rafaela não postou no meu blog a resenha do filme que assistimos semana passada. Tenho que mandar um e-mail para ela. Estou pensando também que essa música é boa para usarmos no programa The Love School, só que provavelmente não deve ter um clipe oficial dela no YouTube, já que é muito antiga. Daí pensei que nossa equipe de produção poderia usar imagens dos bastidores para montar um clipe para ela. E, pensando na nossa equipe, lembrei que quando entrei na sala dela anteontem, percebi que precisam de mais cadeiras, alguém tem sempre que trabalhar em pé. Ah, e também estava pensando como meus cabelos estão ressecados, e como eu prefiro pagar alguém para fazer escova neles a ficar aqui fazendo eu mesma".

— Algo mais? — ousei perguntar.

— Não, só isso.

Só isso. Minha esposa estava pensando em cinco coisas ao mesmo tempo, e a música nem havia acabado... E eu aqui só pensando em uma coisa: em como vou escrever este capítulo!

Um dos fatos mais ignorados pelos casais é a diferença dos sexos e como ela afeta o relacionamento. Homens lidam com as mulheres como se elas fossem eles. Mulheres falam com os maridos como se eles fossem mulheres. E cada experiência dessa abre uma latinha de minhocas. Quando ambos entendem essas diferenças, tudo muda sem nada mudar ao mesmo tempo. Muda porque vocês passam a ver que o seu cônjuge não está fazendo isso ou aquilo porque ele é mau ou porque ela quer irritá-lo. Vocês estão apenas sendo o que são: homem e mulher. Não maus, mas bem diferentes.

Cristiane

"Se fosse eu no lugar dele, não teria feito assim", é o que eu de vez em quando pensava a respeito do Renato. Aliás, vivia criticando homens quando via neles a falta da tão querida consideração com os demais. Entrava em um lugar cheia de bolsas, cada uma mais pesada que a outra, e os homens nem reparavam no quanto eu precisava de ajuda. Aí, eu logo pensava: "Ah, se os homens fossem um pouquinho mais cavalheiros!".

Vivia me comparando ao Renato e, como as diferenças eram grandes, você pode imaginar a constância desses pensamentos. Ele não reparava em minha roupa nova enquanto as minhas amigas a avistavam de longe. "Como pode?" Eu o questionava e ele não conseguia entender por que aquilo era tão importante para mim. Parecia que éramos de planetas diferentes! Até que um dia descobri que estava sendo injusta em querer que ele pensasse como eu. Ele é homem, afinal.

Um defeito horrível dos humanos é querer que os outros pensem exatamente como nós. Até mesmo nos gostos, achamos horrível quando alguém não tem o nosso gosto, como se isso importasse. Será que importa se eu gosto da cor do cabelo dela se o cabelo não é meu? Mas é isso que fazemos com o nosso parceiro, sempre o criticamos por não pensar como nós e não fazer as coisas como nós faríamos.

Nessa batalha de qual é o jeito melhor, ninguém sai ganhando, pelo contrário, o casamento se enche de atritos. Queria que ele tivesse consideração comigo como eu tinha com ele, e ele queria que eu fosse forte para aguentar as coisas como ele era. Ele queria que eu fosse um homem e eu queria que ele fosse uma mulher.

É claro que, a princípio, não percebemos isso. Nunca pensei que estava pedindo ao meu marido para ser uma mulher! Mas se eu fizesse uma listinha de tudo que idealizava nele com certeza seria uma versão minha masculina. Até parece que eu iria me aguentar.

Pura verdade. Peça a qualquer mulher para descrever o "homem ideal" e ela vai descrever outra mulher...

Mas homem e mulher diferem em muitas maneiras. Geneticamente, o 23º par de cromossomos determina a diferença dos sexos. Fisicamente, o corpo masculino e o feminino são obviamente distintos. Mas uma das diferenças mais determinantes está nos cérebros dos dois.

O cérebro masculino é em média 10% maior do que o feminino e tem 4% de células a mais. Mas antes que você, homem, comece a se gabar por ter um cérebro maior que o da mulher, saiba que o cérebro feminino tem mais células nervosas e conectoras, o que as possibilita ter um cérebro mais eficiente e eficaz. Isto quer dizer que, de modo geral, homens tendem a realizar tarefas utilizando o lado esquerdo do cérebro, que é o lado lógico e racional. As mulheres, por sua vez, tendem a usar os dois lados simultaneamente devido à habilidade de transferir informações mais rapidamente entre os lados esquerdo e direito do cérebro. O resultado disso é que homens tendem a ser mais focados em coisas, sistemas e em resolver problemas, enquanto as mulheres são mais afinadas com os sentimentos de todos ao seu redor e mais criativas. Estudos sobre isso reconhecem que há exceções, e é possível às vezes um homem ter um cérebro "mais feminino" e vice-versa — o que não tem a ver necessariamente com a sexualidade de cada um, não se preocupe! Apenas significa que há homens que são mais emotivos e mulheres que são mais racionais, mas não são a maioria.

Louann Brizendine, em seu livro *The Female Brain* (O Cérebro Feminino), fala a respeito de como os dois cérebros são bem diferentes já no berço. A bebezinha vira uma garotinha que adora fazer amizades e socializar com outras garotinhas. Ela consegue até perceber quando as coisas não vão bem em casa. Mas com o bebezão, que vira um garotão, já não é bem assim. Ele quer brincar e, se machucar alguém no processo, não tem problema, pois adora desafios e aventuras. Ele é um conquistador desde pequenininho, e ela, uma companheira carinhosa.

UMA CAIXINHA PARA CADA COISA

A maneira que Mark Gungor expressa essas diferenças é a minha preferida. Ele explica que o cérebro masculino é como se fosse composto de várias caixinhas. Na cabeça dele há uma caixinha para cada assunto de seu interesse: uma para o carro, uma para o trabalho, uma para você, outra para os filhos, outra para a sogra em algum lugar no porão toda selada e com um aviso "Perigo!"... E um detalhe muito importante é que essas caixinhas não encostam umas nas outras. Quando o homem quer discutir um assunto, ele tira apenas a caixinha daquele assunto, abre-a, discute somente o que está dentro daquela caixinha e, quando termina, ele a fecha e a coloca no mesmo lugar, com muito cuidado para não tocar em nenhuma outra.

E tem mais: muita atenção para esta informação, mulheres!

Dentro do cérebro do homem há uma caixinha que a maioria das mulheres desconhece. Essa caixinha não tem nada dentro. De fato, ela é chamada "caixinha do nada". E de todas elas, essa caixinha é a favorita do homem. Sempre que há uma chance, ele corre para essa caixinha. É por isso que os homens são capazes de se envolver por horas com atividades que exigem praticamente zero de uso do cérebro, como: jogar videogame, pescar, ou ficar trocando de canal na frente da TV sem assistir a... nada. Se deixar, quando não estamos trabalhando, totalmente focados em algo, gravitamos automaticamente para a caixinha do nada.

A mulher não consegue entender isso, pois simplesmente não consegue ficar sem pensar em nada. Quando ela vê seu marido nesse estado vegetativo, calado, amuado, como morto-vivo, ela fica intrigada e não resiste a perguntar:

— O que você está pensando?

E ele responde, sem expressão:

— Nada.

— Com certeza você está pensando em alguma coisa. Não é possível que você não esteja pensando em nada.

— Estou te falando, não estava pensando em nada — ele insiste, em vão.

— Você está mentindo. Você não quer é me falar. Por que você não se abre comigo?

Todo homem já teve essa conversa e teme o resultado porque sabe que não tem como acabar bem. Não importa o que ele fale, ela não vai acreditar. Se ele diz que não estava pensando em nada, ela não crê que isso seja possível. Se inventa que estava pensando em alguma coisa só para satisfazê-la, ela acha que não era aquilo exatamente o que ele estava pensando (sem saber que agora ela está certa; ele realmente não estava).

O que ela não entende é que quando o homem está estressado, ou simplesmente desligado do trabalho, a maneira de ele relaxar é correr para a caixinha do nada. Ele quer ficar em paz, sem falar, ficar quieto por alguns instantes. A última coisa que ele quer fazer é conversar sobre problemas e frustrações. O homem só conta seus problemas para outro homem se acreditar que ele pode ajudar a resolvê-los. Senão, ele fica quieto.

Já a mulher, quando está estressada, precisa conversar com alguém, não necessariamente porque está buscando um conselho, mas porque, se não, a cabeça dela explode...

UMA BOLA DE FIOS DESENCAPADOS

Se o cérebro do homem é feito de caixinhas desconectadas, o cérebro da mulher é como uma bola de fios, um emaranhado de cabos, todos interligados. Tudo está conectado a tudo: o carro está ligado ao trabalho, que está ligado aos filhos, que estão ligados à sua mãe, que está ligada ao vazamento no banheiro... Tudo está ligado entre si e nada é por acaso. E a energia que corre nesses fios chama-se emoção. É por isso que a mulher se lembra de tudo, inclusive dos detalhes de uma conversa que o homem jura que nunca aconteceu. É que quando você junta algum acontecimento com uma emoção, aquilo funciona como um raio laser que imprime a memória no cérebro e a pessoa nunca mais se esquece do fato. O homem também tem essa capacidade, mas na verdade quase não a usa porque na maioria das vezes não está nem aí para os pequenos acontecimentos.

Já a mulher está aí para tudo...

Quando ela está estressada e precisa de alguém com quem desabafar, o homem equivocadamente acha que tem de resolver os problemas dela. Ela diz:

— Você não sabe o que me aconteceu hoje. A cara de pau da Pâmela levou todo o crédito do trabalho que eu fiz.

— Quem é Pâmela? — pergunta o desligado.

— Môr, é a minha colega lá no escritório! — diz a ele, pela vigésima vez. — Ela vai no patrão, entrega o projeto que passei duas semanas me matando para fazer, e que ela só assina, e dá a entender que foi tudo ela que fez.

— Ué, você tem que falar com ela que isso não se faz. Ou então dá um jeito de o patrão saber que você participou também. Ou então deixa pra lá, não esquenta com isso.

Aqui o marido pensa que está arrebentando, dando um grande conselho para a esposa. Na verdade, ele está fazendo com que ela se sinta uma idiota, como se ela não soubesse o que poderia fazer naquela situação. O que ela realmente precisa não é de um conselho, mas apenas de um ouvido. Ela precisa falar, porque na mente dela está esse e muitos outros pensamentos e frustrações. E o que o homem precisa fazer nesse momento é apenas fechar o zíper dos lábios e ouvir. E se ele não tiver essa sabedoria e paciência, ela recorrerá à mãe, à irmã, às amigas, ou pior — ao Ricardão lá do trabalho dela.

Se a mulher entender o cérebro do homem e ele o dela, os dois poderão se ajustar e não irritar um ao outro ou ficar frustrados com a maneira de ser do parceiro.

SERÁ QUE ELE É SURDO?

Devido a essas diferenças, as mulheres costumam ter mais facilidade para multitarefas — fazem várias coisas ao mesmo tempo. Homens costumam ser monotarefas — fazem uma coisa de cada vez. Novamente, isso é uma fonte de irritação, pois a mulher muitas vezes culpa o homem por não prestar atenção no que ela fala, por exemplo. O marido está sentado lendo o jornal enquanto ela está preparando o almoço, vigiando o filho fazendo o dever de casa e falando ao telefone ao mesmo tempo. Em dado momento, ela termina a ligação e fala ao marido: "Sábado que vem é a festinha de aniversário da minha sobrinha. Temos que estar lá por volta das três da tarde". Ele resmunga lá da sala: "Ahã".

Passa uma semana, ele vê a esposa se arrumando e pergunta: "Aonde você vai?". Ela já responde frustrada: "Você esquece tudo, hein? Ou não presta atenção no que eu falo". A verdade é que ele estava totalmente focado na leitura do jornal quando você falou com ele. Não quer dizer que ele não se importa com você. Significa apenas que é assim que o cérebro dele funciona.

Se você, mulher, quiser diminuir este tipo de frustração, certifique-se de que seu marido esteja totalmente focado em você quando estiver falando com ele. Isto é, que ele esteja olhando para você, e não fazendo outra coisa. Caso contrário, espere o momento certo.

Mas as diferenças entre os sexos ditam muito mais do que estas regrinhas de convivência e comunicação. Ao longo dos séculos, homens e mulheres foram naturalmente programados para esperarem coisas bem específicas um do outro. Infelizmente, hoje, mais que nunca, essas expectativas nem sempre são tão claras entre os dois.

Agora você vai entender quais são, como se desenvolveram e como corresponder a elas.

CAPÍTULO 16
NATURALMENTE PROGRAMADOS

As diferentes estruturas física, genética e mental do homem e da mulher determinaram outras diferenças entre eles, sociais e culturais, desde o início da humanidade. A força física do homem, bem como as habilidades naturais de construir armas e navegar territórios, o qualificaram para ser o provedor e protetor da família. As características acolhedoras da sensibilidade da mulher fizeram dela a cuidadora e organizadora do lar.

Desde o princípio, por milhares de anos, os papéis dos dois eram diferentes, claros e específicos. E por entenderem bem que o casamento os tornava "uma só carne", ambos faziam seus papéis em parceria e sem ressentimento, pois era um por todos e todos por um. Ela o representava e ele a representava, então o que ele fazia era para ela e o que ela fazia era para ele. Veja a seguir mais ou menos a rotina típica de um casal.

Antes do nascer do sol, o homem saía com as armas para caçar, sozinho ou em grupo, arriscando a vida a fim de trazer o alimento para casa. A mulher ficava em casa esperando ansiosamente que ele voltasse ao final do dia, não apenas com a comida, mas são e salvo. Ele era o seu herói, que arriscava a vida pela vida dela e de seus filhos.

Enquanto caçavam, os homens não faziam grande uso da comunicação verbal, até porque qualquer pequeno barulho podia lhes custar a caça. Tinham que se locomover furtivamente e se comunicar por gestos. Não podiam ter medo de matar, nem fera nem outros homens, caso fossem atacados.

Já a mulher, por ficar em casa em companhia dos filhos e vizinhas, desenvolveu melhor a habilidade de comunicação verbal. Como a organizadora e enfermeira da família, se tornou sensível em perceber detalhes e expressões faciais, sempre atenta ao estado físico e emocional das pessoas. Devido a essa sensibilidade em se ater aos detalhes, desenvolveu um "sexto sentido", por isso ocupou o papel de arquiteta dos relacionamentos, a cola da família e da comunidade. A mulher consegue facilmente se colocar no lugar dos outros, pois é sensível à dor alheia.

Agora você entende por que o homem se tornou menos emocional, não tão apto a "ler os sentimentos" dos outros como a mulher naturalmente o faz, menos falante que ela, focado no que faz e mais direto nas palavras.

Além das tarefas domésticas, a mulher era muito considerada pela habilidade quase divina de gerar filhos. Carregava em si a semente da vida e, por esse motivo, o homem a protegia e valorizava. Ela, por sua vez, o respeitava como o líder natural da família e o cobria de apreciação pelo risco que corria diariamente pela sobrevivência dela e dos filhos.

Tudo isso deixava bem claro qual era o papel do homem e o da mulher em relação um ao outro. Não havia discussão entre eles sobre isso, nem competição. Cada um sabia bem o seu papel e não havia sentimento de que um era melhor do que o outro, até porque o papel de cada um era para auxiliar o outro e não para si mesmo. O homem não provia para ter controle sobre a mulher, pelo contrário, era para simplesmente prover o melhor para ela e seus filhos. A mulher não cuidava do lar como se fosse um fardo, querendo mesmo é estar lá na selva ao lado do marido. Ela era a rainha do lar com muito prazer, sua responsabilidade era tão importante quanto a de seu marido, pois era ela quem cuidava da família, educava seus filhos, determinava o ambiente em sua casa.

E assim foi, por milhares de anos. Através dos séculos, esses papéis não haviam mudado muito. Tradicionalmente, o homem sempre foi o provedor e protetor da família; e a mulher, a cuidadora do lar e arquiteta dos relacionamentos.

Porém, alguns fatores mudaram essa realidade de uns cinquenta anos para cá. Poderíamos citar vários, mas mencionaremos apenas dois principais e seus efeitos no casamento.

OS PAPÉIS SE CONFUNDEM

Dois fenômenos sociais transformaram o conceito tradicional sobre o papel do homem e da mulher na sociedade: a Revolução Industrial e o Movimento Feminista. Está fora do escopo deste livro entrar em detalhes sobre esses dois pontos. Fique à vontade para pesquisar mais, se quiser. Resumidamente, para nossos fins, aqui está o principal — e por que nos importa:

A Revolução Industrial

A mulher começou a sair de casa para o trabalho, ainda que timidamente, em meados do século 19. O desenvolvimento da tecnologia maquinária deu origem às fábricas, que abriram oportunidades de emprego até então inexistentes para as mulheres. Mas foi no século passado, especialmente a partir da Segunda Guerra Mundial, que a mulher começou a tomar seu espaço no mercado de trabalho. Ela se mostrou tão capaz quanto o homem em muitas profissões. Conquistou direitos iguais e ultrapassou o número de homens cursando universidades. Com a explosão do crescimento das grandes indústrias, da tecnologia, do funcionalismo público e dos serviços de saúde, a mulher hoje é parte essencial da economia global.

O novo poder aquisitivo da mulher, combinado ao de seu marido, possibilita ao casal o acesso a uma vida material muito melhor do que a de seus pais e avós. A atual cultura consumista — a publicidade incansável de produtos e bens que prometem a "felicidade" dos que os consomem — praticamente impossibilita a um homem de renda média ou baixa sustentar a família sem a renda extra da mulher.

O que isso significa é: a mulher não é mais a mãe e esposa que apenas cuidava da casa e recebia o marido no fim do dia com um bolo quentinho esperando no forno. Ela é tão ativa quanto ele lá fora, ganha tanto ou mais do que ele e, portanto, está muito diferente da mulher tradicional. Ela está se tornando caçadora, também.

O Movimento Feminista

A americana bell hooks[1], uma ativista feminista de grande influência, define bem a essência do feminismo: "O feminismo é uma luta contra

[1] Ela, propositalmente, não usa maiúsculas no próprio nome. Curiosamente, mesmo depois de vários namorados, aos 64 anos hooks permanece solteira.

a opressão machista". Sem dúvida, muitos homens ao longo da história fizeram um grande desfavor não somente às mulheres, mas também a todo o gênero masculino. Portanto, a luta pelos direitos da mulher tem um valor inegável.

Porém, apesar das feministas terem conseguido grandes avanços em busca do equilíbrio dos sexos, um subproduto disso tem sido o sentimento quase odioso contra os homens. O feminismo tem levado muitas mulheres a ver o homem, de modo geral, como um opressor, um inimigo que está pronto para oprimi-la na primeira oportunidade. Enquanto isso pode ser verdade em alguns casos, esta generalização leva muitas mulheres a resistirem ao papel tradicional do homem provedor e protetor por medo de ficar por baixo dele.

Levantando a bandeira da igualdade dos sexos, o movimento gera a confusão entre igualdade de direitos e igualdade de gêneros. E é exatamente quando a mulher começa a olhar o homem como seu igual, especialmente dentro do casamento, que inúmeros conflitos passam a existir.

Quero deixar bem claro: sou totalmente a favor da igualdade de direitos entre os sexos. Mas dizer que homens e mulheres são iguais na sua natureza e maneira de ser é um erro gravíssimo que tem causado sérias consequências nos relacionamentos amorosos. Uma coisa é você ter direitos iguais; outra coisa é querer cumprir papéis iguais. Homem e mulher sempre tiveram direitos iguais aos olhos de Deus, já que Ele não criou um melhor que o outro. Mas os papéis que lhes foram designados são bem diferentes. O problema começa quando a mulher quer cumprir o papel do homem no casamento e na família.

Esses dois fatores se resumem em um só: a ascensão da mulher. E como resultado, os papéis já não estão tão claros, distintos e específicos como costumavam ser até pouco tempo atrás. Pela primeira vez na história da humanidade, o homem começa a entrar em uma crise de identidade.

QUEM SOU EU? ONDE ESTOU?

Quem é esta "caçadora" ao meu lado? Quem vai cuidar de mim agora? Os homens ainda não conseguiram se situar dentro deste novo cenário. São exatamente essas mudanças que vêm causando problemas no casamento. Mulheres têm se tornado mais independentes, portanto menos inclinadas a envolver os maridos em suas decisões. Menos sensíveis às necessidades deles e de sua família, portanto menos presentes como esposas e mães também; batem de frente com os maridos, afinal, elas "podem". Sem saber lidar com isso, um homem que traz a mentalidade do tempo das cavernas pode se sentir ameaçado e se tornar agressivo, verbal ou fisicamente, piorando a situação dele diante da mulher, que naturalmente irá desrespeitá-lo e rejeitá-lo ainda mais. E o círculo vicioso é criado.

Por outro lado, alguns homens têm se sentido intimidados diante do crescimento ou da agressividade da mulher, têm se retraído, se acomodado, em alguns casos por se sentirem inferiores a ela. A firmeza tem dado lugar à indecisão, a fazer qualquer coisa que não a desagrade, a fim de manter a paz. Há também aqueles que simplesmente se acomodam para aproveitar a "oportunidade" de não precisar trabalhar tanto assim — *já que ela trabalha e paga as contas, vou jogar meu videogame!*

A mulher, por sua vez, frustrada com a falta de iniciativa dele, sente que não tem outra opção a não ser tomar a frente, senão o barco afunda, criando assim mais um círculo vicioso. Ela, uma esposa frustrada; ele, um marido fraco.

Veja que são dois extremos: ou ele fica agressivo ou acomodado. E o natural é que os dois apenas reajam às atitudes um do outro, agindo muito mais pelo instinto de sobrevivência e pelo coração do que de modo consciente. Enfim, ambos perdem sua essência, ela acaba desistindo dele e ele, dela.

As consequências disso podem ser vistas no paralelo entre a ascensão da mulher e o grande aumento no número de divórcios nos últimos cinquenta anos. Como pode algo tão bom para as mulheres ser tão ruim para os nossos relacionamentos?

Não estamos sugerindo que o avanço da mulher seja ruim nem queremos que a sociedade retroceda. Apenas queremos apontar o fato de que, ainda que a sociedade tenha mudado, as necessidades naturais dos homens e das mulheres continuam sendo as mesmas de milhares de anos. O homem ainda é homem e a mulher não deixou de ser mulher. Fomos criados assim e novos direitos e maneiras de viver não vão mudar o nosso DNA. Somos naturalmente programados, ou seja, temos uma predisposição a esperar certas coisas de nosso cônjuge.

Homem e mulher podem crescer e evoluir na sociedade como e o quanto quiserem. A mulher ganhar mais que o homem não é o problema, nem o homem lavar a louça ou ajudar a trocar as fraldas. O que os dois precisam saber é qual o papel de cada um no casamento. Ou seja, sem jogar pela janela o progresso e avanço conquistado pela mulher, vamos resgatar os valores e princípios originais que regem um casamento feliz.

Cristiane

Eu sou a favor da mulher ter direitos, afinal de contas, gosto de conquistar também, mas não é por isso que vou deixar de ser quem eu sou. Sou esposa e mãe, tenho um papel extremamente importante na minha família e não será uma carreira que vai me roubar esse papel! Aliás, diga-se de passagem, um sinal que muitas mulheres têm ignorado vem da própria consciência. O que muitas não falam por aí é que se sentem culpadas por não conseguirem ver seus filhos crescerem. Nenhuma mãe em sã consciência tem prazer em deixar seu bebezinho numa creche o dia todo para ir trabalhar.

Infelizmente, nem todas podem escolher ficar em casa, mas aquelas que podem, nem sempre querem, não porque não gostariam de ficar com seus filhos, mas porque a sociedade diz que isso é ridículo. As que tomam essa decisão, acabam sendo discriminadas, pois para o mundo em que vivemos, a mulher moderna pode tudo, menos escolher ficar em casa para cuidar da família.

Outra verdade que muitas mulheres não falam por aí é que no fundo elas gostariam de ter um marido. Elas podem até dizer que não dependem de homem para ser feliz, mas não é porque agora somos independentes que não precisamos deles. O Renato não é mais o sol do meu planeta, mas ainda assim preciso dele e gosto de saber que ele precisa de mim também.

Minha referência de casamento feliz sempre foi a dos meus pais. Meu pai não consegue ficar em casa sem a minha mãe — ele é um grude com ela. Existe uma certa "dependência" entre os dois. E é essa certa "dependência" do homem e da mulher que falta em muitos casais hoje em dia, ao ponto de se divorciarem só por não conseguirem resolver certas diferenças entre si. O casamento tem perdido seu valor justamente porque, no fundo, homem e mulher pensam que não precisam um do outro... e isso é uma tremenda mentira!

Está aí a razão por que muitos não querem fazer seu papel no casamento, afinal, para quê? O marido de hoje também espera que sua esposa venha trabalhar fora e, quando ela não trabalha, fica ressentido, como se só ele estivesse fazendo "alguma coisa" pela família. A esposa de hoje, por outro lado, não quer cuidar da casa.

Se o marido está com fome, que se vire. E quando ela chega em casa, não quer ter o trabalho de cozinhar nem de limpar nada, então se chateia com o marido por jogar seu par de sapatos no meio da sala. Ou seja, coisas que no passado não eram um problema, hoje são motivos de conflito.

Aí eu pergunto, sinceramente: para que se casar se vão viver suas próprias vidas, suas próprias carreiras, seus próprios sonhos? Seria melhor ficarem solteiros, então! Afinal, qual a diferença entre esse marido e qualquer outro homem na rua? E o mesmo pode ser dito dessa esposa!

O que muitos acabam pensando é que, se tudo que fazem em casa é chegar para dormir, basta pagar uma secretária do lar para cuidar das coisas de casa e se satisfazer sexualmente de outras formas. Por isso, não veem sentido no casamento.

Se o marido e a esposa de hoje soubessem a importância dos seus papéis distintos na vida do outro, se tornariam insubstituíveis um para o outro, até mesmo um grude gostoso, como é comigo e Renato.

Na verdade, o que muitos não sabem é que o cônjuge sempre terá uma certa expectativa, que vem lá de sua infância. Inconscientemente, a esposa acaba assumindo o papel da mãe dele e o marido, do pai dela. O que nós mulheres queríamos do nosso pai é o que vamos esperar do nosso marido, e o mesmo se aplica ao que os nossos maridos queriam de suas mães. É por isso que para ele é tão importante quando a esposa faz um jantar, ou cuida das suas roupas. Ele até pode saber fazer isso, mas há uma conexão muito maior com a esposa quando ela faz isso por ele, é como se ele tivesse a mãe ali, cuidando dele.

Aí você pergunta: mas eu trabalho o dia todo, como dar conta do lar também?

Você não precisa fazer tudo para dar conta de tudo... esse é o erro que muitas mulheres cometem, por acharem que não conseguirão dar conta de tudo, acabam não fazendo nada. Se entender que o seu papel principal nesse casamento é cuidar do seu marido, seus filhos e seu lar, então você fará isso, mesmo que não seja em tempo integral.

Muitas podem até pagar uma auxiliar doméstica, o que facilita, mas ainda assim não podem deixar de se responsabilizar pelo papel que lhes cabe. Nada melhor do que ele saber que você faz questão de que tudo esteja em ordem para ele, que tem a comida que ele gosta de comer, que você faz questão de cuidar de tudo. Faz parte do seu papel fazer do seu lar um pedacinho do céu, esposa. Se você tiver isso em mente, já é o início de muitas mudanças...

Eu sei, eu sei, seu marido também tem que ajudar nisso, mas não dependa dele para fazer o seu papel. Às vezes um faz o seu papel primeiro para depois o outro se entusiasmar em fazer o papel dele.

Homem e mulher não foram feitos para competir um com o outro. Somos muito diferentes e as nossas diferenças são justamente para acrescentar na vida do outro e não para diminuí-lo. Fomos feitos um para o outro, não um contra o outro, não um melhor que o outro. Pergunte a si mesmo: o que tenho feito para o meu cônjuge? Se tudo que você fez até hoje foi morar com ele, então talvez seja essa uma das razões porque você não vive um verdadeiro casamento.

A mídia, para contribuir com esse desastre, também coloca a imagem do homem lá em baixo. Repare só na maioria das comédias, seriados e em quase todos os gêneros de filme, como o homem é sempre aquele personagem fraco, que teme a mulher, que faz tudo errado, não tem pulso forte, nem passa nenhuma segurança, ou aquele personagem que facilmente tira proveito da mulher; enquanto a mulher é bem inteligente, sabe o que quer, faz tudo certo e é sempre o braço forte da família. E quando ela é a protagonista do seriado então... só Deus!

Nunca me esqueço de um filme clássico chamado "Mulheres Perfeitas" em que a personagem principal, Joana, interpretada por Nicole Kidman, ao perder seu emprego, muda com a sua família para uma cidade no interior. E lá ela se depara com mulheres perfeitas, que na realidade, foram robotizadas pelos maridos, para servirem a eles sem questionar nada, enquanto eles fazem o que querem, sem sequer um pingo de consideração com todo trabalho dessas perfeitas mães e esposas. O filme dá a entender que cuidar da família é ridículo, que anula a mulher em todos os sentidos e faz o homem simplesmente tirar proveito dela.

Essa é a ideia que muitas pessoas têm a respeito do papel da mulher em casa, por isso há tanto preconceito sobre esse assunto. Ninguém quer cuidar da casa e dos filhos — é muito doméstico para a mulher moderna! Depois reclamam quando os filhos já estão adolescentes e não conseguem mais se relacionar com eles, são praticamente estranhos morando na própria casa. Sem contar que o pai já não mora mais com a mãe e cada um vive o seu próprio mundinho, ganhando dinheiro, mas sós.

Além dessa forma errada de ver as coisas criar esse tipo de aversão ao cuidado do lar e da família, há um outro agravante: passa a mensagem de que homem é tudo fraco, a mulher que é forte! O homem é bobo, a mulher que é inteligente! O homem é mau, a mulher que é boa demais! O resultado nos lares é que filhos não respeitam os pais, esposas não respeitam os maridos, e ele acaba largando aquela família e criando outra para ver se em uma nova ele é respeitado. A esposa rapidamente o acusa de largar o barco e os filhos se decepcionam com ele, dizendo a si mesmos que nunca vão se casar.

Aí está uma foto do que tem sido a família no século 21. Não estamos aqui colocando a culpa toda sobre a mulher. O fato é que, quando um não se responsabiliza pelo seu papel no casamento, ele vai fazer falta, vai criar um vácuo e acabará trazendo muitos outros problemas. Se a sociedade não valoriza o papel do homem na família, o homem por sua vez também não valoriza o da mulher.

Hoje muitos homens veem a mulher como algo descartável. O que mais se ouve por aí entre maridos frustrados é: *a fila anda!* Não importa se ela é a mãe de seus filhos, se ela foi a sua primeira namorada, se ele a amou perdidamente um dia, o que importa é que (e aqui vai outra frase muito comum hoje em dia) *eu também tenho direito de ser feliz*. E, nesse caso, ele pensa que para ser feliz tem que trocar de mulher — só que não.

O que acontece é o inevitável: ninguém valoriza ninguém, cada um por si, Deus por todos e uma abundância de atitudes egoístas no dia a dia.

Se você quer fazer parte da cultura do casamento feliz e duradouro, não poderá seguir as normas da cultura atual. Terá que andar na contramão e criar sua própria cultura dentro do seu relacionamento. Cristiane e eu temos a nossa e já determinamos que nada de fora que seja nocivo poderá entrar. Por isso conseguimos manter os valores e princípios de que precisamos para conservar nossa intimidade, e não nos esquecemos de cumprir o nosso papel para com o outro.

Não é difícil de entender o papel do marido e da esposa, mas para isso temos que conhecer as necessidades básicas um do outro, predeterminadas por nossas naturezas distintas.

E você, sabe quais são estas necessidades? Vamos entender mais sobre elas.

NECESSIDADES BÁSICAS NATURALMENTE DETERMINADAS

Somos programados por nossa natureza humana a ter certas necessidades supridas. E não há necessidades mais básicas do que comer, beber, vestir e ter moradia. Tire isso do ser humano e seu comportamento se torna como o de um animal. Isso pode ser observado quando grandes desastres naturais afetam uma cidade. De repente, as pessoas se veem sem alimentação, água, abrigo e segurança. Se não houver uma intervenção rápida dos serviços de emergência, entram em desespero e adotam um comportamento até agressivo pela sobrevivência. A procura pelo que comer e beber e por onde morar faz com que as pessoas ajam como se voltassem à época das cavernas. Quando suas necessidades básicas são afetadas, afloram as reações mais primitivas.

Minutos antes de o desastre ocorrer, a maioria estava preocupada com inutilidades, como: se a barra da calça está curta demais, se a melhor cor para a parede do quarto é bege ou branco, se vai fazer um *upgrade* do celular etc. Depois que o horror acontece, ninguém se importa mais com isso. A única preocupação é salvar a própria vida. O que as pessoas antes viam como "necessidade" é reduzido do mais alto capricho para as coisas mais básicas como água, pão e cobertor. Pessoas que nunca roubaram, nunca agrediram ninguém nem violaram leis são capazes de fazê-lo. É o instinto natural do ser humano. E qual a melhor maneira de conter esse comportamento animalesco? Preenchendo novamente as necessidades básicas dessas pessoas.

Há outra coisa muito importante que você tem que saber sobre isso:

Não se discute sobre as necessidades básicas de uma pessoa.
A única coisa a fazer é preenchê-las.

Ninguém é culpado de ter fome. Ninguém é mau por querer dormir uma noite de sono. Ninguém é criminoso por ter sede. Ninguém pode ser acusado por querer um lugar para morar. Mau é quem pode suprir as necessidades de alguém, mas não o faz.

Agora, transporte esse fato para dentro do relacionamento. Homem e mulher também têm, por suas naturezas masculina e feminina, necessidades básicas que precisam ser preenchidas. Para que um casamento funcione, há certas coisas mínimas que devem existir. Tudo bem, o marido pode não ser tão romântico quanto um personagem do Brad Pitt; a esposa pode não ser a mais perfeita dama de um conto de fadas, mas ambos têm que oferecer um ao outro pelo menos o essencial.

As necessidades básicas do homem e da mulher são de extrema importância. Se elas não são supridas, seu marido ou sua esposa começará a agir irracionalmente. E não adiantará ficar criticando ou se perguntando "por que ele é assim?" ou "por que ela age assim?", a melhor coisa que você pode fazer a respeito das necessidades básicas de seu parceiro é supri-las. Sobre necessidades não se discute. Quando se tem fome, a única coisa útil de se fazer a respeito é comer.

Quando adota um animalzinho de estimação, a primeira coisa que você faz, antes mesmo de levá-lo para casa, é descobrir o que ele come, bebe, gosta e não gosta. Você não discute com quem lhe deu o animal, nem tenta mudar o bichinho depois que o leva para casa. Se você quer um animalzinho feliz, e é mais inteligente que ele, apenas preenche as necessidades dele, por mais chatas que sejam. Para você ter um marido ou uma esposa feliz, descubra as necessidades básicas dele ou dela e supra-as — não discuta.

CAPRICHOS E COMPARAÇÕES

Um esclarecimento: estamos falando aqui de necessidades básicas, não de caprichos e fantasias. Para as mulheres, um aviso: amor verdadeiro não se resume em romance ou beijo cinematográfico. É um grande erro comparar o homem real com o homem da tela. Uma mulher casada certa vez deixou um comentário em um dos nossos vídeos no YouTube sobre o que ela esperava de um homem ideal:

> ...gosto do homem que se cuida, que se preocupa com sentimentos, que seja romântico, ao estilo Brad Pitt ou Tom Cruise; mas que seja galanteador como *James Bond* e provedor e protetor como *Conan, o Bárbaro*, ou os homens do Faroeste. Penso que o homem ideal é aquele vampiro da Bella, de *Crepúsculo*. E gosto daquele homem de *E o Vento Levou*, ou aquele dançarino de *Dançando na Chuva*... ah, sei lá, um pouco de cada. Tem também os samurais...

Meu primeiro conselho para essa esposa foi: "Pare de assistir a filmes!".

Se você não sabe o que quer, como exigir que seu marido o saiba? Essa ilusão do amor hollywoodiano é que tem levado muitos casamentos ao fracasso. Esse amor roteirizado, treinado, com diretor produzindo o ator, não compete com a vida real. Na vida real, aquele galã da novela provavelmente já se casou três, quatro vezes, tem uma vida amorosa infeliz e talvez até tenha batido na mulher. Não podemos viver a realidade baseada em fantasia.

Uma das piores coisas que você pode fazer é comparar seu cônjuge a alguém, seja este alguém real ou imaginário. Isso é capaz de matar o casamento. Se você compara seu marido com o da televisão, do livro ou do cinema, prepare-se para ficar frustrada.

O mesmo se aplica aos homens. Você, homem, passará pelo mesmo se embarcar na praga chamada pornografia. Como um vício, a pornografia começa com pouco uso e a pessoa acredita que pode parar a qualquer momento, mas, para sentir o mesmo efeito da primeira dose, acaba precisando de cada vez mais. O melhor é não começar e, se já começou, parar imediatamente. Colocando de lado a parte moral da questão, o resultado desse vício é que muitos homens não conseguem mais ser estimulados por suas mulheres, só pela pornografia e masturbação. Ou seja, aquilo que é real, a intimidade com a esposa, já não serve mais.

O problema é tão sério que já se fala em "Disfunção erétil induzida por pornografia", uma condição que pode afetar desde o adolescente até o adulto e é autoexplicativa: a exposição a pornografia leva o homem a não conseguir mais manter relações com uma mulher de verdade. Você deixa de ser o homem que sua esposa precisa, fica frustrado porque sua mulher não é aquela que viu em um vídeo produzido e acaba vivendo de fantasias — criando, assim, uma data de expiração em seu casamento.

Nenhuma mulher gosta de ser comparada assim. Para ela, é humilhante saber que o marido só se sente realizado assistindo a esse tipo de vídeo. Ela não fica excitada como ele e ambos não conseguem chegar à intimidade total. O homem que se faz dependente desse estímulo está desmoralizando a mulher, fazendo com que ela se sinta insuficiente para ele, exatamente o contrário da necessidade mais básica que ela tem.

PARTE IV
FAZENDO A BLINDAGEM

CAPÍTULO 17
NECESSIDADES BÁSICAS DA MULHER

Quais as necessidades mais básicas de uma mulher? Podemos resumi-las em uma frase: ser valorizada e amada. Foi assim que a Inteligência Espiritual definiu a principal responsabilidade do marido para com a esposa:

> *Marido, ame a sua esposa, assim como Cristo amou a Igreja e deu a Sua vida por ela.* [...] *Quando o homem ama a sua esposa como ao seu próprio corpo, ele está fazendo um favor a si mesmo, já que ele é um só com ela. Quem ama sua esposa, ama a si mesmo.* (Efésios 5:25,28)

Note que, a princípio, um paralelo é feito entre o amor do marido pela esposa e o amor de Cristo pela a Igreja. Ou seja, o amor dEle é usado como padrão a ser seguido. Nosso modelo de amor para com nossa esposa não deve vir de filmes, livros, pais, parentes ou amigos. O Autor do casamento apontou o amor de Jesus por nós como referência para os maridos. E que tipo de amor foi o dEle? Um amor marcado por entrega de Si mesmo, sacrifício, cuidado e renúncia — não por emoção. Se você conhece a história, sabe que não é pouca coisa. A orientação é ser para sua esposa alguém que a respeita e considera tanto a ponto de dar sua própria vida por ela. Não há egoísmo aqui. Não há acomodação.

Em seguida, o homem é levado a entender que amar a esposa é amar a si mesmo. Se eu trato bem a Cristiane, estou na verdade cuidando de mim. Se a maltrato, é como se eu estivesse ferindo a mim mesmo. Lembra-se da ideia de que os dois "serão uma só carne"? O homem precisa ver sua esposa como extensão de si mesmo e não descuidar das necessidades dela.

A esposa é um presente de Deus para o marido[1]. Deus criou a mulher para o homem, e a forma como criou o homem também fez dele um complemento para a mulher. Se o marido rejeita, maltrata ou repudia a esposa, é como se estivesse rejeitando o presente de Deus (o mesmo quando a mulher rejeita o marido). Quando se despreza a mulher, dizendo que "mulher só quer gastar", ou se fala mal do homem, dizendo "homem é tudo igual", na verdade, se está falando mal de Deus, o Criador de ambos.

A esposa está sob os cuidados do marido. A origem da palavra marido no inglês (*husband*) remete à ideia de "cuidador, administrador". Este significado está bem de acordo com o papel do marido, pois, quando o homem se casa, ele se torna responsável por sua mulher, por tudo o que acontece com ela e por cuidar dela. Isso na verdade é amor. Amar é um verbo e verbo exprime uma ação. Amar é muito mais uma atitude do que apenas sentir. O mundo diz: "Se acabou o sentimento, acabou o amor". Esse tipo de amor-sentimento é o que gera "monogâmicos em série" — acaba o amor por um, vai para outro, acaba de novo, vai para outro etc. O verdadeiro amor não é fundamentado em sentimento, mas no cuidado que o marido deve à esposa pelo compromisso que assumiu com ela.

VALORIZÁ-LA E AMÁ-LA — MAS COMO?

Na prática, a esposa se sente valorizada e amada quando:

O marido lhe oferece segurança: essa questão não se refere apenas à segurança física ou financeira, mas segurança em todos os sentidos da palavra. O dicionário define segurança como:

> conjunto das ações e dos recursos utilizados para proteger algo ou alguém; diminuir os riscos ou os perigos; garantia; aquilo que serve de base ou que dá estabilidade ou apoio; amparo; sentimento de força

[1] Provérbios 18:22.

interior ou de crença em si mesmo; certeza, confiança, firmeza; força ou convicção nos movimentos ou nas ações[2].

Há várias maneiras pelas quais o homem pode passar segurança ou não para a mulher. Quando ele é fiel, por exemplo. Uma necessidade básica dela é saber que o marido, ao sair para o trabalho ou qualquer lugar que seja, se manterá fiel a ela. Quando o homem começa a flertar com outras mulheres ou quando age de um modo que a faz pensar que está flertando, talvez por ser muito extrovertido, passa insegurança para a esposa. Esse jeito brincalhão, que muitas vezes cria amizades inapropriadas com outras mulheres, talvez tenha de ser mudado a fim de passar segurança para a mulher (o ciúme da mulher às vezes é decorrente da falta de segurança que o marido passa). Não que você vá mudar sua personalidade e se tornar uma pessoa fechada, mas algumas coisas são desnecessárias, como brincadeiras impróprias com outras mulheres. Se você ainda não tem noção do que é ou não impróprio, é importante ouvir sua esposa e trabalhar para desenvolver esse bom senso.

Se o marido é irresponsável, imaturo, indefinido, tem um temperamento forte, gasta com facilidade ou tem um vício, gera insegurança também. Às vezes ele quer que ela confie nele, mas não passa nenhuma firmeza para ela pelo seu comportamento. O homem que fala alto, grita, bate a porta, fica alterado etc., pode achar que está se mostrando muito forte e seguro, porém, é o contrário. Se ele não se mostra em controle de si mesmo, que dirá do resto da família e da situação? Mostre-me um marido “esquentado”, que vive cheio de raiva, e eu lhe mostrarei uma mulher insegura, desvalorizada e mal-amada.

Quando a mulher não se sente segura, imediatamente levanta muralhas para se proteger do que aquela insegurança pode lhe trazer. O instinto dela diz que se ele não a está protegendo nem cuidando dela, ela tem que fazer isso por si mesma. Isso também gera um círculo vicioso em que ele se sente desrespeitado por ela, se retrai, e ela então se vê na obrigação de tomar decisões, iniciativas e lutar por si mesma, aumentando assim a sensação de desrespeito nele.

O homem tem que ser equilibrado e seguro em todos os sentidos. Para proteger e cuidar da esposa, ele tem que ser forte, da maneira certa.

---

[2] Dicionário Priberam de Língua Portuguesa @ 2012.

Não pode ser um viciado ou um indefinido. Uma hora quer uma coisa, outra hora quer outra. Se ele é imaturo, irresponsável e não mostra liderança firme, pode ter certeza: ela vai acabar tomando a frente dele, para sua própria sobrevivência... Homens, acordem!

Ele a escuta: isso é muito difícil para o homem, já que ele geralmente não gosta de prestar atenção nem de ouvir detalhes. Ele gosta de resolver os problemas e não apenas de ouvir a respeito deles, o que normalmente a mulher faz quando está com suas iguais. Ter seu desabafo ouvido por uma amiga já é o suficiente para que a mulher se sinta bem. Eis aí outro problema: você quer que sua esposa compartilhe tudo com você, mas não quer ouvi-la. É por isso que às vezes a mulher tem mais intimidade com as amigas do que com o próprio marido!

É comum o homem ficar chateado por descobrir que a mulher falou algo que ele considera íntimo para outra pessoa. O que ela pode fazer, se o esposo não quer ouvir o que ela tem a dizer? Ela errou, mas... Ele também. Se não encontra ouvidos disponíveis em casa, há grande probabilidade de que ela se abra para ouvidos solícitos na rua. Isso representa um grande perigo. Uma mulher carente, com as necessidades mais básicas negligenciadas, é um alvo fácil para o conhecido "cafajeste"— aquele cara do trabalho, sempre tão simpático e atencioso, que conhece, intuitivamente, essas necessidades e tem dado a muitas dessas mulheres casadas o que os maridos não tiram tempo para dar: ouvidos. Sem atenção, essas mulheres caem feito filhotinhos de foca nas mãos do predador.

Homens: limpem os ouvidos, não desprezem, especialmente se ela estiver desabafando. Não tentem resolver os problemas, apenas ouçam. Como já explicamos anteriormente, a mulher lida com o estresse de modo bem diferente de nós, homens. Ela precisa falar e colocar para fora tudo que a está atormentando por dentro. Isso não quer dizer que ela precise de uma orientação sua, apenas uns bons ouvidos e um abraço para lhe passar a segurança de que você está ao seu lado.

Se vocês não dialogam ou conversam, provavelmente têm uma intimidade muito fraca, pois ela não se constitui só de sexo. A intimidade está muito além do sexo. A intimidade do casal começa no ouvir um ao outro. Não se esqueça de que é necessário conhecer para amar e não há melhor forma de conhecer alguém do que ouvir o que essa pessoa pensa. Estude sua esposa, se interesse por ela, entenda sua forma de ver o mundo. Ela se sentirá amada, valorizada e muito mais conectada a você.

E outra dica para os homens: para evitar problemas depois, quando ela estiver falando, pare o que está fazendo e preste atenção! Pior do que não a ouvir é fingir que está ouvindo... Se não pode prestar atenção no momento em que ela estiver falando, avise, senão isso vai voltar para mordê-lo depois.

Eu tive que aprender a ouvir. Não gostava de ficar ouvindo nem contando detalhes. Quando minha esposa perguntava "Como foi o seu dia?", o máximo que eu respondia era "Foi bom", terminando ali a nossa conversa da noite. Aquilo estava matando a nossa intimidade... Então comecei a envolvê-la mais na minha vida para que ela se sentisse participante do meu dia.

Sente-se a escolhida: ela tem a necessidade de sentir que, dentre todas as mulheres do mundo, você a escolheu e que é a única para você. Há muitas mulheres que você poderia ter escolhido, mas escolheu ela. Ela está acima da mãe, dos filhos, dos irmãos e dos amigos. Quando visitar seus parentes, ainda que exista um familiar que não goste da sua esposa, vocês chegarão de mãos dadas, demonstrando que ela é importante e que você irá defendê-la a todo custo. Se há uma mulher no seu trabalho ou círculo social que faz sua esposa se sentir insegura por qualquer razão, é sua responsabilidade passar segurança para ela com suas atitudes (não apenas palavras). Um marido que conheço faz isso com uma pequena regrinha: não dá carona para mulher, por respeito à esposa. Imagine como ela se sente por isso? No mínimo como a mulher nesta linda carta de Graciliano Ramos à sua futura esposa:

> *Tenho observado nestes últimos tempos um fenômeno estranho: as mulheres morreram. Creio que houve epidemia entre elas. Depois de dezembro foram desaparecendo, desaparecendo, e agora não há nenhuma. Vejo, é verdade, pessoas vestidas de saias pelas ruas, mas tenho certeza de que não são mulheres.* [...] *Morreram todas. E aí está explicada a razão por que tenho tanto apego à única sobrevivente.* (Graciliano Ramos, *Cartas de amor a Heloísa*)

A mulher precisa se sentir única. Ela normalmente já é bem insegura por natureza. A sociedade também contribui com isso bombardeando a sua imagem com o que é bonito e feio na mulher, sempre a comparando com o que é "aceitável": o corpo ideal, o cabelo, a pele, o estilo de roupa, enfim. Você não vê o mesmo ataque aos homens porque o homem normalmente não liga tanto para a aparência dele quanto a mulher. Se um amigo fala que ele está barrigudo, eles riem juntos; se uma amiga fala o mesmo para ela, aquela amiga entra automaticamente no livrinho negro...

É por isso que a mulher não se cansa de perguntar ao marido se está bonita ou se ele a ama. O homem, que não entende o raciocínio por trás disso, logo diz: "Quando eu casei com você eu provei que te amo. Se mudar alguma coisa eu te aviso". Parece óbvio para você, mas para ela não é tão simples assim. Cuidado com a maneira como você fala com a sua mulher, isso também pode contribuir com a sua insegurança a seu respeito.

Está sempre no seu radar: o homem deve manter a mulher sempre no seu radar, ou seja, estar sempre consciente e atento sobre como e onde ela está, com quem, o que a preocupa no momento, o que está fazendo e precisando. O radar dele normalmente é em trabalho, contas, projetos e preocupações. Mas ainda que o foco dele esteja nessas coisas, de tempos em tempos aquele ponteiro do radar passa, e ele se lembra dela.

Se ao terminar o dia você não tiver se lembrado dela em nenhum momento, quando chegar em casa certamente será recebido com cara feia. Como protetor dela, você tem que estar a par de todos os seus passos, não porque você a esteja espionando ou controlando, mas para que cumpra seu papel de cuidador. E hoje em dia não tem desculpa. Uma mensagem de celular não leva muito tempo e custa muito pouco.

Muitos casais estão caminhando para o divórcio justamente porque se desligaram um do outro. Não se importam mais com o que o outro faz ou aonde vai. Vivem indiferentes um ao outro. É assim que o amor se esfria. Todo relacionamento precisa de investimento constante. Se ele a esquece devido ao trabalho ou aos novos projetos, ela se sente desvalorizada e, muitas vezes, desamada. Muitas mulheres vivem mergulhadas em ciúmes e a raiz não foi o homem ter dado a entender que a estava traindo, e sim não ter feito com que ela se sentisse valorizada.

Se ela fica doente, ele espera que a mãe ou as amigas cuidem dela, enquanto o certo é que ele venha fazer isso sempre que possível. Se ela está entrando em novos projetos, é responsabilidade dele saber como esses projetos estão. Ela é sua responsabilidade, não pode ser deixada para lá como se fosse qualquer mulher no mundo.

Certa vez, uma esposa nos contou que seu marido nunca tinha tempo para ela devido ao trabalho. Então ela decidiu marcar umas férias para os dois com três meses de antecedência, com o consentimento dele. Na semana anterior às férias, ele disse que não podia mais ir devido ao trabalho e ela teve que ir com uma amiga e os filhos. Ora, como você acha que aquela mulher se sentiu ao ver que o marido tinha acabado de colocar o trabalho em primeiro lugar?

Sente-se atraente: quando ela faz aquela pergunta que todo homem teme: "Você acha que eu estou gorda?", você, homem, não vai mentir, mas tem de ser diplomático... A mulher tem a necessidade de se sentir atraente, porque a competição é grande: revista, jornais, TV, mulheres na rua. A pressão é tão forte que até muitas modelos que são referências de beleza se sentem feias. Essa necessidade já vem com ela desde a infância. A garota adora um elogio enquanto o garoto não se importa tanto com isso. A mulher precisa de elogios, eles não devem ser economizados.

O marido deve ter um linguajar que a faça se sentir mulher. Se ela se sente feia, logo vem a baixa autoestima e isso não é bom, nem para ela nem para ele. Quando a Cristiane engorda um pouquinho, logo me pergunta o que eu acho e sempre digo: "Ótimo, assim tem mais de você para eu amar!".

Sempre vai ter uma mulher mais bonita que a outra, não tem como uma mulher ganhar sozinha o troféu da mulher mais linda do mundo, isso é impossível, até porque beleza é algo muito subjetivo. Mas para os olhos do marido, a esposa tem que ser a mulher mais linda do mundo. Ele tem que ter olhos somente para ela — e ela precisa perceber isso.

O marido tem que aprender a ser amante de sua mulher, olhando para ela além dos defeitos. Se ele fizer isso, a mulher pode ser considerada "feia" diante dos padrões da sociedade e mesmo assim sentir-se a mais sexy do mundo por causa de como o seu marido a faz se sentir. O homem inteligente faz a mulher se sentir atraente para ele.

É admirada por mais do que sua aparência: muito além de se sentir bonita, a mulher também precisa ter consciência de suas outras qualidades. Se você está acostumado a só reclamar do que ela faz de errado, na esperança de que ela comece a corrigir essas falhas, mude de estratégia. Faça uma lista das qualidades da sua esposa. Ela é carinhosa? Se preocupa com os outros? É confiável? É inteligente? É boa no que faz? Faça com que ela saiba disso. No geral, a mulher tem muito mais consciência de seus defeitos do que de suas qualidades. Cabe a você ajudá-la a enxergar aquilo que ela tem de melhor. Ela precisa de alguém que a coloque para cima — e não para baixo.

Se você se focar apenas nos defeitos, não conseguirá admirá-la; mas, se prestar mais atenção às qualidades, com certeza sua admiração por ela crescerá. O objetivo é se tornar fã número um de sua esposa. E faça com que ela saiba disso, com pequenos elogios e comentários positivos ao longo do dia. Ela precisa desse reforço e com certeza qualquer tensão entre vocês será dissolvida conforme aprenderem a admirar um ao outro.

Recebe afeto: o contato físico é fundamental para a mulher. Muitos homens sentem dificuldade de demonstrar afeição física devido ao histórico familiar. O garoto cresce com aquelas expectativas de ser forte, de não chorar, de não precisar de nada nem ninguém para crescer. Mas o fato é que a mulher não é assim, o afeto fala muito a ela.

A proximidade física do homem e da mulher fala muito mais do que palavras. Muitos casais, com o passar dos anos, vão se separando, dormem em camas separadas, vivem respeitosamente na mesma casa como irmãos, mas são indiferentes um com o outro. Quando vem a vontade de fazer sexo, o homem acorda a mulher à noite e só diz: “vamos lá!”. Aí ele quer que ela esteja pronta, enquanto durante o dia, a semana, ou o mês inteiro, ele não lhe deu nenhum carinho.

Às vezes o homem tem vergonha de beijar e abraçar a mulher em público. Outros não gostam de dar as mãos. A mulher sente essa necessidade, principalmente quando está estressada, e quando ele nega esse contato físico, ela se sente rejeitada. Se você quer ter uma mulher que se sente valorizada e amada, e doida por você na cama, deve saber que esse afeto físico tem que estar sempre presente no seu relacionamento, principalmente nas horas que vocês não estão na cama.

Por traumas passados, algumas mulheres não gostam de afeto físico. Casos assim precisam ser tratados especificamente.

Cristiane

Sempre ouvi falar que nós mulheres somos complicadas, que não sabemos o que queremos e que, para nos agradar, o homem tem que praticamente deixar de ser homem, mas agora você pode entender o porquê desse mito. Tudo bem, somos um pouco complicadas (ok, bastante), mas isso é devido à nossa insegurança, que já explicamos de onde veio. Está em nosso DNA. No entanto, não é por isso que somos difíceis de agradar. O problema é que somos muito diferentes dos homens. O que para um homem não é tão importante, para a mulher é muito, e vice-versa. É fácil dizer que a mulher não sabe o que quer. A questão é: não seria isso razão para cuidados maiores em vez de críticas?

Como mulher, já venci muitas inseguranças, mas infelizmente, por natureza, tenho que batalhar contra elas quase diariamente. Essa é uma batalha feminina que nunca acaba. Não adianta o marido pensar que só porque deu um carinho para a esposa em um dia na semana passada, já fez seu papel para com ela. Amar e valorizar a esposa é um conjunto de coisas que precisam ser feitas para que esse amor realmente transpareça através de você.

Quando a mulher ama, ela se dá. Aliás, ela ama se doar para as pessoas, sempre pensa em todos, até nas pessoas que não gostam dela. Você, marido, ganha muito com esse jeito feminino de ser, mas cuidado: quando a mulher cansa de se doar, pode ser tarde demais para você mudar.

Quero recomendar a você que deseja ser um melhor marido, pai e homem no sentido completo: entre no Projeto IntelliMen. São 53 desafios que irão ajudá-lo a conhecer suas forças e fraquezas; se desenvolver em todas as áreas de sua vida, incluindo seu casamento, finanças, trabalho, saúde, comportamento, emocional, vida sexual e várias outras áreas. Se você pode tirar meia hora por semana para investir em si mesmo, eu vou lhe mostrar como se tornar um homem forte, seguro e admirado por sua mulher. Aceita o desafio? Acesse o site homensinteligentes.com e entenda como funciona.

PARA O MARIDO

Que necessidades básicas de sua esposa você precisa suprir com mais dedicação? O que você vai fazer sobre isso a partir de agora, para fazê-la se sentir valorizada e amada? Já acessou o site do IntelliMen, homensinteligentes.com?

PARA A ESPOSA

Como você poderia ajudar seu marido a compreender suas necessidades mais básicas, sem cobrar nem impor?

HOMENS, POSTEM:

Já sei como fazer minha esposa se sentir valorizada e amada. #casamentoblindado

MULHERES, POSTEM:

Estou ajudando meu marido a entender o que mais preciso dele. #casamentoblindado

No Facebook: fb.com/CasamentoBlindado
No Instagram: @CasamentoBlindadoOficial
No Twitter: @CasamentoBlind

CAPÍTULO 18
NECESSIDADES BÁSICAS DO HOMEM

Antes de falar sobre o que os homens realmente querem (dica de antemão para as mulheres: não é apenas sexo), vamos voltar a nossos amigos edênicos, Adão e Eva. Falamos anteriormente sobre como Deus os criou com autoridade compartilhada sobre toda a Terra. Não lhes foi dado a entender que o homem fosse maior que a mulher, nem que ela fosse menor que ele. A ideia imediata, quando Deus idealizou a mulher, foi fazê-la uma parceira, mais especificamente uma auxiliadora para o homem, alguém utilmente adequada[1] para ele. Ou seja, os dois juntos seriam mais capazes e felizes do que sozinhos.

Ao criar a mulher, Deus deu a ela atributos peculiares que o homem não tem: feminilidade, delicadeza, sensualidade, o poder de ser mãe, emoções mais aguçadas, doçura, ser o ímã da família, detalhista, organizadora nata — para citar apenas alguns. A combinação de todos os atributos únicos e primordialmente femininos faz da mulher um atrativo natural para o homem. Ele *quer* tê-la ao seu lado. Quando Adão viu Eva pela primeira vez, não resistiu e exclamou: "Por essa vale a pena deixar pai e mãe!"[2]. Até aquele momento, ele não tinha visto nada igual... Naturalmente, não queria perdê-la. Por isso, todo homem tem dentro de

---

[1] Gênesis 2:18,20.
[2] Gênesis 2:24.

si um desejo natural de agradar a mulher. Quando ele a ama, fica quase abobalhado por ela. E quando a mulher não é sábia, isso pode ser algo muito perigoso — não só para ele, mas para os dois. Afinal, o que acontece com ele, afeta a ela também.

Foi então que Eva, com seu jeitinho de mulher, conseguiu convencer e levar Adão a fazer o que era mau. Obviamente, Deus logo viu que aquele poder precisava ser controlado. Se ela foi capaz de levar o homem a tal atitude e ele não foi capaz de resistir a ela, algo tinha de ser feito para alcançar o equilíbrio. Quer dizer, Deus reconheceu que a mulher, na verdade, era mais forte do que o homem. A sua aparente fraqueza, somada ao fato de ser desejada por ele, a colocou em uma posição de grande poder e influência sobre o marido. Por isso, parte da maldição que lhe caiu foi: *...E ele te governará.*

Nasceu então ali o conceito de que o homem seria o cabeça da mulher e ela seria o seu corpo, ou seja... (sobe música sinistra de filme de terror...) submissa a ele. Mulher, antes de você fechar esse livro e jogá-lo no lixo com raiva, deixe-me explicar o que isso realmente quer dizer. Submissão ao marido, no sentido original, provavelmente não é o que você pensa. Faço uso agora do jeitinho da mulher e passo a bomba para ser desarmada por minha esposa.

O ENVENENAMENTO DE UMA PALAVRA

Cristiane

Obrigada, meu querido marido!

Mulheres, leiam com atenção estas palavras dirigidas a nós:

Esposa, deixe seu marido liderá-la, assim como você aceitou a Cristo como líder. O homem oferece liderança à sua esposa, conforme Cristo à igreja, não dominando, mas cuidando, pois ela é o Seu corpo. Assim, como a Igreja se submete a Cristo, ao passo que Ele oferece essa liderança, a mulher deve se submeter ao seu marido. (Efésios 5:22-24)

"Submeter-se" no passado não tinha a conotação negativa que tem hoje — graças ao veneno injetado na palavra por homens e mulheres que pouco entendiam do conceito. Algo que era perfeitamente positivo e virtuoso se tornou quase um palavrão para as mulheres. Dizer que a mulher deve ser submissa ao marido hoje em dia é pedir para ser chamado de troglodita. Se as pessoas pensam que submissão ao marido significa que a mulher deve ser capacho dele, que ele é o macho e que por isso pode dar uma paulada na cabeça dela e arrastá-la pelos cabelos quando quiser, então eu concordo com elas que realmente não devem se submeter. Porém, submissão, no sentido original da palavra, como designado por Deus, não tem nada a ver com isso.

Submissão ao marido não é ser uma Amélia, tampouco uma ideia machista para mandar na mulher; significa apenas uma maneira inteligente de se lidar com a parceria no casamento. Na Bíblia, a palavra está relacionada a humildade, brandura, cumplicidade, confiança na liderança, maleabilidade, docilidade e respeito. É o contrário de desafiadora, rebelde, inflexível e resistente. Quer dizer que a mulher precisa de certas qualidades para trabalhar em parceria com o marido, a quem deve respeitar como líder. Você notou o versículo citado, quando diz que a esposa deve deixar o marido liderá-la? Olha só o nosso poder! Somos tão fortes que Deus nos orientou a "permitir" que nossos maridos nos liderem. Sim, permitir, porque senão acabamos mandando mesmo... Mas Deus quer que usemos nossa força de maneira diferente, mais sábia.

Primeiro precisamos entender que ser submissa não quer dizer que você é inferior ao marido. É apenas um papel que você deve cumprir para o funcionamento da sociedade chamada casamento. Em todo lugar onde duas ou mais pessoas se propõem a trabalhar juntas por um objetivo comum, alguém tem que liderar e alguém tem que se submeter. Todo país tem um governante, toda equipe esportiva tem um capitão, toda empresa tem um patrão, toda escola tem um diretor. Em todo lugar os conceitos de liderança e submissão trabalham juntos. E não quer dizer que o líder é melhor que o liderado como pessoa. Apenas cumprem papéis diferentes.

Já agora, seja qual for sua situação como mulher na sociedade, você é submissa a várias autoridades e lideranças — muitas das quais você não conhece e provavelmente nem gosta. Mas você tem que se submeter para o bom funcionamento da sociedade ou do grupo ao qual você pertence. Esta é a parte prática da submissão. É algo necessário em toda sociedade com objetivos comuns. Agora veja que esquisito: somos motivadas a nos submeter a todas essas lideranças que nem conhecemos, mas ao mesmo tempo a nos rebelar contra nossos maridos, que nos amam? Vamos usar nossa inteligência. Submissão é uma maneira inteligente de se lidar com a parceria no casamento.

Mas aí você pergunta: "Por que eu tenho que me submeter, e não ele?". Seja honesta: você se sentiria realizada liderando seu marido enquanto ele se resigna à posição de banana? Você não teria um homem a seu lado. Nenhuma mulher gosta de homem que não toma iniciativa, que precisa ser mandado e dirigido o tempo todo e que não tenha pulso forte. Aliás, ela até despreza homens assim.

Acredite: nós não precisamos liderar. Temos outra força, que é a influência. Com ela, podemos conseguir o que quisermos de nossos maridos. Esta influência nada mais é do que a submissão feita com inteligência. Lembre-se, o homem já está "vendido" para a mulher. Ele almeja agradá-la. Por isso, o marido pode ser o cabeça, mas a mulher é o pescoço. E se for sábia, ela pode virar a cabeça para onde quiser... É tão assustador que precisamos tomar muito cuidado com esse poder, para não destruirmos a nossos maridos e a nós mesmas.

Uma das coisas que mais ouvia quando atendíamos casais em Houston era essa frustração da mulher: "Meu marido não toma a frente das coisas, eu é que tenho que resolver tudo lá em casa, não aguento mais!". Mal sabiam que a culpa era delas...

A mulher que não se submete a seu marido acaba castrando-o sem querer. Não é a intenção dela, mas ela o faz um joão-ninguém. Sem respeito, o homem perde a essência masculina. Quando você não lhe cede esse papel no casamento, ele não se sente respeitado e deixa de cumprir o seu papel de homem da casa.

O VERDADEIRO LÍDER

O outro lado da moeda é que a submissão bíblica da mulher presume a liderança bíblica do marido. Quer dizer, a mulher não é ordenada a se submeter a um líder que lhe faça mal, mas a um que se sacrifica e se entrega por ela, que a trata como extensão de si mesmo — o líder tipificado pelo Senhor Jesus. O verdadeiro líder quer o bem de seus liderados. Por isso, ao dispensar sua liderança, ele procura fazer o que é melhor para aqueles que lidera. O marido sábio, que espera a submissão de sua esposa, deve liderá-la assim. Ele deve se fazer digno de ser seguido.

O verdadeiro líder não é um ditador. Procura ouvir as opiniões e necessidades de seus liderados. Suas decisões são para beneficiar a todos, não apenas a si mesmo. Por isso, sua liderança ganha respeito e não precisa ser imposta por força. Há uma harmonia no relacionamento: o líder busca o melhor para seus liderados, estes por sua vez confiam na liderança dele e com alegria se submetem sem resistência. Foi assim que Deus designou: homem e mulher, cabeça e corpo em perfeita harmonia.

Porém, note bem: é a mulher que tem o maior poder para criar esta harmonia no casamento. É ela que é convidada a "deixar" o marido liderar. Ou seja, o poder está nas mãos dela.

E se ela souber usar esse poder, não irá querer outra coisa. O que poucas não entendem é que são raras as vezes em que a mulher verdadeiramente submissa se submete. Por eu me submeter ao Renato, são raras as vezes que fazemos as coisas só do jeito dele. A esposa que se submete ao marido consegue tudo dele. Ele fica tão feliz pelo respeito que ela lhe dá que o seu desejo é agradá-la e, assim, acaba fazendo o que ela quer. Mulher, se a sua cabeça está dando voltas agora, porque o que está lendo aqui soa tão diferente de tudo o que já ouviu, respire um pouco, pare e leia de novo. Este é um dos segredos mais simples e mais desprezados na história da humanidade!

Porém, não tenha dúvida: assim como é um sacrifício para o homem mostrar os sentimentos para a esposa, também é um sacrifício para a mulher deixar o marido liderá-la. Vai contra a natureza dela, e é aí que muitas têm perdido no amor. Não querem "sair perdendo" no relacionamento enquanto, na verdade, a mulher que se submete é que sai ganhando.

Quero enfatizar que submissão não é incondicional. Por exemplo, você como passageiro em um ônibus, se submete ao motorista enquanto ele está dirigindo bem. Se ele se tornar irresponsável e começar a conduzir perigosamente, você naturalmente procurará sair daquele ônibus na primeira oportunidade.

Da mesma forma, se você, marido, não é um bom líder para sua esposa, não lhe passa segurança, é egoísta em suas decisões, se mostra irresponsável em seu comportamento (como quando se entrega aos vícios, por exemplo), não atende às necessidades dela nem cuida dela com todas as suas forças, como espera que ela se submeta a você? Por isso, a submissão da mulher ao marido é limitada pelo momento em que ele começa a agir de forma que venha feri-la. Se ele insiste em ser um mau líder e quer caminhar para o buraco, ela não pode segui-lo até lá, tem que deixá-lo ir sozinho.

Portanto, se o marido preenche as necessidades básicas da mulher, que se resumem em fazê-la se sentir valorizada, amada e segura a seu lado, ela por sua vez verá a submissão a ele como algo natural — ainda que às vezes tenha que frear a si mesma para deixá-lo liderar. Agora podemos entender e explorar a necessidade mais básica do homem: respeito.

HOMEM QUER ARROZ COM FEIJÃO

Em minhas andanças pelas terras de aconselhamento de casal, já vi quase tudo ("quase" porque sempre tem alguém que nos surpreende com um comportamento que nunca vimos). Mas, se tratando de homens, especificamente, cheguei à conclusão de que o homem é muito simples e fácil de agradar. Já vi homens tolerarem das esposas, sem reclamar: falta de sexo, ter que comer fora todos os dias porque ela não quer cozinhar, morar na casa da sogra porque ela não quer ficar longe da mãe, gastar todas as economias dele e deixá-lo endividado, crises de TPM — e até assistir com ela a um show da Celine Dion. Verdadeiros heróis. Mas uma coisa ainda não vi: homem que aceitasse não ser respeitado pela mulher.

Tire tudo do homem, mas não lhe tire o respeito. É o arroz com feijão dele no relacionamento. Pensando bem, ele não pede muito. Mas muitos não têm recebido nem isso das esposas. E você já sabe o que acontece quando uma necessidade básica não é suprida. O sujeito vira um animal e parte para a luta pela própria sobrevivência.

Quando o marido não tem o respeito que precisa dentro da própria casa, vai buscá-lo lá fora. E há duas coisas principais que ele normalmente busca para preencher o vácuo: o trabalho ou outra mulher. Não estou dizendo que isso é certo ou justificável, não é, mas é o comportamento irracional que muitos apresentam quando a necessidade básica não é suprida.

O sucesso no trabalho preenche a necessidade de respeito do homem. Todos o admiram, reconhecem seu valor, ele se torna requisitado, e tudo isso o faz se sentir apreciado. Por isso, ele se entrega ainda mais ao trabalho, a fim de receber mais desse respeito. E se aparece outra mulher, como costuma aparecer para esses homens de sucesso, e ela o aprecia de uma forma que a esposa não faz, temos a fórmula para o término do casamento.

Por isso, a esposa sábia não discute nem reluta sobre essa necessidade básica do marido. Ela apenas a supre. E é assim que ela o faz, veja:

Exalta a força do marido: quando a esposa faz o homem se sentir forte, demonstra respeito por ele. Infelizmente, muitas têm caído na agenda hollywoodiana de destruir a imagem masculina. Criticam-no por não ser "sensível", ridicularizam o homem publicamente, denigrem sua imagem e não fazem segredo disso. Há mulheres que fazem certos comentários e gozações maldosas dos maridos na frente dos outros, até mesmo os envergonhando diante dos filhos. Muitos filhos já não respeitam o pai por verem que nem a mãe o respeita. Ou seja, sem querer, muitas mulheres tiram do homem a sua força.

Vendo-se como um fraco, ele nem tenta tomar iniciativas mais ousadas, porque a esposa o influenciou a pensar que é incapaz. Assim, a mulher dá um tiro no próprio pé. Ele, com a autoconfiança destruída, se torna um fracassado. As palavras ofendem e entristecem a ponto de fazer o homem se sentir derrotado, enfraquecido. Como um homem assim poderá passar segurança para ela? A mulher sábia faz o seu marido se sentir um herói, como se ele pudesse conquistar o mundo. Dentro e fora de casa, ela o levanta com palavras e atitudes, exaltando as qualidades fortes dele. Assim ela o prepara para o mundo e colhe com ele os benefícios de suas conquistas.

Deixa ele ser o cabeça: ela pratica o conceito de submissão inteligente, de que falamos anteriormente. Nas poucas vezes em que não há acordo entre eles e uma decisão dele a contraria, ela permite que ele tenha a palavra final (claro, nada que venha feri-la). A mulher deve respeitar esse direito dele de dizer "sim" ou "não". Mesmo quando ela sabe ou presume qual será a decisão dele, faz questão de consultá-lo antes de fazer qualquer coisa, para reforçar a ideia de que a decisão dele é valiosa e importante para ela.

Um problema comum nos casamentos atuais é o marido anulado, que "tira o time de campo". Já que nada que ele fala é respeitado por ela, acaba deixando de opinar e liderar. Se ele discorda ou não de alguma coisa, ela nunca dá ouvidos. Se ela quer fazer algo, não importa o que ele pensa. Então ele assume a seguinte posição diante dela: "Vá em frente, faça o que você quiser. Não importa o que eu acho. Se eu concordar ou discordar, você vai fazer de qualquer jeito, então, vá em frente". Com relutância e mágoa, ele defere as decisões para ela. A mulher pensa que está ganhando, mas na verdade está castrando o marido. A ironia é que tais mulheres vivem reclamando que os maridos não tomam a iniciativa e não participam. Mulheres, entendam: homem nenhum gosta de entrar em uma situação sabendo que *sempre* irá perder. Ele simplesmente deixa de participar.

A mulher sábia consegue praticamente tudo do marido. É só ela deixá-lo pensar que a ideia foi dele... A Cristiane já dominou isso como uma arte! O segredo é trazer o assunto para ele, dar as informações que ele precisa para tomar a decisão e deixar que ele decida. E se por acaso a decisão dele não for o que você esperava, acate-a mesmo assim. A semente está plantada. Lá na frente, o desejo de agradar a mulher cobrará dele que faça algo por você.

É sua fã número um: ela admira o marido mesmo com todos os defeitos, como uma fã de verdade. O que caracteriza um verdadeiro fã é que mesmo quando o time está afundando, ele ainda está lá torcendo. É como o seu time do coração, por exemplo. O time pode perder dez jogos seguidos, virar piada e ser rebaixado para as divisões inferiores, mas ainda assim você continua torcendo, esperando que um dia ele ganhe. Isso é ser fã e torcedor.

Todo homem carece de admiração, já que suas realizações são muito importantes para ele. O marido, como todo homem, também tem seus defeitos. Mas a esposa sábia não fica criticando nem jogando os holofotes nos seus defeitos. Em vez disso, encontra razões para admirá-lo. Essa admiração trabalha no inconsciente dele e acaba por levá-lo a ser o homem que ela sempre quis. Ela exalta as qualidades positivas e finge que não vê as negativas. Não há nada mais desmoralizante para um homem do que ter a própria mulher como sua principal crítica.

Reconhece-o diante de todos: a mulher naturalmente gosta de desabafar, contar a razão de seus estresses para a amiga, a mãe, ou outra confidente. Aí está o perigo: revelar pontos negativos do marido para outras pessoas. Em vez disso, seja uma embaixatriz de seu marido. Represente-o bem e reforce assim o respeito por ele.

Procura ser atraente para ele: é necessidade básica do homem se sentir atraído fisicamente pela esposa. O homem é muito mais atraído pelo visual do que a mulher, por isso, a esposa deve cuidar de sua aparência física. Interessante que antes do casamento, as mulheres são muito mais cuidadosas a esse respeito do que depois, como se só pelo fato de ter conquistado um homem, agora não precisassem manter a conquista. Se ele gosta de vê-la maquiada, ela deve se maquiar por amor, para manter a química entre eles. Às vezes, por saber que a esposa é sensível, o marido não faz esse tipo de exigência, mas cabe a ela saber das necessidades dele.

A mulher tem de se cuidar para manter a chama da atração física. No entanto, ela deve fazer isso para o seu marido e para si mesma, não para outras mulheres, como costuma acontecer. Procure saber o que agrada seu marido. Às vezes a mulher quer ser magérrima por causa da moda, quando o próprio marido não gosta disso. Se a revista tal diz que a última moda é apagar todas as rugas e expressões do rosto com Botox®, ela segue fielmente; mas se o marido diz que adoraria vê-la com um batom vermelho, ela rapidamente diz que não gosta.

O que para muitas revistas femininas e suas leitoras é muito importante esteticamente, nem sempre o é para o marido. Um exemplo clássico disso são as celulites. A mulher tem paranoia delas e a maioria dos homens nem sabe o que são!

Cristiane

Nós, mulheres, não devemos querer competir com as modelos photoshopadas das revistas. Devemos, sim, investir em nossa feminilidade, que também chama atenção de nossos maridos. Ela faz parte da beleza da mulher, mesmo que a moda não acentue mais isso.

Anos atrás eu vivia reclamando do meu nariz, só porque percebi que não era o tipo de nariz considerado "perfeito", arrebitado como os das modelos da época. Comecei a indagar sobre a possibilidade de "arrumá-lo". Mas só pensei nisso depois de casada, o que foi tarde demais. O Renato nunca deixou e, com o tempo, me fez gostar do meu próprio nariz. Descobri que queria mudá-lo por causa da sociedade e não porque realmente precisava, até porque o Renato sempre disse que foi uma das coisas que mais atraiu a atenção dele!

Às vezes nós, mulheres, queremos mudar nossa aparência pelos motivos errados e acabamos ignorando o que realmente interessa aos nossos maridos. Descobri há alguns anos que o que o Renato acha mais sexy em mim é a minha autoconfiança, o que nem sempre esteve em alta. Ou seja, na época em que me achava sem graça e vivia tentando mudar o meu estilo de cabelo, o meu estilo de roupa e a minha maquiagem, estava deixando de ser sexy! Com todas aquelas inseguranças, todo o investimento físico não adiantava nada para o meu casamento.

A mulher segura se torna uma caça interessante para o homem. Afinal, ele é caçador. Imagine você um caçador na floresta, todo camuflado, rifle apontado, movendo-se sorrateiramente em direção à caça... Todo aquele ritual. De repente, o veadinho nota o caçador e, em vez de fugir, corre em direção a ele e diz: "Me mata com esse rifle, me mata, me leva pra casa!". Eu lhe garanto: o caçador perderia logo o interesse! A graça de caçar é a dificuldade.

Da mesma forma, o mistério na mulher é o que encanta o marido. Ele tem que a perceber segura de si, para que se motive a cortejá-la. Segura, mulheres — não demasiadamente difícil.

Dá espaço a ele: o homem precisa de espaço, um tempo para relaxar e processar seu estresse. É a famosa caixinha do nada, citada anteriormente. Muitas esposas não dão nem tempo para seus maridos respirarem. Eles mal chegam em casa e elas já estão jogando neles todo estresse do dia. A esposa sábia escolhe a hora certa de falar, o que falar e como falar. Isso é de grande valor para o homem. Ela se faz ainda mais atraente para ele, pois ele vê nisso o respeito que a mulher tem por ele e a autoconfiança de não ficar atrás dele o tempo todo.

É claro que esse espaço tem o seu limite. O marido que está sempre querendo espaço e nunca reserva um tempo para conversar com a sua esposa está deixando o casamento morrer aos poucos. Isso a fará insegura e frustrada e ela não poderá ser a esposa que ele precisa e quer. Homens, espaço é uma coisa, preguiça de cuidar do relacionamento é outra. Há vida fora da caixinha!

NINGUÉM MERECE

Quero enfatizar que o que acabamos de relatar neste capítulo até aqui são maneiras de suprir a necessidade mais básica do homem, que é ter o respeito de sua mulher. Talvez você, mulher, tenha um marido que não seja merecedor deste respeito atualmente, devido às coisas negativas que ele faz.

Lembre-se, porém, de uma coisa: *A melhor coisa a se fazer sobre as necessidades básicas de alguém é supri-las.*

A verdade é que ninguém "merece" nada. A mulher pode dizer que o marido não merece o seu respeito ou o homem pode dizer que a esposa não merece a sua atenção, mas o fato é que, se vocês ainda estão juntos e querem blindar o casamento, têm que cumprir seu dever para com o outro. Não fique esperando que ela ou ele mereça, faça o que *você tem que fazer* e verá que a outra pessoa acabará se fazendo merecedora.

- Mulher: respeite seu marido, porque assim você conseguirá tudo dele.
- Marido: faça sua mulher se sentir amada e valorizada e você colherá frutos desta entrega por toda a vida.

QUANDO AS NECESSIDADES BÁSICAS DELE SÃO AS DELA E VICE-VERSA

Em um de nossos cursos em Houston, uma esposa nos perguntou depois da aula em que explicamos sobre as necessidades básicas do homem e da mulher: "Eu acho que sou o homem da relação. O que vocês disseram que eu preciso, é ele que quer; e o que eu vivo insistindo que ele me dê é respeito. O que fazer?". Ela era uma policial, acostumada a ser durona e pouco sentimental, e tinha se casado com um marido que gostava de... atenção.

Parece que este cenário tem se tornado mais comum atualmente. Não é difícil de entender, com todo o processo de emancipação da mulher e de feminização do homem nas últimas décadas. O que temos visto é que quando o homem é muito emotivo, a mulher acaba tendo que ser a mais racional, já que dois emotivos não chegam a lugar algum. Mas isso é algo de que ela mesma acaba se lamentando, pois mesmo a mulher durona e independente gosta em certos momentos de ter um homem forte a seu lado. Este novo fenômeno tem dificultado ainda mais o relacionamento de alguns casais. O homem emotivo quer respeito, mas não faz por *onde*; e a mulher racional quer segurança, mas também não pode confiar no seu marido...

Quem está em um relacionamento assim, atenção:

- Se você é um marido sentimental, precisa vencer suas inseguranças para fazer sua esposa feliz; ser menos emotivo e mais racional; procurar passar firmeza e maturidade para sua esposa. Exercite sua capacidade de decisão, se esforce para tomar iniciativa mais vezes e não tenha medo de errar. Garanto que você caiu da bicicleta várias vezes antes de aprender a se equilibrar.
- Se você é uma esposa muito independente, racional, talvez até mandona, precisa equilibrar o seu jeito e deixar seu marido ganhar mais espaço dentro do relacionamento. Ouça-o mais, convide-o para tomar decisões junto com você. Deixe-o ter a última palavra.
- Se cada um se colocar no seu lugar, os dois poderão andar juntos pelo resto da vida.

Cristiane

Eu sou mais detalhista que o Renato e penso nas coisas que ele se esquece de pensar, enquanto ele é mais racional do que eu, pensa mais nas coisas em que eu, na minha maneira impulsiva de pensar, não penso. Ele é forte. Quando estamos em situações difíceis e quero chorar e me esconder em um canto, ele, com a sua força, me abraça e me faz sentir protegida. A esposa sábia reconhece os atributos de seu esposo e vice-versa.

Eu nunca teria imaginado que o capítulo sobre as necessidades básicas do homem seria mais longo do que o sobre as da mulher... Por que será? É a sua força, mulher. Precisa de mais palavras para convencer... Use-a com inteligência.

PARA A ESPOSA

Que necessidades básicas de seu marido você precisa suprir com mais dedicação? O que você vai fazer sobre isso a partir de agora, para que ele se sinta respeitado?

PARA O MARIDO

Como você poderia ajudar sua esposa a compreender as suas necessidades mais básicas, sem cobrar nem impor?

HOMENS, POSTEM:

Estou ajudando minha esposa a entender o que mais preciso dela. #casamentoblindado

MULHERES, POSTEM:

Agora entendo o homem e o que ele realmente quer. #casamentoblindado

No Facebook: fb.com/CasamentoBlindado
No Instagram: @CasamentoBlindadoOficial
No Twitter: @CasamentoBlind

CAPÍTULO 19
SEXO

Antes de mais nada, quero dar as boas-vindas aos homens que decidiram ler este livro: este provavelmente é o primeiro capítulo que você se interessou em ler. E também às mulheres que estão frustradas sexualmente: há uma luz no fim do túnel. Quero apenas gentilmente lembrá-los de que há uma razão especial para este capítulo estar quase no final do livro. A prática de tudo o que foi ensinado nos capítulos anteriores é o que lhe proporcionará uma ótima vida sexual. Se você ignorar o que falamos até aqui, provavelmente tirará apenas proveito parcial deste capítulo. Portanto, faça o serviço completo e volte ao início do livro. Garanto que valerá a pena!

A vida sexual saudável é uma das principais ferramentas de blindagem do casamento. E nunca é demais enfatizar isso. A maneira mais rápida de descobrir a saúde do relacionamento do casal é procurar saber como eles estão na cama. Se minha esposa e eu tivéssemos direito a apenas uma pergunta para descobrir a situação de um casal em nosso consultório matrimonial, ela seria: “Como está a vida sexual de vocês?”.

O sexo no casamento é como uma cola que mantém o casal junto. Ele é o mistério que faz os dois se tornarem um — literalmente e também em todos os outros sentidos. O sexo fala, e muito. Ele comunica sentimentos e pensamentos que as palavras não podem expressar. Quando você não procura seu parceiro sexualmente, essa atitude fala na mente dele ou dela coisas como: “Não sou suficiente para meu marido/esposa...

Por que ele/ela está me rejeitando? Será que tem outra pessoa? Talvez haja algo de errado com a minha aparência... Ele/ela não me quer por perto". Por outro lado, quando o casal mantém uma vida sexual sadia e ativa, as mensagens não verbais são: "Meu marido me acha atraente... Minha esposa está satisfeita comigo... Nós somos suficientes um para o outro... Não há motivo para que meu marido/esposa tenha olhos para outra pessoa". As consequências dessas mensagens em sua mente podem estabelecer ou destruir o seu casamento. Ignore isto ao seu próprio risco.

O sexo não só fala como também cura muitos males no relacionamento. É cientificamente provado que a atividade sexual age como uma limpeza, uma desintoxicação mental e física no casal. Por isso, quanto menos vocês o fazem, mais distantes se sentem e mais oportunidades dão para que haja problemas entre vocês. Em um casamento sem sexo, qualquer probleminha se multiplica por mil. Por outro lado, é raro um casal ter uma manhã conturbada depois de uma ótima noite na cama... Coisas pequenas são relevadas, pois os dois têm crédito suficiente nas contas emocionais — onde o sexo é moeda forte.

É possível detectar quando um casal está bem e ativo sexualmente ou não observando seu temperamento. Irritação, mau humor, frieza e falta de consideração um com o outro são sinais certos de que a cama tem sido usada apenas para dormir. Tal é o poder do sexo.

O recado é: façam sexo, façam-no bem e façam regularmente. Mas, para muitos casais, é mais fácil falar do que fazer. Vamos desvendar este mistério.

ONDE COMEÇA E TERMINA

Ao contrário do que muitos pensam, sexo não é apenas o que acontece quando marido e mulher se despem e têm relações sexuais. Para entender melhor, pense em um sanduíche. Quando você quer comer um sanduíche, logo pensa se vai querer de frango, carne, linguiça etc. Mas não pensa só no principal, que vai dentro. Você pensa também no tipo de pão, na cebola, na alface, no tomate, na mostarda... Em tudo o que vai complementar e realçar o sabor daquela carne no sanduíche. A carne pura em si é comível, mas com o resto do sanduíche é muito melhor.

Assim é o sexo. É claro que são dois corpos físicos que se envolvem no ato, mas o ato em si é apenas a carne do sanduíche. É o que vai no meio. Porém, antes e depois é onde está o verdadeiro começo e fim do que chamamos um ótimo sexo. O antes e depois é trabalho da mente.

Sim, o sexo começa e termina na mente. O ato físico é o veículo de expressão, mas a mente é seu motorista e destino ao mesmo tempo. A mulher geralmente saca isso melhor do que o homem. Sexo para ela está conectado com tudo. Lembra-se dos fios no cérebro feminino? Ela pode ficar excitada por coisas que nunca excitariam um homem, simplesmente porque ela associa tudo com tudo. Portanto, não se espante, marido, se você um dia tirar o lixo para fora de casa sem ela pedir, por exemplo, e quando voltar ela estiver olhando para você como quem quer ir para a cama naquela hora. Não tente entender, apenas aproveite!

Já para o homem, sexo é algo bem simples. Para ele sentir vontade, basta ela estar presente. O homem é como se tivesse um único botão de ligar e desligar para fazer sexo. A mulher é como a cabine de um Jumbo 787, cheia de botões, que o homem não sabe por onde começar. Pressionou um botão errado, aperte o cinto de segurança e coloque a máscara de oxigênio!

Por isso, cabe aqui uma dica especialmente para os homens:

Sexo começa do pescoço para cima.

Pesquisadores em Israel conduziram três estudos sobre a relação entre o desejo sexual e a intimidade e concluíram que o nível de desejo sexual feminino aumenta de acordo com o grau de receptividade e sensibilidade que seus parceiros demonstram por elas fora do quarto. Quanto mais se sentiam valorizadas no dia a dia e quanto mais sentiam que o relacionamento era especial, mais atraentes sexualmente seus parceiros pareciam a seus olhos.

Em um desses estudos, os participantes foram levados a crer que estavam conversando com seus parceiros por mensagens em um computador, mas na verdade estavam conversando com uma pessoa previamente instruída a dar respostas sensíveis ou insensíveis. Os participantes deveriam escolher um evento negativo recente (como uma doença, uma discussão ou algum problema pelo qual passaram) e um acontecimento que fez (ou faria) com que se sentissem felizes, (como receber uma promoção no trabalho, boas notas na faculdade ou um dinheiro inesperado) e conversar sobre isso com seus "parceiros".

Durante a conversa sobre o evento negativo, alguns receberam respostas sensíveis como "deve ter sido difícil para você" ou "eu entendo totalmente o que você passou", enquanto outros receberam respostas insensíveis do tipo "isso não me parece tão ruim" ou "tem certeza de que essa é a pior coisa em que você consegue pensar?".

Ao conversar sobre o acontecimento positivo, alguns receberam respostas encorajadoras como "uau, isso é realmente excelente!", "Que ótima oportunidade!" e outros receberam um balde de água fria: "é, se isso é o melhor em que você consegue pensar..." ou "não parece tão legal assim para mim". Depois, tiveram que preencher um questionário sobre quão interessados estavam em manter relações sexuais com o parceiro. Ao final, os pesquisadores descobriram que as mulheres tinham mais desejo sexual quando interagiam com um parceiro receptivo. Já o desejo dos homens não sofreu grandes alterações nos dois casos.

Homem, transporte isso para a sua vida e você conseguirá entender muito do que tem acontecido no seu casamento. Costumo ouvir dos homens que nos procuram para aconselhamento: "Minha esposa nunca está a fim... Sempre com uma desculpa... Parece que só eu gosto de sexo, ela não... Não quero que ela sinta como se estivesse me fazendo um favor... Para ela uma vez por mês está bom, e olhe lá...".

Meus caros, sexo para a mulher é algo muito, muito diferente do que para nós, homens. O erro de muitos maridos é pensar que a mulher vê o sexo como eles, ou seja, um prazer físico, associado com aliviar a tensão. Para usar outra analogia gastronômica (daqui a pouco vai dar fome), sexo para a mulher é uma cereja no bolo da intimidade. É uma expressão de quão íntimos, amigos e amantes vocês são — não apenas na cama, mas durante todo o dia.

Não sei se você já comeu cereja pura, sem o bolo. É um pouco azeda e sem graça, não é? Não satisfaz e dá logo vontade de comer outra coisa para tirar aquele gosto. Pois é, é assim que a mulher vê o sexo que não é precedido de intimidade. Azedo e sem graça. Não é algo que ela anseia fazer de novo. Mas quando a cereja vem em cima do bolo, aí é diferente. O bolo é o principal, e a cereja realça o sabor. Ótima combinação.

O bolo é a intimidade que precede a cama. Diga-se de passagem, quando a mulher ouve a palavra "intimidade" pensa principalmente em "conversa"; o homem já pensa em colocar a mão em certos lugares. Ela pensa em descobrir o que o homem pensa, especialmente a respeito dela; e também ama quando toda a atenção dele está nela, para o que ela fala. Isso, sim, é o que fortalece a intimidade do casal.

Portanto, se você só tem dado cereja para sua esposa, agora entende a reação azeda dela. Seja melhor amante de sua mulher se tornando melhor ouvinte e melhor conversador. Capriche no bolo. Conecte-se com ela.

Não estou falando de se tornar um cafajeste, usar conversa fiada só para conseguir o que quer. Esteja certo de que ela logo irá notar sua falsidade, e aí nem cereja azeda você vai ter... Estou falando de um sincero interesse na pessoa que está dentro do corpo de sua esposa. Se você entender isso — que sexo para a mulher começa acima do pescoço —, vocês serão muito mais felizes na cama e em outros lugares. E aí vai faltar bolo para tanta cereja...

Mas é importante que vocês dois entendam o que o sexo realmente significa. Quando Deus criou o casamento, não existia igreja, religião, vestido de noiva ou aliança de ouro. O que formalizaria a aliança entre o casal, então? O momento em que os dois se tornariam uma só carne. Isso mesmo, o sexo foi criado como a união física, emocional e mental que faz um homem e uma mulher se tornarem um. É como se a cada ato sexual o marido e a esposa reafirmassem seus votos. O sexo é a cerimônia de casamento idealizada por Deus.

Ao contrário do que alguns religiosos ainda acreditam, ter filhos é consequência e não objetivo do sexo. Deus criou o sexo para formalizar o casamento e conectar o casal no decorrer de sua vida por meio do prazer que um é capaz de dar ao outro. É por isso que encontramos na Bíblia esse conselho:

> *Seja bendito o teu manancial, e alegra-te com a mulher da tua mocidade. Como cerva amorosa, e gazela graciosa, os seus seios te saciem todo o tempo; e pelo seu amor sejas atraído perpetuamente.* (Provérbios 5:18-19)

Ou esse poema da esposa para o marido:

> *A sua boca é muitíssimo suave; sim, ele é totalmente desejável. Tal é o meu amado, e tal o meu amigo, ó filhas de Jerusalém.* (Cânticos 5:16)

Aos olhos de Deus, sexo entre marido e esposa é sinônimo de "se alegrar" e "se saciar". Marido e mulher devem se desejar, se atrair um pelo outro. E note que, no poema da esposa, ela demonstra que seu desejo sexual está ligado à intimidade ao chamar o marido de "meu amigo". Viu, marido? É assim desde milhares de anos atrás. É a natureza da mulher.

"Não gosto de sexo."

Essa frase é quase tão impossível quanto dizer "não gosto de ar". A única diferença é que ninguém morre por falta de sexo, mas dizer que não gosta de sexo não é algo plausível. A não ser que haja algo fisicamente errado com você, sexo é *bom e otimamente delicioso*[1]. Foi criado por Deus, e Deus não faz nada ruim. Se alguém diz que não gosta de sexo é porque nunca soube o que é ou então até sabe, mas seu parceiro ou parceira não. Portanto, se o marido gosta, mas a esposa não, é responsabilidade dele ajudá-la a descobrir o quanto é bom *para ela.* Enfatizo aqui "para ela" porque o alvo do ato sexual é dar prazer ao parceiro. Por isso, muitas mulheres não ligam para sexo, se sentem usadas pelos maridos apenas para o prazer deles.

Quero deixar algo bem claro aqui: o orgasmo da mulher é obrigação do marido. Sexo é para dar prazer ao parceiro e não apenas buscar prazer próprio. É essa atitude egoísta que leva muitos a dizerem "não gosto de sexo". Todo mundo gosta de sexo quando ele é feito da maneira designada por Deus — para cobrir o parceiro de prazer.

Para que isso aconteça, cada um deve colocar o prazer do outro como prioridade. A ordem óbvia e lógica desta prioridade é o prazer da mulher primeiro, depois o do homem. Pelo corpo dela normalmente responder de forma mais lenta que o dele, se ele buscar o próprio prazer primeiro, ela ficará a ver navios.

É importante entender que, ao contrário do que se diz por aí, não existe "faltar química" sexual entre o casal. As pessoas acreditam no mito de que, se os dois não se derem bem na cama, é porque não existe química entre eles, como se alguma espécie de mágica acontecesse entre duas pessoas que as fizesse sexualmente compatíveis.

A verdade é que afinidade sexual se constrói a dois. Por isso é importante que conheçam um ao outro. Como qualquer parte do casamento, o sexo também precisa ser aprendido na convivência diária. Vocês precisarão trabalhar juntos até se acertarem, mas a vantagem é que têm a vida toda para desenvolver essa afinidade. Assim, o sexo entre vocês será cada vez melhor.

---

[1] Se houver algo fisicamente errado, você vai achar ruim ou doloroso. Obviamente, deve procurar ajuda médica, não há razão para continuar sofrendo. Mas o problema pode não ser físico e, sim, emocional, como no caso de alguém que passou por trauma ou abuso sexual. Nesse caso, procure ajuda, pois você também merece aproveitar o que Deus criou. Mulheres que passaram por isso podem procurar o Projeto Raabe: projetoraabe.org

Concluindo, então, que sexo é ambos, necessidade e prazer, e que fortalece e protege o casamento, quais as dicas para uma ótima vida sexual? Temos cinco para você.

5 INGREDIENTES PARA UMA ÓTIMA VIDA SEXUAL

1. Limpe a mente: primeiro limpe sua mente de todo pensamento sujo sobre sexo. Talvez você tenha que desinfetar sua mente de informações poluídas que colheu em roda de amigos, revistas, material pornográfico e outras fontes dúbias. Há muita sujeira, distorção e desinformação rolando por aí sobre o assunto. Entenda uma coisa: quando Deus criou o homem e a mulher, eles não precisaram de revista pornográfica nem de manual para fazerem sexo. Ele projetou o sexo também para o prazer do casal e capacitou a ambos para satisfazer um ao outro sem necessidade de interferência de terceiros. Você e seu cônjuge são suficientes entre si para alcançarem o prazer sexual mutuamente.

Portanto, não veja o sexo como algo sujo nem proibido. Ele é um presente de Deus para vocês. É uma das únicas coisas que são exclusivas entre os dois. Amizade não é exclusiva ao casamento, gostar de coisas em comum não é exclusivo ao casamento, tampouco fidelidade (você pode ser fiel ao seu trabalho, por exemplo). Mas o ato sexual é algo exclusivo do casal. Por isso, trate-o com a importância, a pureza e o valor que merece.

2. Use a mente para conectar: lembre que sexo, especialmente para a mulher, está ligado a tudo o que antecede o ato. O sexo começa e termina na mente. Separe tempo em sua mente para notar as qualidades que você admira em seu cônjuge. Isso é uma decisão consciente e voluntária que você deve tomar, senão as preocupações sobre tudo o que não é relativo ao seu parceiro ocuparão seus pensamentos. Estresse é o maior gerador de impotência e frigidez. Você tem que separar tempo em sua mente para se conectar com seu parceiro, não importa quão ocupado ou estressado possa estar por trabalho ou outra razão. Desligue-se do que está roubando sua atenção de seu cônjuge.

Comente a roupa dela, a sua beleza natural, aquela parte do corpo que mais gosta; pergunte sobre o que ela está pensando, seus planos e projetos, suas preocupações, ouça atentamente e ofereça apoio, segurança e encorajamento.

A mulher não deve esperar que o homem seja tão aberto como ela sobre seus pensamentos, pois ele não precisa disso para se sentir “conectado”.

Mas ela deve regar o dia dele com um comentário de admiração aqui e ali, um toque físico em um momento inesperado, uma olhada sensual, um elogio sobre uma característica masculina dele — como sua força, firmeza e inteligência para os negócios. Tudo isso é o pré-sexo.

3. Foque no parceiro: o prazer de levar seu parceiro ao prazer deve ser tão prazeroso para você quanto o seu próprio prazer. (Uau... Tente falar essa frase com a boca cheia de farofa!) Realmente aqui está um dos segredos principais sobre fazer seu marido (ou sua esposa) louco por você. O foco é a outra pessoa, não você! Se ela alcançar o prazer, o seu será uma consequência. Por isso, leve em conta o que é importante para seu marido ou sua esposa.

Um ponto crucial que normalmente difere entre homem e mulher é a questão da privacidade. Ele não vê tanto problema se alguém no quarto ao lado ouvir gemidos e suspiros. É crédito para a virilidade dele. Já ela, se não tiver um ataque do coração ao saber, nunca mais vai olhar na cara daquela pessoa só de vergonha. E nem mencione se a criança entrar no quarto para saber por que a cama está fazendo tanto barulho.

Portanto, homens, foquem no que é importante para ela. A mulher tem que se sentir absolutamente segura e ter privacidade para se soltar. Tranque a porta do quarto. Invista em isolamento acústico nas paredes, se necessário. Respeite-a e seja discreto.

Aliás, a mulher tem que se sentir segura não somente com respeito à privacidade, mas também a você. Se você costuma mentir para ela, esconder informações, agir irresponsavelmente com dinheiro e ter um temperamento imprevisível, ela não se sentirá à vontade nem segura com você. Não avisamos que o sexo para ela está ligado a tudo?

Agora, uma dica para as mulheres: se o seu marido realmente se esforça para levá-la às nuvens, então, em seguida, leve-o para ver as estrelas. É a sua vez de focar nele...

4. Descubram e explorem um ao outro: ninguém é igual a ninguém. O que uma mulher acha o máximo, a outra detesta. Por isso vocês devem ser amantes um do outro, descobrir o que os excita. Quais partes do corpo que ela gosta que você toque? Quais não gosta? Trate de descobrir com sua própria mulher, pergunte, explore, não confie em fontes externas como sites e revistas. Isso é algo muito pessoal.

Alguns homens querem que suas mulheres se sujeitem a coisas que eles gostam (ou que leram em algum lugar que "as mulheres gostam"), por isso algumas esposas sentem-se desconfortáveis com a prática sexual.

É muito comum encontrar nas capas de revista coisas como "7 maneiras de enlouquecer um homem na cama". Isso vende, pois as pessoas são ignorantes no assunto e, assim, abrem a mente para muitas besteiras. Cuidado com o que você traz para dentro da sua mente e de seu quarto. Nem tudo o que está nas revistas (aliás, quase nada) é bom para você. O prazer sexual começa em você aprender a explorar a pessoa com quem está casado. Não me interessa se a revista fala que a mulher gosta disso ou daquilo. E se minha esposa não gosta? Nem toda mulher é igual. Elas não são robôs nem foram criadas em série. O casal tem de dialogar, conversar, descobrir o que um gosta, o que não gosta, e se adequar.

Também é importante saber qual a frequência ideal para o seu cônjuge. Por exemplo, a esposa pode não sentir falta de fazer sexo; uma vez por semana está bom para ela. Já o marido quer todo dia. Nesse caso, os dois devem encontrar um meio-termo. Talvez ela tenha que ceder um pouco mais para que possam se relacionar sexualmente três vezes na semana. E ele também terá que sacrificar para que três vezes na semana sejam suficientes. Ou duas. Ou quatro. O importante é buscar se ajustar tendo em vista o outro.

Não imponha algo sobre a outra pessoa, especialmente o sexo. Se é forçado, se não é natural, não será prazeroso. Se não for bom para um, não o será para nenhum. Respeite os limites da outra pessoa. Se você gostar de receber sexo oral, por exemplo, mas sua parceira não gosta de dar, não imponha.

5. Invista nas preliminares: qual foi a última vez que vocês se beijaram apaixonadamente? Ou que fez uma massagem demorada em seu parceiro? Ou tocou em sua esposa com verdadeiro carinho? Passou os dedos nos cabelos dela, tocou-lhe o pescoço e culminou com um abraço? Todo o romance que se desenrola durante o dia e horas anteriores ao sexo culmina com o momento em que os dois de fato se envolvem no ato. Esse momento requer grande domínio próprio do homem. Estudos indicam que em média o homem leva de dois a três minutos para ejacular depois da penetração. Já a mulher precisa em média de sete a doze minutos para alcançar o orgasmo. Dá para ver o problema?

Portanto, o homem precisa subir a montanha com calma para não chegar ao topo enquanto a mulher ainda estiver colocando as botas... Neste ponto é que o homem inteligente, que vem praticando todos os passos explicados até aqui, leva a vantagem. A mulher que vem sendo preparada 24 horas por dia por ele não vai precisar de tanta preparação na hora do ato sexual. Contudo, ainda assim, ele precisa se controlar e acompanhar o passo dela, em vez de impor o dele a ela.

Mulher, você poderá ajudar seu homem nesse ponto mantendo relações com ele periodicamente. Se ele só faz sexo com você uma vez por mês ou menos, vai ficar difícil para ele se controlar quando vocês estiverem juntos.

ESPERA AÍ, AINDA NÃO ACABOU!

Falamos que o sexo começa e termina na mente, e que o ato físico em si é apenas a carne do sanduíche. Isso quer dizer que depois de os dois terem seus respectivos orgasmos (sim, esse é o alvo), o sexo em si ainda não acabou. É claro que a esta altura os dois estarão fisicamente cansados e o homem principalmente vai querer virar para o lado e dormir. Mas não o homem que leu o *Casamento Blindado 2.0*! Este sabe que o momento imediatamente após o ato sexual é quando sua mulher está se sentindo mais próxima e conectada com ele. Portanto, essa é a hora de manter o contato físico, o carinho, as palavras doces e os elogios. Ele não deixa, de forma alguma, sua esposa se sentir usada. Ele sabe que essa é a melhor hora para fazê-la se sentir amada e — honestamente — também para começar a prepará-la já para a próxima vez!

A SOGRA QUE PEDI A DEUS

Cristiane

Pouco antes de me casar, muito jovem e inexperiente, minha mãe me instruiu algo sobre sexo que guardei sempre comigo: "Nem sempre você vai ter vontade de fazer amor com o seu marido, mas não vá pelo que você sente. Faça mesmo assim. Depois que começa, você acaba sentindo vontade. Nunca diga não a ele para não deixá-lo se sentir rejeitado". E até hoje o Renato agradece!

Tanto o homem quanto a mulher gostam de sexo. Eu não creio neste mito que diz que a mulher é menos chegada a sexo do que o homem. O problema é que muitos homens não sabem como a mulher vê o sexo. Para ela, sexo é o clímax de um dia de amor produtivo: o diálogo, as carícias, o cuidado, o olhar, a paciência, enfim, tudo de bom derivado do amor que ela presenciou de seu marido durante o dia. Se o homem praticar isso, é capaz de a mulher acabar querendo mais sexo do que ele...

Mas a verdade é que nem todos os dias serão regados de romantismo. Haverá dias ruins e dias normais. Não fique esperando que todas as noites ou todos os encontros íntimos entre vocês sejam marcados por fogo e paixão. Não é assim. Não viva de fantasias dos filmes. Muitas vezes vocês terão que começar o ato sem estar altamente excitados um pelo outro. Outras vezes seu parceiro a procurará e você não estará a fim. Mas, quando isso acontecer, decida entrar no clima. Não dê lugar à preguiça. Vá em frente e participe.

Nunca rejeite seu parceiro ou parceira. Lembre-se: o sexo fala. Uma rejeição sem boa razão pode começar a criar monstrinhos na cabeça de seu cônjuge. É por isso que os casais devem fazer amor mesmo quando estão cansados. Com o estilo de vida atarefado que vivemos hoje, quem não está cansado ao fim do dia? Uma coisa é certa: quanto mais você faz, mais você quer fazer; quanto menos você faz, menos vai querer fazer.

O assunto é tão sério que a Bíblia diz[2] que você não tem o direito de dizer não ao seu marido ou esposa quando ele (ou ela) quiser se relacionar sexualmente. Mulher, não se trata de se tornar escrava sexual de seu marido. A explicação dada é muito mais bonita e profunda: seu corpo não é seu, é dele; e o corpo dele não é dele, é seu. Vocês pertencem um ao outro. Se um negar o prazer ao outro, estará rompendo a aliança do casamento, além de dar lugar ao diabo (quantos não estão abrindo as portas para ele no casamento por causa disso?).

A insatisfação sexual por um dos dois estar sempre indisponível ao cônjuge muitas vezes culmina em adultério, que é uma das principais causas de casamentos desfeitos. Isso não é desculpa para ser infiel, mas se a pessoa dá esse espaço ao diabo, logicamente ele vai tentar tirar o maior proveito possível, inclusive apresentando outra que se ofereça para sexo. Algumas pessoas resistem bravamente quando tentadas, outras, não têm essa força. O melhor é não abrir a porta para o mal. Um casal sexualmente satisfeito está blindado contra esse tipo de ataque.

---

[2] 1 Coríntios 7:3-5.

É claro, se a razão de você negar sexo ao seu cônjuge tem a ver com dores ou outra dificuldade física, conversem e procurem, juntos, um médico.

FASES E ÉPOCAS

Um sinal de aviso aos casais na estrada da sexualidade: fiquem atentos às fases e épocas do casamento e da vida de vocês. Há certos acontecimentos, fatores e mudanças que inevitavelmente afetarão a vida íntima. Não quer dizer que será necessariamente ruim, mas vocês terão que se adequar e ter mais compreensão um com o outro.

Uma óbvia consideração é que o sexo aos cinquenta anos não será mais como aos vinte. Com o chegar da idade é que vocês perceberão a importância da intimidade que construíram fora da cama e durante todos os anos de casamento (e, se ainda não construíram, não perca mais tempo. Espero que esteja colocando em prática o que tem aprendido com este livro). Intensifiquem o companheirismo. Não é por não fazerem sexo tantas vezes quanto na juventude que o casamento de vocês precisa sofrer. O sexo é uma parte importante do casamento, sim, mas há muito mais em um casamento do que sexo. Não diminuam as demonstrações de afeto, o cuidado um com o outro e a intimidade. Assim, quando acontecer o ato sexual entre vocês, será ainda mais especial.

Outra consideração é se há uma brecha muito grande entre as idades, ele com 45 e ela com 35, por exemplo. Obviamente, os dois precisarão se ajustar um ao outro e entender que a disposição dele não será a mesma dela. Como sempre, é a conexão que vocês constroem no dia a dia que dará o suporte para se adequarem.

Há algumas situações temporárias ou permanentes que também podem interferir na vida íntima do casal. Por exemplo, logo após uma gravidez, a mulher não estará tão disposta a fazer sexo como antes. O marido terá que entender que a chegada da criança muda tudo no casamento, e uma dessas mudanças é o cansaço da mulher por cuidar do bebê (se não acredita, tente cuidar dele por 24 horas e verá), a mudança no corpo dela e a falta de dormir o suficiente. O marido tem que entender e diminuir suas expectativas com respeito à esposa nesse sentido. A esposa, porém, não deve deixar isso se tornar uma desculpa. Seu desejo sexual pode ter diminuído, mas o dele segue igual... O bebê precisa de você, mas também de um pai. Não descuide de seu marido.

O homem que passa por momentos difíceis no trabalho também costuma diminuir sua libido. O fracasso profissional é desmoralizante para o homem e pode causar até impotência. Com sabedoria, a esposa deve apoiar o marido e fazê-lo se sentir "homem"— com sua constante admiração, seu apoio e encorajamento.

Mudanças nos horários de trabalho (que dificultam aos dois ficarem juntos), viagens longas e questões de saúde são outros fatores que podem afetar a atividade sexual de vocês. O conselho é que fiquem atentos aos sinais e façam as devidas compensações para não permitir que isso os afete. Como compensar? Se o ato sexual é temporariamente impossível por alguma razão, intensifique a atenção, o contato físico e as palavras de amor, por exemplo. Se a semana foi corrida e estressante, e a intimidade de vocês sofreu, caprichem no fim de semana... Cuidem da vida sexual de vocês como o tanque de combustível do carro que precisa ser abastecido regularmente.

Em casos extremos, como, por exemplo, se um dos dois sofrer um acidente e perder os movimentos, será necessário fazer adaptações definitivas na vida sexual do casal. Encarem esse desafio em conjunto, como um time, com um apoiando o outro durante a recuperação física e emocional. O sexo pode se modificar em intensidade, frequência e posições, mas não precisa parar. Não permita que sua esposa se sinta menos mulher ou que seu marido se sinta menos homem pela vida sexual de vocês não ser como antes. Em mudanças temporárias ou definitivas, quer sejam por doença, idade ou qualquer outro motivo, a conexão que une vocês será testada. São nesses momentos que vocês mais se beneficiarão da blindagem do casamento, pois o relacionamento de um casal blindado é muito mais que físico. É a conexão emocional, mental e espiritual que faz a parte física da relação ter significado. No mais, as regras são as mesmas: explorem o corpo um do outro para descobrir o que agrada ao parceiro e não se comparem com ninguém. O importante é manter a intimidade — em todos os níveis.

PODE ISSO?

Poucos assuntos conjugais geram mais dúvidas e perguntas do que o sexo. Constantemente somos perguntados se pode isso ou aquilo no ato sexual. Em vez de detalhar tais perguntas aqui, quero colocar um ponto importante para os casais, como um guia geral. Os casais mais frustrados sexualmente são aqueles que se preocupam demais com o assunto.

Normalmente são aquelas mulheres que ficam superpreocupadas em vestir lingeries sensuais (uma redundância pois, para a maioria dos homens, praticamente qualquer lingerie é sensual), visitar o *sex shop*, saber o que esta ou aquela revista diz sobre sexo, extremamente preocupadas com uma gordurinha extra que apareceu e o que o marido vai achar. Ou aqueles homens que caíram no vício da pornografia e da masturbação e deixaram de ser amantes da mulher real que têm ao lado para fantasiar com mulheres que eles nunca terão na realidade.

Querido leitor: não se guie por pessoas que não são exemplos de felicidade conjugal. As celebridades e supostos *experts* de relacionamentos, tão glamourizados pela mídia, são em sua maioria pessoas infelizes no amor. Casados pela terceira ou quarta vez, divorciados, traem e são traídos, ou nunca acharam um verdadeiro amor. Se há alguém de quem você *não* quer receber conselhos para sua vida amorosa é dessas pessoas.

Portanto, não deixe que a confusão deste mundo complique o que Deus fez simples. Siga estas regras de bom senso: seja amante de seu marido ou esposa. Descubram um ao outro. Não imponha nem exija nada que o outro não goste. Não faça nada contrário à natureza (como sexo anal[3]). Foque no prazer da outra pessoa e não seja egoísta. O resto, vocês mesmos desenvolverão a dois.

Se quiser checar várias perguntas específicas e nossas respostas sobre sexo, visite nossa página no casamentoblindado.com/sexo

---

[3] A pornografia e a mídia promíscua têm popularizado o sexo anal como algo normal, maravilhoso, que homens e mulheres deveriam experimentar. Uma mistura de ignorância e mentiras promove a falsa ideia de que homens machos o fazem e as mulheres adoram. A verdade é que, durante o sexo anal, a mulher não sente nada a não ser dor. E o único prazer que o homem sente é baseado no que aprendeu na pornografia, que se tratar a mulher com brutalidade, ela terá prazer. O ânus não é um órgão sexual. A medicina alerta que sexo anal pode provocar sangramento do ânus e, consequentemente, infecção bacteriana pelas fezes. A incidência de câncer de ânus é muito maior em pessoas que praticam o sexo anal. Mas você não precisa se preocupar com nada disso se tão somente usar o órgão feminino projetado exclusivamente para o ato e o prazer sexual: a vagina. Seja inteligente.

TAREFA

Preciso falar?

CAPÍTULO 20
COMO OS FILHOS AFETAM O CASAMENTO

Filhos mudam os pais e, consequentemente, o casamento. Depois da chegada de um filho, o relacionamento do casal nunca mais será o mesmo. Garantido. Isso não significa más notícias, necessariamente. O casamento pode melhorar ou piorar, dependendo da habilidade do casal em lidar com isso. Mas uma coisa é certa: nunca mais será o mesmo. É por isso que antes de decidirem ser pais, vocês precisam ponderar bem o que virá pela frente. Sim, ter filho deve ser uma decisão, não um acidente. Decisão ainda mais séria do que se casar. Por isso, quem ainda não conseguiu decidir casar, não está apto para decidir ser pai ou mãe.

QUANDO TER FILHOS?

Antes de falarmos sobre "quando", vamos falar se é uma boa ideia de fato? Não é nosso papel convencer ninguém a ter filhos ou não. A verdade é que assim como nem todos estão preparados para casar, nem todos reúnem condições para serem pais. Às vezes, a própria natureza não permite que isso aconteça.

A esterilidade tem afetado muitos casais atualmente, acentuada pelo fato de que as pessoas têm se casado cada vez mais tarde. Na busca pela carreira e estabilidade financeira, muitos têm deixado o casamento para depois. Apesar da pressão social sobre os jovens para que estudem e avancem em suas carreiras antes de casar, não se divulga que a fertilidade da mulher começa a diminuir após os 25 anos. Aos 35, já perdeu cerca de 90% dos óvulos. Para muitas, quando descobrem isso, já é tarde. As que se qualificam para fazerem tratamentos caros de fertilização in vitro, correm os riscos de uma gravidez tardia, além de gastarem suas economias (alcançadas enquanto adiavam a gravidez para ganharem mais dinheiro... vai entender). Ignoram também as dificuldades de criar um filho depois de uma certa idade, e que aquele filho terá de lidar com pais que estarão mais para avós...

Além disso, temos a situação cada vez mais caótica do nosso mundo. Criar um filho nunca foi tão desafiador e cheio de incertezas como hoje. Ao passo que a ciência e tecnologia evoluíram tanto, a maldade também evoluiu. Em nosso trabalho da *Transformação Total de Pais & Filhos*[1], uma preocupação comum a todos os pais de filhos pequenos que encontramos: *como será quando eles chegarem à idade escolar?* O lugar para onde enviamos nossos filhos para serem educados é hoje a porta de entrada da maioria que se perde.

Não é de surpreender que hoje muitos optem por não ter filhos. É uma questão muito pessoal, é claro. Cristiane e eu optamos por não ter filhos biológicos. Decidimos adotar uma criança que já estava no mundo e havia sido rejeitada, em vez de trazer ao mundo uma nascida de nós. A adoção é sempre uma opção para quem não pode ou não quer ter filhos biológicos. Mas também não vem sem seus desafios.

Porém, é perfeitamente aceitável que em pleno século 21, longe da época em que filhos eram necessários para garantir a sobrevivência dos pais, casais optem por permanecer sem filhos. E sem se sentirem culpados por isso. Essa é uma decisão que cabe apenas aos dois. Ao contrário do que alguns religiosos afirmam, não há um mandamento divino perpétuo definindo que todos os casais devem gerar um filho, apenas que o ser humano deveria se multiplicar para encher a Terra. Em 1987 a população mundial era de 5 bilhões de pessoas e, atualmente, já ultrapassa os 7,5 bilhões... Missão cumprida.

Além das questões religiosas, alguns mitos são usados por pessoas bem-intencionadas na tentativa de fazer o casal mudar de ideia. Muitos dizem, "o casal só é uma família quando tem filhos". Mentira. Vocês são uma família a partir do momento em que se casaram. Filhos apenas

[1] Palestra educativa que realizamos semanalmente para pais e filhos. Acesse: rna.to/palestrapaisefilhos

aumentam a família. Não se deixe influenciar pelas pressões sociais. Temos muitos casais de amigos sem filhos que nos garantem: a satisfação de ajudar o próximo pode ser tal qual ou maior que a de ter filhos.

O importante é que cada casal considere bem essa decisão junto, chegue a um acordo, e que seja feita racionalmente e não emocionalmente. Lembrando:

> Se um dos cônjuges não quer ter filhos, o casal não está preparado para assumir essa responsabilidade.

Simples assim. Por isso, esta é uma questão que deve ser resolvida bem antes do casamento.

Presumindo que vocês avaliaram bem o assunto e chegaram, de comum acordo, à decisão de se tornarem pais, três pontos também devem ser pesados ao decidirem *quando* ter um filho:

1. **Filho precisa de pai e mãe *juntos* e em um casamento estável.** Jamais antes de casar, e de preferência não logo após o casamento, quando o casal ainda está se conhecendo e se adaptando à nova vida. É bom que passe os primeiros anos de casado solidificando a relação. A chegada de um bebê é um evento de proporções sísmicas... Se qualquer ventinho de problema ainda abala o casal, não é hora de engravidar. Resolvam os problemas e fortaleçam os alicerces primeiro.
2. **As intenções não devem ser egoístas.** Ter filho para "ver se melhora o casamento", ostentar a barriga nas redes sociais, pegar no colo e dizer "meu filho lindo", "me sentir realizada", "porque meus pais querem um netinho", "porque sempre foi meu sonho", entre outras, não são intenções corretas para engravidar. Quando eu não sabia ser marido e não dava atenção para a Cristiane, em sua imaturidade ela queria engravidar porque "um filho sim, vai me amar". Ainda bem que, na época, ela acabou optando por um gatinho... Hoje vemos mulheres que arrumam um homem só para ter um filho. Não estão nem aí se o filho vai ter pai... Ter filho é uma enorme responsabilidade, para a vida toda, de formar um ser humano que seja uma contribuição positiva no mundo. Não seja injusto com essa criança.
3. **Tempo para criar.** A principal reclamação de crianças e jovens hoje é a falta de tempo dos pais. Se você quer um filho e ao mesmo tempo quer fazer faculdade, academia, trabalhar em tempo integral, viajar

o mundo e curtir os amigos... É melhor não ter! Filhos precisam de tempo com os pais, especialmente na infância. Como vocês irão atender a essa necessidade?

4. **O impacto financeiro.** Já deram uma olhada nos preços de fraldas descartáveis, comida de bebê e gastos pediátricos ultimamente? O espaço na casa onde moram hoje será apropriado em alguns anos quando a criança estiver andando, pulando, brincando e consumindo cada gota de energia dos pais o dia inteiro? E não se esqueçam que vocês terão de sustentar, vestir e educar esse filho até se tornar adulto... E em alguns casos, um pouco mais.

O QUE MUDA QUANDO OS FILHOS CHEGAM?

Quase metade dos divórcios acontece em famílias que têm apenas filhos menores de idade. Por que esses casamentos não sobrevivem muito tempo depois da chegada dos filhos? Na verdade, as coisas começam a mudar bem antes do bebê chegar: assim que ela diz: "Estou grávida!" — Nada será o mesmo a partir dali. O corpo dela durante e depois da gravidez, o nível de estresse, os gastos, a vida sexual, as tarefas da casa, o cansaço, as prioridades, os dias, as noites, os fins de semana, as visitas dos parentes... Ah, eu mencionei o corpo dela? Esqueça. A mudança da *mente* da mulher será o maior desafio para o marido.

Cristiane

Algo acontece entre mãe e bebê que nenhum pai jamais entenderá. A expressão "amor de mãe" não surgiu por acaso. A forte ligação que a mulher sente com aquele serzinho é um mistério que ainda está para ser desvendado. Basta dizer que ela nunca sentiu aquilo por ninguém — nem pela própria mãe, nem pelo marido. E é exatamente aí que muitos casais não conseguem fazer a transição para a parentalidade com sucesso.

A mulher costuma deixar se consumir com o amor e os cuidados da criança enquanto o homem, naturalmente, se sente um alienígena entre os dois. Ao mesmo tempo, o estresse natural de cuidar de um bebê praticamente 24 horas por dia pode fazer a mulher se ressentir pela falta de ajuda e participação do marido. "Será que ele não vê que preciso de ajuda?" Já ele, sente que ganhou um bebê (mais ou menos) e perdeu a esposa.

De certa forma, isso também pode acontecer com a mulher em relação a si mesma. Com a mudança de rotina, as prioridades também mudam e o tempo passa a ser praticamente todo dedicado à criança, que consome toda a energia da mãe. É natural que nos três primeiros meses o cuidado pessoal seja reduzido, mas um erro muito comum é estender esse tempo e começar a descuidar da aparência por meses ou anos depois da chegada do filho.

A mulher engorda, não cuida mais do cabelo, das unhas, do corpo, da pele... Se antes gostava de se maquiar, agora não toca mais na maquiagem, se antes cuidava da alimentação, agora engole qualquer coisa no pouco tempo que tem. Para piorar, em qualquer tempinho de folga, em vez de se cuidar ou dar atenção ao marido, corre para as redes sociais para "relaxar" e postar fotos do bebê. Assim, o pouco tempo que teria para aquilo que faria diferença para ela e sua família é desperdiçado em distrações que não lhes acrescentam nada.

Além desse descuido com a aparência prejudicar o estado emocional dela, sem dúvida atrapalha — e muito — o relacionamento. O homem é um ser visual, atraído por aquilo que vê. Não é por estar dentro de casa, cuidando do bebê, que você precisa usar aquela camiseta surrada de três eleições atrás e penteado de assombração. Ainda que não tenha mais todo o tempo de antes, pode organizar seus horários, fazer uma maquiagem leve pela manhã, deixar as crianças com alguém durante meia hora e fazer uma hidratação caseira nos cabelos, ir ao salão, fazer as unhas, depilação ou qualquer outro cuidado que precisar. Se estiver feliz e satisfeita com o que vê no espelho, conseguirá ajudar melhor àqueles que precisam de você.

Casais inteligentes não apenas têm consciência dessas armadilhas, mas também sabem compensar e adaptar suas rotinas para não caírem nelas. A esposa não tem vergonha de pedir ajuda, quando necessário, e o marido fica atento para resgatar sua mulher sempre que ela precisa de socorro. Os dois mantêm a comunicação diária e não se permitem esquecer que o casamento é a base da família e, portanto, investem na blindagem diária.

Uma área que fazem questão de proteger é a intimidade. Dado o devido tempo de resguardo, entendem quão importante é que o casal recomece a atividade sexual o quanto antes. O marido deve ir com calma e ser compreensivo, pois o tempo de recuperação pós-parto varia entre as mulheres. Alguns temem que a vida íntima nunca volte a ser como antes, mas não há razão para temer se fizerem as coisas certas. A esposa deve compreender também que o afastamento íntimo prolongado pode afetar o marido que já tem lutado contra sentimentos de rejeição, inadequação e até ciúme. O bebê precisa de cuidados, sim, mas os cônjuges não podem esquecer um do outro.

Quanto mais envolvido o marido estiver na vida da esposa e do bebê, ou pelo menos ciente de tudo o que está acontecendo, mais habilitado estará para lidar com as novas rotinas. Por exemplo, ter consciência do nível de estresse e cansaço da esposa lhe possibilita tomar iniciativa para ajudá-la com as tarefas. Antigamente, quando os maridos se ausentavam por longos períodos a trabalho, a mãe, sogra ou irmã costumava ajudar a mãe novata nesses cuidados. Se essa ajuda familiar estiver disponível, não hesite em fazer uso dela, para o bem de todos. Será muito útil, especialmente para terem alguém que cuide do bebê por algumas horinhas ao menos uma vez por semana para darem uma escapadinha e terem um momento só de vocês. Esse oxigênio é importante para o casal. Ajuda a reforçar que o filho foi um acréscimo à família, não o fim do casamento.

Um aviso: mantenham atenção redobrada aos gastos. Procurem ter uma reserva, não usar todo o dinheiro, todo mês. Imprevistos acontecem, especialmente com a chegada de um bebê. A última coisa que vocês querem é a falta de dinheiro como mais uma razão de estresse, entre tantas outras que já têm. Sejam moderados, evitem extravagâncias.

Outra coisa essencial de se ter em mente — e nunca é demais reforçar — é que investir na estabilidade do casamento é investir no futuro emocional de seus filhos. Se vocês se dão mal, brigam e gritam na frente das crianças, haverá um impacto em um futuro bem próximo — se já não houver agora. Um lar instável, com brigas e desrespeito gera insegurança e ansiedade nas crianças. Algumas se retraem, enquanto outras reagem com agressividade e impaciência. Como pais, é obrigação de vocês trabalharem para construir um ambiente que transmita aos seus filhos a segurança de ter um lugar para se desenvolverem em paz. Muitos pais agem um com o outro como se fossem crianças birrentas. Se este é seu caso, está na hora de crescer e assumir a responsabilidade de construir um lar estável.

DISCIPLINANDO COM REGRAS, NÃO COM RÉGUAS

Quando não há uma frente unificada sobre a criação dos filhos, vocês criam um alto nível de estresse no casamento, sem falar na confusão e frustração dos filhos. Um pode ser muito rigoroso com as crianças, devido à sua criação, e o outro pode ser muito mais tolerante, também por conta de sua infância. Ambos os métodos funcionam, dependendo da ocasião. Dose um pouco dos dois.

Não diminua seu parceiro por ele educar os filhos de uma maneira diferente da sua. Simplesmente combinem previamente como isso será feito. Se um for mais linha-dura e o outro mais tolerante, os filhos percebem e começam a jogar um contra o outro. O ideal é que os dois alternem as estratégias a cada vez e entrem em acordo sobre como vão agir. Por exemplo, combinem que da próxima vez em que o marido disser *não* ao filho e a criança for até a mãe querendo mudar o que ele decidiu, a esposa confirmará o que o marido disse, ainda que ache que ele foi muito duro.

Nunca discutam na frente das crianças nem desautorizem as ordens um do outro. Se vocês discordarem de alguma coisa, conversem em particular, jamais deixem que o filho perceba que um discordou da decisão. Os filhos não podem receber informações conflitantes. E caso um deles comece a reclamar do pai ou da mãe, jamais diminua a imagem do seu cônjuge diante deles. Não se esqueça: vocês são um time.

Um deve compensar pelo outro. Se o pai chamou a atenção do filho, a mãe deve estar acessível para que o filho possa conversar com alguém. Isso não significa que ela vai desfazer o que o pai disse ou passar a mão na cabeça da criança, a ideia é ajudar o filho a entender melhor. É importante que a criança perceba que o problema é o comportamento errado e não ela. O amor dos pais por ela continua, mas determinados comportamentos não serão aceitos.

Criança é criança (adolescente é uma criança com um corpo mais desenvolvido), não funciona com a cabeça. É guiada pelas emoções, pois sua mente ainda não se desenvolveu por completo. Infelizmente, pelo processo natural, seus filhos não estão tão desenvolvidos emocionalmente quanto você gostaria. Eles vão chegar lá. Até que isso aconteça, precisam de regras, limites, rotinas e disciplina: hora para acordar, para dormir, sentar à mesa para fazer as refeições junto com a família, hora de chegar em casa (no caso de adolescentes), saber quando falar e quando ficar calado etc. Isso será essencial para que consigam gerir suas próprias vidas no futuro.

Guarde bem estes **Cinco Fundamentos Para Educar os Filhos:**

1. **Regras:** direções claras do que deve ser feito e como. Por exemplo: sentamos juntos à mesa para fazer nossas refeições.
2. **Limites:** o que não é permitido fazer. Por exemplo: não sentamos no sofá para assistir à TV enquanto comemos.
3. **Rotinas:** coisas que devem acontecer periodicamente, às vezes em sequência. Por exemplo: fazer o dever de casa depois do café da tarde.
4. **Disciplina:** ensinar ou corrigir com o objetivo de ensinar. Por exemplo: você vai dar o seu brinquedo para o seu irmão porque você quebrou o dele. Não é justo que ele fique sem brinquedo por um erro seu.
5. **Consequências e recompensas:** deixar seu filho experimentar o princípio da causa e efeito. Recompense-o por bom comportamento, deixe que ele sofra as consequências pelo mau. Por exemplo: suas notas na escola foram boas; vamos fazer aquele passeio que você sempre quis. Seu quarto não está arrumado como combinamos; vou ficar com seu celular até que você o arrume.

Crianças vão sempre tentar apertar os botões, testar os limites. Claro, é válido deixar que descubram as coisas, mas não é saudável deixá-las muito à vontade. Os pais são os responsáveis por estabelecer essas regras, sem violência e sem gritaria, com diálogo.

Para treinar seus filhos para o mundo, você deve utilizar limites, consequências e recompensas, afinal, é assim que a vida funciona lá fora. É como dirigir um carro. Você não pode exceder o limite de velocidade, a lei determinou consequência para aquele comportamento: a multa. Se você recebe uma cartinha do Detran em casa e tem de pagar pela infração, da próxima vez será mais cuidadoso e procurará não exceder o limite estabelecido.

Muitos pais se esquecem de mostrar as consequências aos seus filhos. Não estou falando de nada muito severo. Seja equilibrado. Não é medo o que você quer gerar na criança. A questão não é punir, mas treinar a mudar de comportamento. Isso é possível com consequências a um comportamento errado e recompensas quando fazem alguma coisa certa. Esta semana ele não se atrasou para ir à escola? Merece uma sessão de cinema no final de semana. A vida é assim. Se você trabalha bem, espera que o patrão reconheça, não é mesmo? Se isso acontece, sente-se motivado a continuar o bom trabalho e se aprimorar ainda mais. Castigo gera ressentimento. Consequências geram mudança de comportamento.

Se o seu filho já é adulto e ainda mora com você, não pode viver uma vida de eterno adolescente. Ele também deve contribuir, ajudar nas contas, arrumar a casa, receber consequências. Infelizmente, muitos pais hoje em dia estão criando delinquentes por medo de serem julgados pela cultura que coloca os filhos contra os pais. Acabam criando filhos totalmente despreparados para a sociedade. Antigamente, um rapaz de dezoito anos já era um homem pronto para ter suas próprias responsabilidades e dirigir sua família. Hoje em dia, um rapaz de dezoito anos não sabe nada da vida porque os pais estão deixando a sociedade criar seus filhos.

Você tem de estabelecer uma cultura própria dentro de casa, a sua cultura. Pense bem, se até entre os bandidos existem regras (algumas bastante rígidas), por que vocês não terão suas regras? Faça com que os momentos em que estão juntos sejam agradáveis para a família. Não troque os momentos com seus filhos e as refeições em família por conversas com outras pessoas no WhatsApp ou distrações em redes sociais. O tempo passa rápido demais e você vai querer ter aproveitado melhor os poucos anos em que poderia influenciar seus filhos.

QUANDO PARECE QUE NÃO DEU CERTO

Filhos fazem as próprias escolhas, independentemente dos pais. Entenda que seu filho é uma pessoa diferente de vocês, com outra personalidade e uma história de vida própria. Por mais que vocês tenham se esforçado para estabelecer limites e consequências, pode haver uma fase em que tudo o que fizeram pareça ter sido em vão. Não foi, acredite. Talvez o filho adolescente ou adulto não tenha se tornado o que você idealizou quando ele nasceu, mas as sementes plantadas darão frutos, mais cedo ou mais tarde. Enquanto isso, vocês devem saber lidar com essa pessoa tão diferente daquela criancinha que lhes obedecia quase sem questionar.

O relacionamento saudável entre pais e filhos é um paralelo do relacionamento entre Deus e o ser humano. Ele ensina, nos orienta, diz o que irá acontecer se fizermos isso ou aquilo, mas a decisão é nossa. Se desobedecemos às Suas orientações, colhemos as consequências dessa desobediência. Como aconteceu na história de Adão e Eva. Eles foram orientados a não comer do fruto da árvore que lhes faria conhecer o bem e o mal. Deus lhes disse que morreriam se desobedecessem àquela ordem. Não era uma ameaça, era um aviso. Como o pai que diz ao filho que se colocar o dedo na tomada, levará um choque. Não está ameaçando punir, está avisando qual é a consequência natural da desobediência. Da mesma forma, Deus não pune, Ele avisa para que possamos fazer a escolha certa e evitar a consequência do erro. Porém, Ele está sempre acessível, mesmo quando Lhe desobedecemos.

Mesmo se o seu filho errar e agir de modo contrário à educação que vocês lhe deram, façam com que ele saiba que continuarão sendo seus pais e que, quando ele quiser mudar de vida, estarão de braços abertos para ajudá-lo a sair do buraco em que ele entrou. Jesus mostrou isso ao contar a história do filho de um fazendeiro rico que pediu sua parte antecipada da herança e saiu de casa para viver uma vida independente na cidade. Ele gastou o que tinha e o que não tinha nas noitadas. Quando o dinheiro acabou, ficou sozinho e teve dificuldade de se sustentar. Encontrou serviço em uma propriedade rural, mas era maltratado e passava fome, ao ponto de querer se alimentar da lavagem dos porcos, e nem isso lhe permitirem comer. Naquele momento, ele se lembrou que seu pai era bom com os empregados e pensou em voltar para casa.

Ele conhecia o caráter de seu pai e sabia que seria bem recebido. Mas por saber o que fez, não se sentia digno de ser chamado de filho, sua intenção era pedir para ser empregado na fazenda de seu pai. Ao chegar, já com o discurso pronto para pedir emprego, foi surpreendido com a reação do pai, que nem quis ouvir o fim do discurso. Assim que o filho começou a falar, o pai o abraçou e o recebeu em sua casa, novamente como seu filho, sem questionar ou punir, pois sabia que ele já tinha sofrido o suficiente com a consequência de seus erros. Ele não podia fazer nada pelo filho enquanto estava afastado, mas assim que o viu de volta, não perdeu a oportunidade. É assim que Deus age. E é assim que nós, como pais, também devemos agir[2].

LIDANDO COM FILHOS DE OUTROS RELACIONAMENTOS

Se você pulou para começar a ler aqui porque está vivendo uma crise envolvendo filhos de relacionamentos anteriores, pare e volte ao início deste capítulo, por favor. É importante ter uma visão geral do assunto.

Em um mundo ideal, um casal nunca deveria ter de lidar com filhos de um relacionamento anterior, salvo se o novo casamento se deu por viuvez. O rompimento de uma família já costuma ser traumático para

[2] Você pode ler essa história inspiradora na Bíblia, em Lucas 15:11-32.

adultos, que dirá para crianças. Deve ser evitado a todo custo. Sempre que possível, é melhor restaurar uma família do que construir uma nova.

Se você ainda não se casou, mas contempla um casamento que já virá com filhos de outro relacionamento, considere bem em que estará entrando. Além das adaptações do próprio casamento, vocês terão de lidar também com a questão dos filhos, tudo ao mesmo tempo. Sem contar o ex ou a ex. Para muitos, esta montanha é íngreme e escorregadia demais para subir. Não adianta fechar os olhos, cruzar os dedos e torcer para que dê tudo certo. Recebemos inúmeros pedidos de ajuda de pessoas que entraram em relacionamentos assim totalmente despreparadas para a realidade. Não consideraram as implicações, não entraram em acordo antes do casamento e agora querem reverter uma situação irreversível. Se um primeiro casamento, sem filhos, já é cheio de desafios...

Temos visto que quando os filhos são bem pequenos, até cinco anos, ou já mais adultos, depois dos dezoito, a adaptação ao novo casamento costuma ser mais fácil. Filhos pequenos parecem não carregar muita bagagem do casamento que se dissolveu, pois não tiveram muita referência entre o antes e depois. Normalmente, já pegaram o finalzinho do casamento dos pais. E filhos mais adultos costumam ter mais maturidade para entender a decisão da mãe ou pai de formar um novo relacionamento, além de já estarem mudando o foco para a própria vida como adulto. Mesmo assim, não se esqueça de averiguar se eles vivenciaram situações traumáticas, e quais, pois elas certamente se manifestarão na vida daquela criança ou jovem mais tarde.

As idades mais complicadas costumam ser entre 6 e 17 anos, coincidentemente ou não, a idade escolar. Se os pais divorciados ou solteiros com filhos entre essas idades puderem se dedicar a terminar de criá-los primeiro e só depois de eles completarem 18 anos retomarem a vida amorosa, pode ser muito positivo para os filhos e também para o futuro relacionamento. Sabemos que cada pessoa e situação são diferentes, por isso, não é uma regra, mas algo a considerar com cuidado.

Se decidir ir em frente, avalie primeiro com muita atenção como é o relacionamento do seu pretendente com o ex-cônjuge com quem já tem filhos. Já sabe em detalhes quão resolvida está a situação dessa pessoa com o pai ou mãe das crianças? Será que todo fim de semana será sexta-feira 13 para você, um filme de terror com direito a aparições da ex? Ou com visitas do Chuck?

Faça a sua tarefa de casa! Casar com quem já tem filhos é um pacote completo.

Mesmo com todos os desafios, as famílias mescladas têm se tornado cada vez mais comuns. Portanto, vamos sugerir algumas formas de lidar com as várias vertentes que este cenário pode oferecer.

Temos os possíveis personagens:

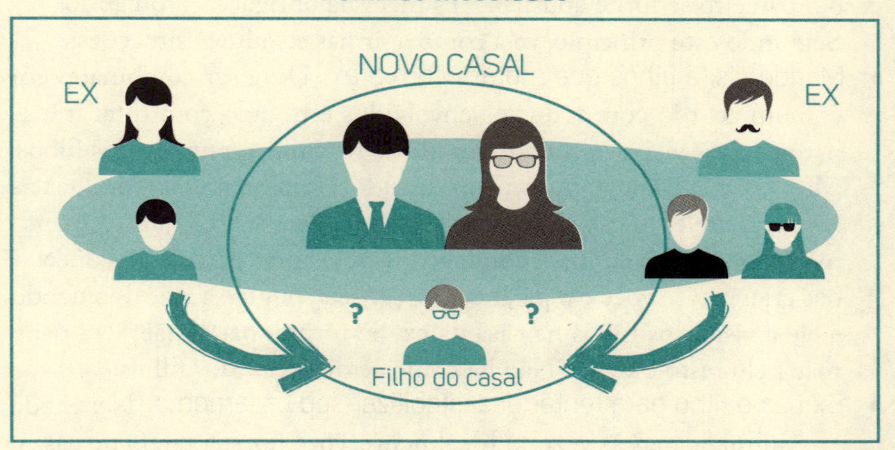

O princípio mais importante que o casal deve entender e praticar é o mesmo de qualquer outro casal de sucesso: o casamento está acima dos filhos. Sabemos que isso vai contra a opinião de muitos, mas basta olhar para a qualidade do casamento de quem pensa que filhos estão acima do cônjuge. Parceiro anulado, relacionamento de fachada e filhos estressados. O que os filhos mais precisam dos pais é que vivam bem no casamento. E isso não é possível se um cônjuge sente que o outro coloca os filhos em primeiro lugar. Isso vale para qualquer casamento.

Às vezes a mãe ou pai pensa que, como os filhos do relacionamento anterior já existiam antes do atual, eles devem ser colocados acima do parceiro. Entenda que nenhum casamento pode ser bem-sucedido assim. “Mas eu conheço meus filhos há muito anos, e meu novo parceiro só há pouco tempo”, dizem. “Como posso colocar essa pessoa acima dos meus filhos?”

Se você não conhece alguém o suficiente para casar, é simples: não case! Continue namorando e conhecendo. Enquanto namora, seus filhos vêm primeiro. Mas se você já casou, presume-se que achou essa pessoa digna de sua confiança o suficiente não apenas para viverem juntos, mas também deixá-la ter acesso a seus filhos! Se esse não for o caso, o que está fazendo casado com ela?

Filhos precisam ver que os pais têm um casamento sólido. Já viram o fracasso do primeiro casamento. Não devem assistir a mais um. Priorize seu casamento, para o bem deles. Filhos só passam a se tornar prioridade caso o parceiro se torne abusivo. Aí sim, é sua obrigação protegê-los.

Seguindo este princípio, veja como agir nas seguintes situações:

- Marido visita filhos que moram com a ex. Deve ser combinado em comum acordo com todos os envolvidos e tratado com total transparência. As visitas e contato devem se resumir a assuntos dos filhos. Mantenha o cônjuge informado de tudo. De preferência, conduza as conversas telefônicas com a ex na presença de seu cônjuge. Quanto mais transparência, mais confiança. Importante não se desconectar das crianças, se você é o pai, nem forçar seu cônjuge a fazê-lo quando é ele a visitar os filhos na casa da ex. Se tornou pai e mãe, será pai e mãe pelo resto da vida. Não há como se divorciar dos filhos.
- Ex usa o filho para tentar desestabilizar seu casamento. Nem toda ex é inimiga, mas às vezes... Idealmente, você fez sua tarefa de casa e não entrou em um casamento com alguém que não saiu bem resolvido do anterior. Mas, se por alguma razão, hoje a ex é uma constante interferência no casamento, é responsabilidade do marido colocar limites. A esposa não deve se envolver diretamente com ela, mas exigir o justo: que o marido limite ao máximo chantagens, perturbações e qualquer outra interferência da ex, se recusando a fazer o jogo dela.
- Enteado(a) vem morar com vocês. O padrasto ou madrasta precisa conquistar a confiança da criança aos poucos. Entenda que o enteado olha para você como o intruso que entrou na família. É dever do adulto trabalhar para ganhar o respeito. Esse trabalho tem que ser feito em conjunto com o pai ou mãe, que deve transferir ao filho confiança e respeito pelo padrasto ou madrasta. É aí que se torna crucial o casamento de vocês estar sólido. O filho irá captar facilmente qualquer sinal de instabilidade na relação e, assim, terá dificuldade de lidar bem com o novo membro da família.
- Enteado tem ciúme do pai ou mãe e o novo cônjuge. É natural, pois você "tomou o lugar" da mãe ou pai da criança. Filhos costumam ter

ciúme da mãe com o padrasto, e filhas ficam enciumadas do pai com a madrasta. Podem se mostrar possessivos e até agir para sabotar o relacionamento. Por isso, o novo cônjuge deve ter cuidado com o que fala a respeito do ex ou da ex na presença do enteado. A criança já sente que a mãe ou pai não foi bom o suficiente para continuar no casamento; se ouve o padrasto ou madrasta fazer comentários pejorativos, só vai aumentar a antipatia. Na cabeça dela vêm pensamentos do tipo: "Quem essa mulher pensa que é? Melhor que minha mãe?", "Como pode minha mãe ser mais carinhosa com esse homem que com meu pai?". O melhor antídoto contra isso é deixar bem claro para a criança o quanto esse novo casamento está fazendo bem ao pai ou mãe. No fundo, é isso que ela quer, ver a mãe ou pai feliz e bem cuidado por alguém. Assim, com o tempo, o ciúme dará lugar ao respeito e admiração. Novamente, é fazer *este* casamento funcionar!

- Meus filhos, seus filhos. Trate os filhos do seu cônjuge como se fossem seus, em tudo. Evite o linguajar separatista de se referir a eles como "seus filhos", "sua filha", "seu filho". É melhor para todos — a criança, o pai ou mãe dela e também para você. A criança deve se sentir parte dessa família, bem com você. Porém, não exija que ela o chame de pai ou mãe. Só ela pode lhe conceder esse direito. E caso tenham um filho desse novo casamento, não faça diferença entre ele e os filhos do seu cônjuge, a menos que você tenha o sonho de ser como a madrasta da Cinderela — ou a versão masculina dela.

QUANDO OS FILHOS SAEM DE CASA

Um outro benefício de priorizar o casamento acima dos filhos é que, quando eles saem de casa e o ninho fica vazio novamente, o casal sabe lidar muito bem com essa nova fase. Não há aquele estranhamento, quando um olha para o outro, agora sem os filhos por perto, e se pergunta: "Quem é essa pessoa?". Casais blindados não sofrem com a síndrome do ninho vazio! Ao contrário, aproveitam o casamento ainda mais, agora que os pequenos já estão grandes e foram voar com as próprias asas. O casamento de vocês seguirá sendo referencial para eles.

Aproveitem a melhor fase do casamento: a maturidade. Se praticarem os conselhos deste livro, é exatamente nesta época que a relação de vocês alcançará os níveis mais altos de companheirismo, amizade e prazer.

CAPÍTULO 21
FOLLOW THE MONEY

No início do nosso casamento eu ganhava muito pouco. Morávamos em Nova York em pleno *boom* econômico americano da década de 90, quando os bancos estavam dando cartão de crédito até para mendigos. "Você está pré-aprovado para receber este cartão... Assine já!" — dizia o envelope do banco, que reluzia entre as contas que chegavam pelo correio. Cedi à tentação e assinei. Recebi não apenas um, mas dois cartões de crédito: um para mim e outro para a Cristiane. Éramos "parte da sociedade" agora. Podíamos passar o cartão! Acredite, na época era grande coisa, especialmente para dois jovens começando a vida.

Só que, na minha cabeça, ao guardar meu cartão na carteira, pensei: "Em caso de emergência". Já na cabeça da Cristiane, ela pensou: "Em caso de promoção". O problema é que as lojas estavam sempre em promoção...

Um belo dia, cheguei em casa e ela estava toda feliz: "Olha o vestido e os sapatos que eu comprei!". Coitadinha. Eu nem para apreciá-la... minha reação foi imediata: "Com que dinheiro você comprou isso?".

"Não foi com dinheiro não, eu passei o cartão", respondeu, com ar de quem tinha feito um grande negócio. "Só vamos pagar no mês que vem", emendou.

"Ah é? Só no mês que vem? E com que dinheiro?" — Perguntei, já irritado. "E por que você não me consultou?"

Cristiane

Em minha defesa, eu nunca fui irresponsável com dinheiro. Mas com o Renato era assim: tudo que eu perguntava para ele se podia comprar, a resposta era "não". Se eu dizia que queria comprar um par de sapatos, ele perguntava, "Esse aí que você está usando não está bom?". Daquela vez, o que eu gastei não era nada exorbitante. Pelas minhas contas, podíamos pagar em no máximo três meses. Por isso nem o consultei (um erro, reconheço). Mas ele ficava apreensivo só de saber que tínhamos alguma dívida[1].

Em *minha* defesa, os sapatos que ela tinha realmente estavam em perfeitas condições! E o novo vestido era, no mínimo, desnecessário. Na minha opinião. Afinal, ela já tinha pelo menos uns três ou quatro... para que mais?

"Me dá o seu cartão! Quando você aprender a me consultar e não gastar com besteiras, eu lhe devolvo." Foi como "resolvi" o problema, imaturamente.

Calma, mulheres. Antes de me lincharem, eu já mudei, ok? Nós dois estávamos errados, além de totalmente despreparados para lidar com assuntos de dinheiro no casamento. Nossas bagagens influenciaram muito nisso também.

Minha infância foi marcada por vários momentos economicamente difíceis que meus pais viveram. Perdi a conta de quantas manhãs eu ou meu irmão íamos à padaria comprar pão e leite para a família apenas com a promessa de meus pais que iriam pagar no fim do mês. Banhos de dois minutos cronometrados para não aumentar a conta de luz... Minha mãe comendo menos para os quatro filhos comerem mais um pouquinho... Coisas assim fazem qualquer um valorizar cada centavo.

O saldo dessas experiências traumáticas foi que eu aprendi a usar dinheiro somente em casos de real necessidade. Desenvolvi uma

[1] Sim, gastos no cartão de crédito são dívidas, bem como compras parceladas para pagar nos próximos meses. Esses pagamentos virão em cima de seus outros compromissos e, se vocês não se organizarem, poderão se afundar em dívidas. Um dos melhores conselhos financeiros que você pode receber: evite comprar a crédito. Melhor economizar e comprar à vista. "O que toma emprestado é escravo do que empresta", disse o homem mais rico da história. (Provérbios 22.7)

personalidade economizadora. Quando uma cueca minha fica tão velha que evapora naturalmente, aí eu vou lá e compro outra. Já a Cristiane, que não passou por situações tão dramáticas, aprendeu a usar o dinheiro não somente para o necessário, mas também para o desejável, quando possível. E isso nos trouxe conflitos.

Sim, a criação influencia diretamente em como você e seu parceiro veem e usam o dinheiro. Você sabe do passado financeiro do seu cônjuge? Já considerou o seu? Quanto isso tem influenciado na maneira como vocês conduzem as finanças no casamento?

Quando há essa inteligência, ambos não apenas reconhecem seus pontos fortes e fracos, mas também absorvem o melhor lado das habilidades financeiras do outro. Hoje já não sou tão pão-duro como antes, pois a Cristiane me ensinou a desfrutar um pouco mais do resultado do nosso trabalho, o lado mais recompensador do dinheiro. E o meu estilo mais moderado reforçou nela uma cautela maior sobre gastos impulsivos ou por razões emotivas. Ainda vemos o dinheiro de formas diferentes, pois nossas personalidades não mudaram. Mas em vez de deixarmos que isso continuasse a ser uma fonte de conflito, usamos essa diferença para fazer o equilíbrio. Não é questão de quem está certo ou errado, mas de *qual forma é mais eficaz para alcançar nossos objetivos econômicos.*

RASTREANDO O DINHEIRO

A expressão "follow the money" (rastreie o dinheiro) no inglês transmite a ideia de que se você rastrear todo o movimento de dinheiro (por exemplo, de uma empresa para a outra, de uma pessoa para a outra, de uma conta para a outra, de uma compra ou venda etc.) descobrirá o que realmente está acontecendo por trás dessas transações, além dos verdadeiros motivos dos envolvidos. Muitas investigações e casos de corrupção são resolvidos assim. Não é diferente no casamento.

O uso do dinheiro traz para fora o que está dentro de vocês. Bom ou mau. O que seu uso de dinheiro diz a seu respeito? Que situações emocionais podem estar mal resolvidas? Quão falha é sua educação financeira? Quais traumas ou carências de autoafirmação podem estar por trás de suas decisões econômicas?

Kauê começou a ter sérios problemas logo no primeiro ano de casado. Ele contraiu várias dívidas e estourou seus cartões de crédito. Mesmo endividado, parecia agir contra a razão e gastar irresponsavelmente, como, por exemplo, fazer questão de pagar a conta do restaurante quando saía com os amigos. A frustração de sua esposa, Mônica, aumentava a cada gasto do marido, a quem rotulava de "infantil". Como ele podia ser tão imaturo? — desabafava ela, em nosso consultório. Ele se sentia atacado e retribuía: "Você nunca acreditou em mim".

Rastreamos o dinheiro no histórico financeiro dele. Kauê veio de uma família abastada que havia perdido muito poder econômico no fim da sua adolescência. Seu primeiro emprego foi aos 21 anos, porque os pais já não podiam lhe proporcionar certos mimos. Gastava praticamente todo seu salário com roupas, acessórios, eletrônicos e lazer. A ficha ainda não havia caído. Tentava manter o estilo de vida da época das vacas gordas. Quando casou com Mônica, aos 26 anos, manteve a mesma atitude. Seus gastos revelavam o seguinte a seu respeito:

> *Eu preciso mostrar que ainda posso. Meus amigos não podem perceber que estou mal financeiramente. O que pensariam de mim? Não aceito que hoje estou mais pobre. Não sei como, mas sempre espero que o dinheiro vá aparecer de alguma forma e poderei pagar minhas dívidas.*

Kauê nunca expressou isso nessas palavras, nem tinha total clareza sobre os motivos por trás de seus comportamentos. Mas seu rastro financeiro mostrava que ele ainda estava preso a sua mentalidade de adolescente, quando seus pais estavam financeiramente bem e bancavam tudo. Seu uso do dinheiro revelou que ele buscava autoafirmação. Dinheiro para ele era status.

Mônica estava certa. Ele estava sendo imaturo. Mas não era rotulando-o de infantil que iria resolver o problema. Kauê precisava encarar a realidade de sua condição financeira e o fato de nunca ter desenvolvido habilidades de viver com menos dinheiro. Foi humilde para reconhecer e aceitar que ela assumisse o controle das finanças enquanto ele trabalhava nessas duas questões.

Rastreie como você e seu cônjuge usam o dinheiro. O que isso revela sobre vocês e sobre o relacionamento?

Vejamos agora algumas situações financeiras muito comuns entre casais atualmente. Note como o uso do dinheiro revela questões profundas sobre as pessoas e prejudica o relacionamento.

7 SITUAÇÕES COMUNS

1. Meu dinheiro, seu dinheiro

Se vocês compraram a ideia "eu é que trabalho, então o dinheiro é meu", está na hora de reconhecerem que fizeram um mau negócio. Contas separadas, exceto em caso de necessidade[2], também podem indicar a presença dessa ideia. Isso não existe em um casamento sadio. Casamento é o lugar onde tudo e todos devem se tornar um só. Uma só casa (por isso se diz "casamento"), uma só carne, um por todos, todos por um. A mentalidade de "meu dinheiro" pode revelar egoísmo, independência, superioridade, desconfiança e dúvida sobre a relação. Onde existe qualquer desses males, a separação das contas é apenas um pequeno sintoma de uma doença muito pior. Assim como no exemplo de Kauê, onde o problema era emocional e educacional, trate de curar a causa.

Ter contas conjuntas e seguir o princípio de que "tudo é nosso" não significa que não possam concordar em cada um ter discrição no uso individual de um certo valor para o que bem entender. Desde que seja de comum acordo e não fira o relacionamento, uma certa autonomia faz bem para os dois. Mas, o princípio geral deve ser o seguinte: o que um ganha, pertence a ambos, mesmo se apenas um dos cônjuges trabalha. Por exemplo, ela não trabalha fora e sim em casa. Já ele, tem emprego, mas seu salário deve ser visto como de ambos, pois se ela não cuidasse da casa e da família para ele trabalhar fora, como seria? Se vocês realmente querem manter a ideia de "meu dinheiro, seu dinheiro", é melhor ficarem solteiros.

2. Falta de orçamento familiar

Se vocês quase nunca conseguem realizar seus objetivos financeiros, costumam gastar mais do que ganham ou entram cada vez em dívidas maiores — provavelmente é porque não têm ou não seguem um orçamento familiar. Orçamento é um plano que inclui previsão de receitas

---

[2] Uma necessidade, por exemplo, seria quando ao se casar, um parceiro já tinha seu nome em um cadastro de inadimplência. Até que isso seja resolvido, o casal pode precisar de contas separadas para conseguir crédito e contratar serviços de algumas empresas em nome do cônjuge que não está em débito. Uma outra situação é se um parceiro se torna irresponsável com o dinheiro por razão de vício. Mas o objetivo é em algum momento unir as contas, uma vez que a necessidade deixe de existir.

e despesas futuras a fim de alcançar um objetivo financeiro. Nenhuma empresa de sucesso opera sem um orçamento. Se vocês tratarem seu casamento como uma empresa também nesse aspecto, poderão garantir o sucesso e prosperidade em pouco tempo.

Ter e seguir um orçamento é uma ferramenta de prevenção. Em vez de rastrear o dinheiro, você está criando um caminho por onde ele deve andar. Encontre neste link uma explicação detalhada de como criar e manter um orçamento familiar: CasamentoBlindado.com/dinheiro — nele você pode também baixar uma planilha, se quiser usar um computador para isso.

3. Estilos diferentes (muitas vezes incompatíveis) no uso de dinheiro

Como no meu caso e da Cristiane, também da maioria dos casais, é comum ter estilos diferentes de ver e usar o dinheiro. Uns são de guardar dinheiro, outros de gastar; uns gostam de planejar os gastos, outros são mais impulsivos (não podem ver uma plaquinha de "promoção"); uns se sentem tranquilos de entrar em longos financiamentos, outros têm pavor de comprar a prazo; uns não sabem lidar com a fartura, outros com a escassez; uns veem o dinheiro como instrumento de proteção, outros de satisfação, outros de compensação emocional, outros de sobrevivência, ainda outros de status... Nada como o dinheiro para revelar a personalidade de uma pessoa!

Alguns destes traços são inofensivos e podem ser tolerados. Outros podem ser catastróficos para a relação. Novamente, rastreie o dinheiro. O que esse rastro revela? Há algo que precisa ser resolvido emocionalmente ou até espiritualmente[3] dentro da pessoa primeiro? Alguém precisa passar por uma reeducação financeira? Ou por um choque de realidade? Combinem os pontos fortes dos diferentes estilos de vocês, atinjam um equilíbrio, e ficarão mais fortes financeiramente.

[3] Sim, o dinheiro tem um lado altamente espiritual. Jesus disse, "Ninguém pode servir a dois senhores... Não podeis servir a Deus e ao dinheiro" (Mateus 6.24). Ao rastrear o dinheiro na vida de vocês, percebem um relacionamento em que ele tem sido senhor? Vocês têm permitido a ganância, a vaidade ou a ostentação dominarem? Por causa da busca por mais dinheiro, o casamento e a família têm pago um alto preço? Considerem isso com muita atenção.

4. Segredos e movimentos escondidos

Quando o casal tem estilos diferentes de usar o dinheiro e não entra em acordo sobre isso, segredos, omissões e até mentiras podem surgir. Para não ter de dar explicações e ser criticado, um pode esconder do outro gastos, rendas e até contas bancárias. Seguindo a nossa regra, se um não consegue rastrear o dinheiro do outro, é porque há algo muito errado nesse casamento. O caminho é confrontar o comportamento inaceitável. Porém, cuidado: não presuma de cara que o outro é um mentiroso e mau-caráter. Como explicamos, às vezes uma posição inflexível do parceiro, que não acomoda as necessidades e desejos do outro, pode fazer a pessoa recorrer a segredos para evitar uma discussão.

Estabeleçam um limite financeiro para algumas extravagâncias. Por exemplo, jantar fora deve ser um momento de prazer e não um motivo de briga por causa do gasto. Portanto, veja primeiro se você não tem sido intransigente e ditador com seu parceiro. Visto isso, confronte o comportamento. Note o que eu disse: o comportamento, não a pessoa. Não deixe a conversa entrar no lado pessoal. Você ama seu cônjuge, mas odeia e jamais tolerará a mentira. Deixe isso bem claro. E lembre-se: não é apenas de dinheiro que vocês estão falando, mas sobretudo de uma falha de caráter. Seja firme na sua exigência de mudança.

5. Traição financeira

Questões envolvendo dinheiro estão entre as principais causas de divórcio no mundo. E a traição financeira está entre as principais questões. O que é uma traição financeira? Quando o parceiro mente sobre o quanto ganha, tem uma conta onde guarda ou investe dinheiro escondido, inventa um gasto fictício só para não deixar o parceiro usar o dinheiro, insiste em dividir as contas, mas na prática deixa o parceiro com a maioria delas, esconde dívidas, faz compras, mas as esconde do parceiro — está sendo financeiramente infiel. Entenda: dinheiro é símbolo de confiança. E isso não é apenas no casamento. Em qualquer transação, dinheiro só troca de mãos quando há troca de confiança. Você paga porque confia no produto ou serviço que está adquirindo. Quem lhe vende, confia que você pode e vai pagar. Sem confiança, dinheiro não funcionaria na sociedade.

Isso é ainda muito mais verdadeiro dentro do casamento. Tenho conta conjunta com a Cristiane porque confiamos um no outro. Sem confiança, ficaríamos num ciclo de questionar os gastos, esconder o quanto ganhamos, não falar sobre planos futuros — e eu nunca teria devolvido o cartão de crédito para ela (o que aconteceu meses depois, a propósito). Por isso, quando falta a confiança um no outro, não adianta tirar o cartão, fazer pirraça e dizer que vai comprar com "seu dinheiro", ficar batendo boca em discussões sem fim sobre o assunto... O problema da falta de confiança tem que ser resolvido na raiz. Por que você trai seu parceiro financeiramente ou vice-versa? Quais as razões da falta de confiança? Lide com elas.

6. O casal gasta 100% da renda

Não importa quão pequena seja a renda de vocês, quase sempre é possível ajustar os gastos para viver com apenas 70-80% dela. O restante pode ser separado como uma reserva para as vacas magras[4]. Se algum imprevisto acontecer, como um de vocês perder o emprego ou se tiverem alguma emergência, estarão cobertos. Se não acontecer, terão um valor extra que poderão usar como investimento futuramente.

7. Maus hábitos financeiros

Nós criamos hábitos. Depois, nossos hábitos nos criam. Muitos problemas financeiros são resultados de maus hábitos que temos com o dinheiro. Comprar parcelado, pagar somente o mínimo do cartão de crédito, gastar mais do que ganha, não guardar dinheiro, fazer compras impulsivas, comprar o que não precisa (por desejo e não por necessidade), usar o cheque especial como se fosse seu dinheiro, não investir com vista em crescer financeiramente, atrasar as contas, ajudar parentes e amigos por razões emotivas, não controlar o que entra e sai na ponta do lápis, não planejar para o futuro... A lista é longa. No casamento, basta um ter maus hábitos financeiros para levar o casal falência. Você deve a si mesmo e também a seu parceiro identificar e eliminar esses maus hábitos.

---

[4] Você conhece a história das vacas gordas e das vacas magras? Está no capítulo 41 do livro de Gênesis, na Bíblia. Curiosamente, foi a atitude de separar 20% de toda a renda por sete anos que livrou o Egito de uma das piores crises econômicas da sua história. E não somente isso: o país prosperou durante a crise! Tudo pelo conselho de José, que com certeza tinha familiaridade com o princípio do dízimo, conforme praticado por seu pai, Jacó.

QUEM É O DIRETOR FINANCEIRO?

Cristiane

Toda empresa tem um diretor financeiro. Ele ou ela é quem cuida de todo o fluxo de dinheiro e avalia os gastos, investimentos e retornos da empresa. Juntamente com o chefe geral, decide o que a empresa pode ou não fazer, segundo os recursos disponíveis. Esta pessoa é tão importante para a empresa quanto o sangue é para o corpo.

Se todo casamento é uma empresa, todo casamento precisa de um diretor financeiro. Não importa se será o marido ou a esposa, mas alguém precisará cumprir essa função em total cumplicidade com o outro. Naturalmente, quem administra melhor as finanças está mais qualificado para esse papel. Façam um trabalho de equipe. Ela é mais organizada com as contas, pagamentos e declaração de impostos? Deixe-a assumir esta função. Ele é mais controlado no dinheiro, manda bem nas planilhas e é um ótimo investidor? Deixe estas responsabilidades com ele. Mas isso não quer dizer que essa pessoa decide tudo sozinha. É imprescindível que haja transparência e comunicação; e que as decisões sejam tomadas em conjunto.

E se nenhum dos dois é particularmente bom em gerenciar o dinheiro? Pelo menos um terá de aprender! Infelizmente, logo após a péssima educação amorosa que a maioria de nós recebeu, vem a péssima educação financeira. Tragicamente, quase ninguém aprendeu a usar bem o dinheiro, apesar de ninguém viver sem ele. Mas nunca é tarde para aprender.

Uma dica muito útil é trazer as habilidades que usamos no trabalho para dentro do casamento. Se na empresa onde trabalhamos não podemos sair comprando tudo o que queremos, temos de ter um orçamento e segui-lo, decidir as coisas em conjunto, procurar minimizar os custos e maximizar os lucros, então usemos desse mesmo gerenciamento financeiro dentro do casamento.

DEIXANDO QUE OS NÚMEROS FALEM

Um casal bem ajustado tem tudo para crescer e prosperar junto. Ambos se sentem confortáveis para discutir sobre questões financeiras com o parceiro sem medo de serem atacados. Essa habilidade de diálogo é imprescindível. Quantas vezes você e seu parceiro conversam (não brigam) sobre dinheiro? Com frequência? Raramente? Nunca?

De fato, não há como conduzir a empresa casamento se vocês não sentarem e olharem a situação financeira real que estão vivendo. Há pessoas que nem querem olhar o extrato bancário. Outras acham que o limite do cheque especial é dinheiro disponível. Alguns não sabem ao certo o quanto estão devendo, quanto de juros está sendo cobrado... É impossível gerenciar às cegas. Afinal, dinheiro não "some". Ele sempre vai para algum lugar. Não o deixe fugir.

Talvez a falha mais comum da maioria dos casais é não ter objetivos financeiros e metas a curto, médio e longo prazos. Raramente ou nunca conversam sobre isso. Logo, não sabem onde estão querendo chegar. Às vezes, seus anseios são até incompatíveis. Como a esposa que sonha ter uma casa maior na cidade e o marido que vê a família mudando para uma casinha branca de varanda no campo, com um quintal e uma janela... Ou aquela que espera usar as economias para trocar os móveis da casa e ele para trocar de carro... Essa incompatibilidade de expectativas tem sido fonte de extrema frustração em muitos casamentos.

Mulheres que por décadas vêm sendo motivadas a estudar, seguir carreira e conquistar o mundo, muitas vezes se veem desiludidas ao lado de um homem acomodado e sem visão. Ou anuladas porque ele não quer uma mulher fissurada na carreira, e sim primariamente uma esposa e mãe para os filhos. Mas isso não se limita a elas, a anulação do marido também é um fator emergente. Um estudo apontou que as chances de divórcio aumentam com o crescimento da renda individual da esposa, mas diminuem quando o marido ganha mais. Essa disparidade de rendas em si não é o problema. Como já explicamos, um casal bem ajustado não tem a mentalidade de "meu dinheiro, seu dinheiro". Mas o que pode separar o casal são as expectativas diferentes que o parceiro que ganha mais pode ter do que ganha menos, e vice-versa. Por isso os objetivos precisam ser alinhados o quanto antes entre o casal.

Olhar para o passado e rastrear o dinheiro para entenderem por que chegaram onde estão é muito importante. Mais importante ainda é olhar para o futuro. Onde vocês querem chegar financeiramente? Quanto será o suficiente? Qual é o plano de carreira de vocês? Quais investimentos querem fazer? Quanto vocês vão separar todo mês para uma reserva? Quais sonhos gostariam de realizar? Definam objetivos em comum acordo. Então, trabalhem destes pontos para trás, traçando o que precisarão fazer a curto, médio e longo prazo para alcançá-los. Estabeleçam metas e prioridades.

Sem objetivos claros em mente, será difícil entrar em acordo em outras conversas sobre dinheiro. Por exemplo, a decisão entre a escola particular do filho ou começar o próprio negócio vai depender dos objetivos preestabelecidos pelo casal.

Uma vez definidos os objetivos e metas, vocês precisam pôr tudo na ponta do lápis. Deixem os números falarem. Eles não mentem e apontarão para as decisões que precisam ser tomadas. Nos momentos de indecisão ou discórdia sobre o que fazer, os números ajudarão a focar no mais certo a fazer para alcançar os objetivos.

Para terminar, aqui vai mais uma boa dica financeira: trabalhe no seu casamento, porque o divórcio é garantia que você sofrerá um grande baque financeiro!

TAREFA

Considere esta tarefa um exercício essencial para entender e tomar as rédeas não somente das finanças de vocês como também das situações por trás delas. Assim que possível, separe algumas horas para trabalhar nisso. Idealmente, o casal deve responder às perguntas juntos. Se seu cônjuge não está cooperando no momento, faça o seu melhor para responder pelo menos a sua parte.

1. Quais assuntos de dinheiro geram mais bate-boca com seu parceiro?
2. Quanto vocês realmente ganham?
3. Quanto realmente gastam?
4. Você sabe de todos os movimentos financeiros do seu parceiro e vice-versa? Se rastreá-los, quais situações mais profundas eles revelariam?
5. Quais objetivos e expectativas financeiras vocês têm para o futuro?
6. Com quem vocês têm dívidas, quais os valores e os termos de pagamento?
7. Quais dívidas precisam ser priorizadas? Quais podem ser negociadas?
8. Quais despesas são essenciais e não podem ser cortadas ou reduzidas? Quais podem? O que é supérfluo?
9. Aquela compra que vocês querem fazer se encaixa em qual categoria: "precisamos" ou "desejamos"? Os números dizem que vocês podem ou não comprar isso agora?
10. Você e seu parceiro têm estilos semelhantes para questões de dinheiro? Quais as diferenças?
11. Quem cumprirá o papel de diretor financeiro no casamento?
12. Como poderiam aumentar a renda de vocês?

POSTE:
Agora somos um casal financeiramente blindado!
#casamentoblindado

No Facebook: fb.com/CasamentoBlindado
No Instagram: @CasamentoBlindadoOficial
No Twitter: @CasamentoBlind

CAPÍTULO 22
27 FERRAMENTAS PARA RESOLVER PROBLEMAS

Ao longo dos anos do nosso casamento, e também aconselhando casais com todo o tipo de problema conjugal, Cristiane e eu desenvolvemos o que chamamos de "ferramentas", para lidar com diversas situações. Algumas criamos para nós, outras aprendemos ou adquirimos de outros sábios casais. Selecionamos as melhores e colocamos aqui para você tê-las à sua disposição.

Toda casa precisa de uma caixa de ferramentas. Elas são úteis para pendurar algo na parede, ajustar uma gaveta ou desentupir um ralo. Todo casamento também precisa de certas ferramentas de auxílio. Estas ferramentas ajudarão a consertar e manter seu casamento.

Nem todas se aplicam à sua situação atual, mas essas informações o ajudarão a montar a caixinha de ferramentas que será útil em um momento de emergência em seu casamento. Qualquer caixa de ferramentas é assim, você não precisa de todos os itens guardados ali para executar um trabalho, mas é sempre bom tê-los, pois nunca se sabe quando serão necessários. Leia todas elas, com certeza aprenderá lições valiosas de cada situação comentada.

Muitas dessas ferramentas são coisas que você já sabe, mas não pratica. A força delas está na prática conjunta com outras ferramentas, então talvez você já tenha tentado usar uma delas sozinha, sem resultado. Tenha suas forças renovadas para aplicá-la novamente, em conjunto com outras. Pode não ter resolvido antes deste livro porque você não sabia o que sabe agora.

Vá em frente e abra a sua caixa, coloque as ferramentas lá dentro, uma a uma, e aprenda em que situações usá-las.

1. Não durma com o problema

Não vá para a cama com um problema não resolvido entre vocês. Acreditar que se resolverão mais tarde só fará com que os problemas se agravem. Um estudo descobriu que memórias ruins são mais difíceis de esquecer depois de uma noite de sono. Mas bem antes de isso ser cientificamente comprovado, a Bíblia já aconselhava: *Irai-vos, e não pequeis; não se ponha o sol sobre a vossa ira. Não deis lugar ao diabo*[1]. Ou seja, não é errado se irar, e sim deixar que essa ira continue no dia seguinte, a ponto de fazer uma besteira por causa dela. Dizem por aí que o tempo cura tudo, mas quase nunca isso é verdade. Uma ferida aberta só piora com o tempo.

Um problema é como um monstrinho verde recém-nascido. Frágil, pequenininho e aparentemente inofensivo, ele se alimenta do silêncio, da indiferença, e cresce durante o sono. Se ninguém fizer nada a respeito, em pouco tempo vocês terão um enorme monstro verde de estimação, que mastigará seu casamento e fará vocês dois em pedaços. Quanto mais cedo você o matar (no ovo, de preferência) menor será o estrago. É bem fácil identificar se mataram ou não o tal monstrinho. Se forem dormir de costas um para o outro, em quartos separados ou sem se tocar, significa que a questão ainda não foi resolvida e o monstrinho ainda agoniza. Voltem a conversar até a reconciliação.

Esta ferramenta foi algo que desenvolvi com a Cristiane para resolver o problema do tratamento de silêncio. Combinamos: "A partir de agora, quando tivermos um problema, vamos conversar sobre ele e não vamos dormir até que esteja resolvido". É claro que isso resultou em muitas noites indo dormir às três da manhã, mas abraçadinhos. Acordávamos bem no dia seguinte, sem arrastar nenhuma carga negativa do dia anterior. Quando começamos a ser bem rígidos com essa ferramenta, o tratamento do silêncio acabou. Aprendi a resolver o problema na hora. Problema adiado é problema piorado.

---

[1] Efésios 4:26-27.

Muitos casais passam por essa situação. Seu cônjuge quer resolver o assunto, mas você não quer porque acha que já resolveu, ou porque está chateado. Ignore suas emoções e faça o que é certo. Usar os "Dez Passos para Resolver Problemas" explicados no capítulo 6 o ajudará aqui. A frase *"não deis lugar ao diabo"* no versículo de Efésios é reveladora. Quando a ira é mal resolvida você está dando lugar ao diabo.

A qualquer momento da relação ou você está na presença de Deus ou na presença do diabo. Perceba isso. Você deve desenvolver a sensibilidade para discernir quando está na presença de um ou de outro. Fique atento aos sinais. É fácil saber. Quando Deus está presente, o relacionamento está bem. Quando o diabo está presente, as coisas ficam amarradas. Quer dizer que ele achou uma brecha para entrar. Então, sem demora, vá e feche essa brecha, já!

- Quando usar: sempre que houver algo mal resolvido, "no ar", entre vocês; quando você está carregando algo dentro de si contra o parceiro; quando um está dando gelo no outro.

2. O amor nunca fere

Não existe justificativa para ferir seu cônjuge, quer seja de maneira física, verbal ou emocional. Estar nervoso não é motivo para magoar a outra pessoa. Quantas vezes ficamos irritados com algo que aconteceu no trabalho? E o que fazer quando isso acontece? Bater no patrão, chutar a cadeira? Não. Aprendemos a administrar essa raiva sem ferir o outro. Porque se ferirmos nosso chefe (ou qualquer outra pessoa na empresa), inevitavelmente ficaremos sem emprego. Você aprende a administrar essa raiva para evitar constrangimentos com os colegas de trabalho. Deve fazer o mesmo com a pessoa amada. Nunca aja com agressividade.

Não é desculpa dizer que é nervoso ou pavio curto, pois o verdadeiro amor não machuca. Isso também inclui certas palavras baixas, que às vezes, na hora da briga, o casal joga um no outro. Xingam e falam palavrões como se aquela pessoa não representasse nada. Ora, não se trata dessa maneira quem faz parte do nosso próprio corpo. Mantenha um alto nível, não xingue, não ataque o caráter.

Casais felizes adotam um padrão elevado de tratamento um com o outro, se recusam a aceitar um comportamento nocivo. Quanto menor for a tolerância ao mau comportamento em um relacionamento, mais feliz será o casal com o passar do tempo. Se a mulher xinga o marido, por exemplo, e ele revida, ambos quebraram as regras do comportamento civilizado. Se não consertarem aquele fato, pedindo desculpas e se comprometendo a nunca mais agir daquela maneira, pronto! Aceitou-se o cruzamento da linha uma vez, da próxima vez ela será cruzada novamente, até alcançar uma linha ainda mais perigosa.

Atendemos a muitos casais que, ao nos contar a discussão que tiveram, usam a seguinte frase: "Desculpa, mas eu tenho que ser sincero e falar o que eu sinto". Nem sempre o que você sente tem de ser falado. As emoções nos fazem pensar coisas loucas. Muitas vezes o que você sente não é o que você realmente pensa. Se externar algo movido pelo impulso, causará uma ferida da qual seu cônjuge pode não se curar.

- Quando usar: quando suas emoções afloram e você quer explodir com a outra pessoa. Guarde esta frase: "o amor nunca fere". Aja civilizadamente. Se a outra pessoa está ferindo você, insista — com respeito, sem atiçar ainda mais — que mantenham o alto padrão entre vocês. Talvez tenha que apontar isso mais tarde, depois que os ânimos se acalmarem, mas não deixe passar.

3. Não generalize

Não importa como completaria essas frases: "você nunca..." ou "você sempre...". Ambas causarão problemas. Não use o pincel de uma situação para pintar todo o caráter do seu companheiro. "Você *sempre* faz o que quer, *nunca* o que eu quero", "você *nunca* me ouve". Esse tipo de afirmação raramente é verdadeira e só serve para aborrecer seu companheiro. Lide com as situações individualmente e resista à tentação de relacionar o problema atual a um problema passado.

Na maioria das vezes esse é um problema feminino. A mulher sente determinada atitude do marido *como se* ele sempre fizesse aquilo, de tantas vezes que ela se lembra de já ter passado por aquela sensação. Ela exprime o que está sentindo, não propriamente o fato. O problema é que, se a mulher diz: "Você nunca sai comigo", o sujeito automaticamente se lembra de que ele a levou para sair uma vez, dois meses atrás, e responde: "Nunca? Mas eu te levei para ver aquele filme...". E o foco se volta para ela. Quando você generaliza, a pessoa não lida com o problema que você trouxe, ela tende a se lembrar de algo que contrarie o que você está dizendo. Cuidado com as palavras nunca, sempre, nada, tudo e toda vez. São palavras absolutas e não deixam opção. Evite-as.

Porém, e se você é quem está ouvindo generalizações, como lidar? Entenda que a pessoa não está dizendo que você "nunca", ou que você "sempre", ela está expressando a sensação que tem diante daquela situação. Ouça "sinto como se você nunca me levasse para sair" em vez de "você nunca me leva para sair". Seja paciente. Não se irrite e mantenha o foco no problema que ela está trazendo.

- Quando usar: em toda comunicação entre vocês. Se escapar uma palavra dessas em algum momento, desculpe-se e remonte a frase. Se seu parceiro generaliza, aponte o erro para não repetir no futuro, mas foque no que ele ou ela está realmente querendo dizer e lide com aquilo.

4. Pare de reclamar e comece a orar

Seu companheiro insiste em fazer algo errado, não quer mudar, você já vem reclamando há anos e nada acontece. Você já percebeu que não adianta reclamar com ele? Reclame com Deus. Peça a Ele que toque o coração do seu companheiro e lhe dê sabedoria para lidar com aquilo. É natural que, quando atacada, a pessoa não consiga enxergar o erro que você aponta, pois está empenhada em se defender. Mas Deus pode fazer com que ela veja o erro dentro de si.

A oração tem mil e uma utilidades. Além de ser uma ferramenta capaz de trazer a mudança que você não poderia fazer sozinho, também o ajuda a lidar com o estresse, ao colocar a ansiedade em Deus. Ele aguenta a frustração, a raiva, o mesmo assunto por quanto tempo for. Já o cônjuge pode não reagir tão bem. Pense bem, você está indo a quem criou o casamento para resolver seu problema, está reclamando direto com a fábrica! Como se ligasse para o SAC de uma empresa e pudesse falar diretamente com o dono. Mas seja perseverante. Nem sempre a resposta vem na manhã seguinte. Insista em oração a Deus. Ore por você também, para não ser parte do problema. Peça sabedoria para lidar com a situação.

Cristiane

Quando percebi que o meu marido não estava mudando através das reclamações constantes que eu fazia, concluí que não poderia lidar com aquela situação sozinha e busquei a Deus. Essa ferramenta é a mudança de direção: deixar de agir com emoção e passar a agir pela fé, por meio da confiança em Deus. Mas não se engane. Deus não faz mágica, não faz tudo sozinho. Ele age quando você faz a sua parte para somar à dEle. E se você não souber qual é a sua parte, peça orientação a Ele. Nós, mulheres, tendemos a reclamar muito, acabamos sendo chatas, achamos que conseguiremos resolver o problema reclamando. Passei a orar a Deus pedindo que mudasse meu comportamento. Eu queria parar de chorar e passar a agir pela fé, e consegui através da oração. Só Deus pode fazer o seu marido ou a sua esposa mudar. Só Ele pode mudar o interior de uma pessoa. Antes eu orava para mudar o Renato, mas depois que pedi direção a Deus, que me mostrasse o que deveria fazer, passei a buscar a mudança em mim primeiro, e foi assim que comecei a ver o resultado nele. Deus não somente nos dá conforto e paz, mas direção para saber o que fazer. Funciona em todas as situações de nossa vida.

- Quando usar: quando tudo o mais falhar e sempre que precisar de forças ou direção divina.

5. Mostre apreciação

Muitos casados se sentem tentados a ter um relacionamento extraconjugal simplesmente porque encontram alguém que os aprecia mais do que o seu cônjuge. Quando você percebe seu parceiro distante ou você mesmo se sente distante, precisa conscientemente se esforçar para demonstrar sua consideração a ele. Por exemplo, cozinhe algo que ele goste, faça um jantar especial, espere por ele de banho tomado e perfumada, esteja em casa quando ele chegar. Procure saber como ela está, ligue para ela durante o dia, note sua roupa nova, saiam para fazer algo que ela goste. É muito fácil se descuidar depois de muitos anos juntos.

Existem várias situações que desviam o foco do casal, fazendo com que se esqueçam um do outro com o passar dos anos e entrem na fase da indiferença. Depois que os filhos vêm, consomem toda a energia do casal, a mulher vive só para eles e o marido se sente de lado. Ou os dois estão batalhando para crescer uma empresa, ou para pagar as dívidas. Ou os filhos finalmente se casam e o casal fica como dois estranhos, sem saber como se relacionar, pois perderam aquilo que os conectava. A ferramenta de mostrar apreciação é muito útil neste momento.

Identificar a fase da indiferença é fácil. Observe o casal. Os dois não formam mais uma unidade. Cada um vive em seu mundinho. Um na frente da TV, o outro grudado ao computador ou celular. Um vai dormir antes do outro. Saem sozinhos, vivem vidas independentes, têm muito pouca coisa em comum. O casal que vive assim raramente mostra apreciação, pois para apreciar você precisa notar a outra pessoa.

É possível reverter este quadro, mesmo após vários anos de indiferença, basta querer. Lembra-se das coisinhas que vocês faziam no namoro e no início do casamento? O cuidado que tinham um com o outro? É isso que você terá de resgatar. Repito a frase que você encontra muitas vezes neste livro (pois não pode ser esquecida): casamento feliz dá trabalho. Até hoje tenho que investir em meu casamento. É um trabalho contínuo e recompensador.

Uma frase que gosto que os casais gravem é: o que meu cônjuge precisa de mim agora? Se você não sabe, pergunte ou tente descobrir (nem sempre ele vai falar. Ou pode dizer "nada" quando, na verdade, teria uma lista para recitar, em ordem alfabética). Pergunte-se: *"O que posso fazer por ele(a)?"*. Ela pode estar estressada, ou para baixo, precisando de sua companhia, de encorajamento ou simplesmente de saber que tem alguém forte ao lado. Às vezes basta uma palavra, ou o apoio silencioso, sinalizando que tudo vai dar certo, que é uma fase e vocês vão vencer. Se ela está doente, precisa se sentir cuidada, ou pelo menos saber que você se preocupa, caso outra pessoa faça esse trabalho.

Mulheres, não pensem que esta é uma tarefa só para os homens. Às vezes o homem está passando por uma situação em que se sente derrotado e precisa de uma palavra que mostre a ele que você ainda o vê como forte. Lembre-se: a maioria dos homens não sabe receber elogio, mas isso não significa que não goste. Você pode já ter passado por isso. A mulher elogia a roupa e ele dá de ombros. Não se intimide! Acredite, ele só não quer perder a pose... Isso é bem comum e involuntário, quase como um defeito de fabricação. Ainda que a pessoa não saiba receber elogio, não deixe de elogiar. Não se preocupe, está fazendo efeito.

E não se esqueça: quando estiverem juntos, estejam realmente juntos. Poucas coisas são piores do que sair com seu cônjuge e ter que dividir a atenção dele com o celular. Se fosse uma reunião com alguém muito importante a quem você respeitasse, certamente não ficaria conferindo o WhatsApp ou Facebook a cada 5 minutos, não é verdade? Seu marido ou sua esposa é alguém muito importante para você, então demonstre essa importância e respeito com atitudes.

O psicólogo John Gottman, respeitado especialista em relacionamentos, conduziu um estudo que o levou a concluir o seguinte: para cada experiência negativa que o casal tem, são necessárias cinco experiências positivas para compensar. Digamos que o casal tenha tido uma troca de palavras ríspidas que chateou um ao outro. Para nivelar esta situação negativa, terá de praticar cinco ações positivas para zerar a equação. O índice de Gottman nos leva a crer que experiências ruins são cinco vezes mais poderosas do que as boas. É por isso que se o marido faz algo que leva a esposa a perder a confiança, um mês depois ela ainda se lembra do fato. Quanto mais mostrar apreciação, mais impressões positivas você acumulará em seu relacionamento. É só usar a matemática.

- Quando usar: sempre, especialmente quando notar distância e indiferença entre vocês.

6. O que seu cônjuge pedir vai no topo da lista

Muito do estresse no relacionamento se deve ao pensamento de que não se é tão importante para o companheiro quanto outras coisas ou pessoas. Então, quando seu companheiro lhe pedir algo, coloque no topo da sua lista, faça disso uma prioridade para que ele não precise pedir novamente. É uma regrinha simples, mas que vale ouro.

O marido pede: "Amor, compra uma lâmina de barbear para mim, a minha acabou". A esposa responde com um "Ah, tá", mas não estava prestando tanta atenção. No dia seguinte, ele vai procurar as lâminas e elas não estão lá. Ele fica um pouco chateado, mas releva, a mulher se desculpa e promete comprar da próxima vez. E a história se repete no dia seguinte. É uma coisa boba? É, casais brigam por coisas bobas. Mas por que eles brigam? Porque aquela coisinha boba está falando algo muito grave aos ouvidos da pessoa, como: "Eu não sou importante para você", "Se sua mãe pede uma coisa, você larga tudo, corre lá e faz; mas quando eu peço, você não faz".

Esse é o problema. O problema não é a lâmina de barbear, mas a mensagem escondida na atitude, que o outro capta inconscientemente. A menos que a mensagem que você queira passar ao seu cônjuge seja algo como "você não é importante para mim", esta é uma regra que você deve absorver em seu dia a dia. Ela ou ele pediu algo, então faça rápido, pois vai fortalecer a noção de que vocês são os primeiros na vida um do outro. Pense bem. Quando seu patrão pede algo, você já tem o hábito de fazer logo. Você sabe que aquela pessoa é importante porque tem influência sobre você. Muito mais ainda no casamento! Seu cônjuge é muito mais importante.

Talvez exista algo que seu parceiro tem lhe pedido há muito tempo e que você ainda não fez. Desde as coisas menores até uma conversa séria que vocês precisam ter. Execute agora mesmo, como prioridade, como prova de consideração.

- Quando usar: sempre, que ele(a) lhe pedir alguma coisa.

7. Cuide da aparência

Muitos que faziam questão de cuidar bem da aparência antes, enquanto namoravam, veem o casamento como uma licença para andarem feios. Na verdade, é justamente depois do casamento que você deve se cuidar como nunca. Não faça pouco do seu companheiro, achando que já o conquistou. Procure estar sempre bonito ou bonita para seu cônjuge, controle seu peso, veja a maneira como se veste, use maquiagem, cuide de sua saúde com alimentação equilibrada, exercícios, visitas periódicas ao médico e ao dentista (além do benefício à saúde, isso vai garantir beijos mais agradáveis a vocês dois) e esteja sempre atento à higiene pessoal.

Algumas mulheres não gostam de maquiagem e seus maridos gostariam que usassem um batom ou um lápis nos olhos. A mulher acredita que o marido tem de gostar dela ao natural, *"é assim que eu sou"*. É claro que não vou gostar da Cristiane por causa dos brincos ou da maquiagem, mas se a mulher sabe que o marido gosta, pode fazer um pouquinho de esforço para agradar, o que custa? É como a comida, se você não gosta, mas ele ou ela gosta, você vai fazer aquela comida para agradar.

Casamento é isso, viver para agradar ao outro, para fazer a outra pessoa feliz. Não se trata de se transformar em alguém que você não é, mas fazer algum esforço para agradar o seu cônjuge não tira pedaço, é muito válido e certamente você se sentirá melhor. No meu trabalho, tenho que usar terno, gravata, camisa, calça social e sapatos. Em meus momentos de lazer, meu desejo era usar chinelo, short e camiseta, pois quase nunca visto esse tipo de roupa. No início, quando a gente ia ao cinema, eu ia de moletom e chinelos, queria estar bem confortável. Para ela, aquele era um momento especial, então saía bem arrumadinha. Imagine esse casal! Ela não dizia nada, mas ficava com vergonha de mim. Quando finalmente comentou: "Com essa roupa, parece que você desistiu da vida". Primeiro eu fiquei chateado, mas depois entendi. A gente raramente sai, então, quando sai, tenho de honrá-la, estar à sua altura. Faço um esforço por amor a ela, porque ela gosta. Mas por mim, ia de chinelo!

Aconselhamos a um casal cujo marido estava insatisfeito sexualmente. Reclamava que sempre que procurava a esposa era rejeitado. Enquanto ele falava, notamos que ela estava sem jeito. Pedimos para que ficasse um de cada vez na sala, para que pudéssemos conversar com mais privacidade. Então ela desabafou: *"Ele fala que eu nunca quero que ele me toque, mas se pelo menos ele tomasse banho todos os dias!"*. A mulher tinha de ser uma heroína para aguentar momentos íntimos com um sujeito que não tinha o menor asseio. Ele estava tão acostumado com a falta de higiene que nem sequer imaginava que esse era o motivo do abismo entre os dois. Algo tão fácil de resolver! Sabonete, água, toalha e pronto! Fim dos problemas daquele casal.

Cristiane

Você representa seu cônjuge, por isso depois que você se casa, sua responsabilidade com a aparência é ainda maior. A aparência diz muito sobre como você se sente, se você é feliz, se está realizada, vai mostrar isso em seu exterior. Se você ama, respeita e valoriza seu marido, é natural que mostre isso no seu exterior. Você pode estar mal por dentro e bem por fora, mas de maneira alguma conseguirá estar bem por dentro e mal por fora. Se você está bem em seu interior, tem de mostrar em seu exterior, não apenas em seu jeito de se arrumar, mas em seu semblante, um sorriso, um olhar carinhoso... A mulher que recebe o marido em casa mal-humorada está feliz? A mulher que sai de cara amarrada, desarrumada, está feliz? Se o marido olha para a esposa e vê uma mulher amarga e relaxada, como ele se sentirá? Se você está irritada por causa daquele período delicado do mês, avise ao seu marido, não deixe que ele pense que o problema é ele, ou que você não está feliz. A aparência não é tudo na minha vida, mas se eu me amo, por que não vou me cuidar? Ainda mais agora que tenho alguém para representar.

- Quando usar: sempre. E procure saber o que agrada seu cônjuge no que diz respeito a aparência. Também comunique suas preferências, mas não imponha nada.

8. Nunca ridicularize seu companheiro

Quer de forma privada ou pública. Ser bem-humorado não é a mesma coisa de zombar. Cuidado com as piadas de mau gosto. Não exponha falhas e fraquezas do seu cônjuge a terceiros. "O amor *cobre* todas as transgressões", disse o sábio rei Salomão[2]. O amor encobre os defeitos da outra pessoa. Ainda que seu companheiro esteja errado, demonstre seu apoio, em vez de expor seus erros. Ridicularizar é desrespeitar. Não faça comentários que diminuam seu cônjuge ou que exponham algo que ele mesmo ainda não havia exposto para os outros. "Ah, o Roberto não sabe nem somar. Sabia que ele só estudou até o quarto ano?" Em que você acha que isso acrescenta em seu casamento? Sarcasmo, ironia e desprezo também são fatais para o relacionamento. "Você vai fazer uma lista para não esquecer? E desde quando você é bom com listas?" Essas atitudes geralmente demonstram que a pessoa se acha superior à outra. Lembre-se: o amor não fere.

- Quando usar: sempre. Atenção dobrada quando estiver em uma discussão esquentada ou entre amigos.

9. Beba da santa água

Há uma história de um vilarejo onde as contendas conjugais aumentavam desenfreadamente. Cansada das brigas com o marido, uma esposa foi se aconselhar com o sábio do lugar: "O que devo fazer para acabar com as discussões com meu marido?", perguntou. O velho sábio lhe deu uma garrafa com água e disse: "Esta água é santa. Toda vez que seu marido começar a discutir, beba um pouco, mas é preciso mantê-la na boca por dez minutos antes de engolir. E diga a todos os seus vizinhos e suas amigas com o mesmo problema para fazer igual". Em pouco tempo, ninguém mais discutia naquela vila.

Convites para discussões sempre batem à porta do casamento, mas entenda que você não é obrigado a aceitar todos eles. Se seu cônjuge faz

[2] Provérbios 10:12.

um comentário que o provoca a revidar, eu tenho uma boa notícia: você pode dizer não e decidir não comparecer a essa briga. Você não vai ignorar o problema, mas terá domínio próprio, principalmente se decidir controlar a língua. Os ânimos se acalmarão e você terá evitado uma discussão desnecessária, que só serviria para afastar vocês dois. Não é excelente?

Ganhar em uma discussão não é tão importante quanto resolver o problema. Se você percebe que seu companheiro está alterado, segure as pontas e feche o zíper sobre os lábios. Nunca me esqueço de um casal de Singapura, que frequentava a nossa igreja em Londres. No dia em que fizemos uma oração especial por seus cinquenta anos de casados, perguntamos qual teria sido o segredo de uma vida a dois duradoura, e o marido nos respondeu: "Quando eu estava nervoso, ela se calava. Quando ela estava nervosa, eu me calava". Isso realmente funciona.

- Quando usar: quando se sentir provocado a devolver palavras duras com outras mais duras ainda.

10. Inicie a conversa brandamente

Se as suas conversas já começam em tom grosseiro, inevitavelmente acabarão em briga, mesmo que haja muitas tentativas de acalmar os ânimos depois. Alguns exemplos clássicos: se o marido pergunta "Você precisa de dinheiro?" (começou bem) e a esposa responde "Só para as contas que você deveria ter pago na semana passada" (começou mal), as facas da acusação e do sarcasmo começam a voar.

Quando a conversa começa bem, são grandes as chances de terminá-la bem. Escolha cuidadosamente as palavras, teste a frase mentalmente e veja se soa bem. Se achar que a pessoa pode não entender, mude a ordem da frase, escolha outras palavras. A conversa ficará mais lenta e você terá tempo de pensar e não dizer uma bobagem. Se notar que começou a perder a linha, respire fundo, peça perdão e comece de novo.

Cristiane

Uma maneira eficaz é falar de como o seu cônjuge faz você se sentir, em vez de tratá-lo como se ele fosse a personificação do problema. Por exemplo, se o seu marido é grosseiro com você, não é sábio chamá-lo de grosso, pois assim você já começa o assunto no ataque, ele com certeza vai se defender e vocês darão início a uma discussão inútil que só servirá para desgastar ainda mais o relacionamento.

Mas você pode dizer como se sente quando ele fala com você daquela maneira... "Amor, quando você está ocupado e eu pergunto uma coisa, às vezes a maneira que você responde faz com que eu me sinta mal." Notou a diferença? Não é ele quem a faz se sentir mal, é a maneira de ele lhe responder. Se concentre no que você pensa e sente a respeito em vez de no que você acha da pessoa em relação ao problema.

- Quando usar: sempre que for tratar de algum assunto delicado entre vocês.

11. A gaveta dos problemas perpétuos

Sinto informar, mas certas coisas que nos irritam e que consideramos "defeitos" em nosso parceiro, para nossa tristeza, nunca mudarão. Talvez ele seja bagunceiro para sempre. É possível que ela sempre vá ser apegada com a mãe. Enfim, há coisas em cada um de nós que são parte de nossa identidade e não mudarão. Em vez de se frustrar e ficar sempre confrontando a outra pessoa sobre aquilo, pegue esse problema e coloque-o na gaveta dos problemas perpétuos — um lugarzinho no seu cérebro reservado para lembrá-lo de que é em vão ficar debatendo sobre aquele assunto. Portanto, o melhor que você pode fazer é aprender a lidar com ele. Ponha mais cestos de roupa em lugares estratégicos da casa. Pegue sem reclamar as roupas que ele, mesmo assim, ainda vai jogar no chão. Aceite a amizade de sua esposa com a sua sogra, junte-se a elas! Se é um problema tolerável, que dá para administrar, então use essa ferramenta. Desista de mudar a outra pessoa, pois isso não é possível. Como já dissemos lá no começo: você só pode mudar a si mesmo. Tire seu foco dos defeitos do outro, do que ele não faz e do que a seu ver está errado. Valorize as qualidades do seu cônjuge e o conteúdo da gaveta terá cada vez menos importância em seu relacionamento.

- Quando usar: quando identificar um problema perpétuo.

12. Apague os últimos dez segundos

Às vezes precisamos deixar passar algumas coisas. Uma palavra fora do contexto, um comentário desnecessário no momento de ira... Avalie a situação e veja se vale a pena encrencar com isso. Algumas vezes sua esposa vai pisar no seu calo e você vai querer explodir, porém, lembre-se: você não *precisa* explodir. Quando não gosta do que acabou de filmar, você volta e grava novas imagens sobre as imagens desnecessárias. Da mesma forma, use este mecanismo mental de "pare, volte e apague", dizendo a seu cônjuge: "Tudo bem, vou fingir que não vi nem ouvi o que acabou acontecer. Começamos com o pé esquerdo. Vamos recomeçar".

Essa ferramenta de apagar os últimos dez segundos também é de minha invenção. Percebi que às vezes a Cristiane agia por impulso ou movida por uma frustração, acabava falando o que não queria falar e vomitava o que estava sentindo. Em vez de criar caso, comecei, até de uma forma bem-humorada, a dar sinal de que ela não devia ter falado aquilo. Se ela solta algo que dá uma espetada em mim, digo: "Espera aí, deixa eu voltar a fita aqui. Ok, tomada 2. Ação!". Quando ela ouve isso, já entende que o que disse pegou mal e tem a oportunidade de falar novamente. A propósito, se você falhou na ferramenta de começar a conversa brandamente, tem aqui outra chance ao apagar os últimos dez segundos. Use esta ferramenta com bom humor e mude a situação. Ajude a outra pessoa, releve, dê um desconto.

- Quando usar: quando o outro pisou na bola e a sua vontade é fazê-lo engolir a bola.

13. Não deixe a linguagem corporal cancelar suas palavras

Especialistas em comunicação afirmam que mais de 90% da comunicação é não verbal. Note esse número. Mais de 90%! Coisas como: comportamento, tom de voz, olhar, expressões faciais e linguagem corporal são responsáveis por quase tudo que transmitimos. Nossas palavras carregam apenas 10% da nossa comunicação para a outra pessoa. Preste atenção em seu dia a dia e verá o quanto essa definição é verdadeira. Se você diz: "Ok, eu te perdoo", enquanto seu rosto (e aquela viradinha de olhos) diz: "Só estou dizendo isso porque você pediu, mas no fundo eu sei que você nunca vai mudar" (sim, você pode falar tudo isso só com o olhar), isso não vai fazer com que seu perdão pareça sincero.

Além da expressão facial e corporal, algo que fala mais do que suas palavras é seu comportamento recente. Se você diz "Eu vou mudar", mas o seu comportamento diz que você já prometeu cem vezes e nunca cumpriu, suas palavras não serão críveis para a outra pessoa. Nem adianta reclamar. Preste atenção nos sinais que envia sem palavras. É muito comum, durante a conversa, o marido cruzar os braços e dizer: "Tudo bem, pode falar". Na verdade está dizendo: "Eu preferia estar em qualquer outro lugar a ter esta conversa. Depois você não poderá me culpar por não ter ouvido". Tudo isso pode ser falado sem que se abra a boca.

Uma expressão corporal mais aberta e receptiva é segredo de boa comunicação. Não queira ter um bom resultado em uma conversa em que você mantém uma postura fechada e defensiva, tom de voz sarcástico, suspiros audíveis. Tenha sempre em mente que seu parceiro não é inimigo, seu objetivo é terminar a conversa bem. Estar aberto ao diálogo é pré-requisito para que isto aconteça. Procure se comunicar com seu cônjuge de forma carinhosa, prazerosa e desarmada. O que vocês querem é um bom relacionamento, não é? Queira isso com todas as suas forças, com todo o seu corpo — literalmente.

- Quando usar: em toda comunicação.

14. Reconstruir a confiança é trabalho em dupla

Se houve infidelidade, ou quebra de confiança em seu relacionamento, seja você o culpado ou a vítima, ambos terão de trabalhar pesado — e juntos — para reconstruir a confiança. Um erro comum é a pessoa ferida jogar toda a culpa para cima da outra que traiu: "Quem errou foi você, estou desconfiado porque você me deu razão". Ela acredita que o outro, exclusivamente, é quem tem de trabalhar para resgatar a confiança. Sinto informar, mas não é. Os dois têm que trabalhar nisso. Isso vale para qualquer situação em que haja perda de confiança. Por exemplo, a mulher gastou o dinheiro que não deveria ter gastado, agora o homem não confia mais valor nenhum na mão dela. No caso de infidelidade, a dor e a desconfiança — "será que vai acontecer de novo?" — estarão sempre como fantasma em sua cabeça.

O culpado terá de agir diferente para provar que houve, de fato, uma mudança. Não reclame, apenas faça o que tem de ser feito. É o preço a pagar por sua infidelidade. Elimine o telefone secreto, não apague mais mensagens do celular, dê acesso aos e-mails, ao celular e ao Facebook. Entre as coisas que não pertencem mais à sua realidade estão: sair e não falar aonde vai, ter momentos do dia em que o outro não sabe com quem ou onde está, segredos, esconder informações da outra pessoa. Manter essas atitudes só continuará alimentando a desconfiança. Para que a confiança seja resgatada, a pessoa que traiu terá de gravar em sua mente a palavra *transparência*: quem é transparente remove qualquer razão para o parceiro ter de ficar preenchendo as lacunas na informação com pensamentos ruins.

Seja transparente em tudo e não reclame. Não venha com a história de "E a minha privacidade?", ou "Não estou mais fazendo isso, você tem que confiar em mim". Você abriu mão de sua privacidade no dia do casamento. E se seu cônjuge está lhe dando perdão e uma nova chance, é sua transparência que servirá de ponte para a reconstrução da confiança, não suas promessas. É como o cidadão que comete um crime e é levado ao tribunal. Por ser réu primário, recebe o benefício de responder em liberdade. O juiz coloca algumas restrições: não pode viajar, tem de se apresentar mensalmente durante determinado tempo — mas não o manda para a prisão. A pessoa que cometeu um crime e recebe esse tipo de sentença fica feliz da vida. Ela pensa: "Terei de me comportar, me reportar algumas vezes, mas pelo menos não estou na cadeia!". Ela aprecia essa chance. Assim também o que traiu tem de apreciar a nova chance e a única maneira de fazer isso é sendo transparente.

Se você foi a vítima, pare de lembrar ao seu cônjuge o que deixou no passado e evite alimentar desconfianças. Não suponha nem tire conclusões precipitadas. Lide com os fatos no presente. Se seu parceiro não mudar, você pode ter de avisá-lo que não haverá terceira chance, mas enquanto ele ou ela não prova o contrário, não fique retornando ao passado desnecessariamente. Se ela se comprometeu em mudar, não banque o detetive, investigando o que não há para ser investigado, nem insinue que ela ainda está traindo você. É muito irritante e frustrante tentar mudar e ver que o outro nunca acredita na mudança.

É comum uma pessoa traída começar a ver coisas que não existem. É o medo controlando você. Seja racional. Paranoias não resolvem. Faça planos e se prepare para a possibilidade do outro não mudar, mas deixe o plano "na gaveta", use somente caso seja necessário. Assim, você já tem resposta para o medo, se o pior acontecer.

Enterre o passado e passe com o carro em cima vinte vezes, para que não seja possível sequer saber onde ele foi enterrado. Não volte para levar flores, nem para cuspir no túmulo. Esqueça. Auxilie seu parceiro nessa reconstrução, é um trabalho em equipe. É difícil? É, ninguém disse que seria fácil, mas só assim vocês começarão a reconstruir a confiança perdida.

- Quando usar: quando houver traição, mentiras ou qualquer quebra de confiança no relacionamento e vocês decidirem por uma segunda chance.

15. Durma antes do problema

Não se trata de uma contradição à ferramenta número 1, que aconselha a não ir para a cama deixando um problema não resolvido para o dia seguinte. Aquela dica é para ajudá-lo a lidar com problemas que *já ocorreram*. Esta ensina a lidar com o estresse *antes* que o problema aconteça. Muitos dos problemas no casamento se originam de situações de estresse em um ou ambos os parceiros. Se você ficar atento para detectar o problema ANTES de acontecer, poderá evitá-lo. Observe a linguagem corporal, o tom de voz e o nível de estresse de seu cônjuge. Dê-lhe o espaço suficiente.

As pessoas lidam de maneira diferente com estresse. Como regra geral, os homens precisam de espaço e as mulheres precisam falar. Claro, há exceções, existem mulheres que também precisam de silêncio e homens que querem desabafar. O importante é entender: se um está em um nível de alta irritabilidade, não adianta o outro querer resolver o problema naquela hora. Inclusive, um adendo à primeira regra: se o problema já aconteceu e você vê que a pessoa está perigosamente alterada, então é melhor dar uma pausa e esperar os ânimos se acalmarem. Não será uma boa conversa se as pessoas estiverem funcionando à base de emoção e irritação.

Essa ferramenta é semelhante à regra do "*time out*" no basquete. Quando a equipe começa a perder muitos pontos seguidamente, o técnico pede tempo, interrompe o jogo e reúne os jogadores para lhes passar instruções. É estratégico principalmente porque quebra a vantagem do adversário.

Lembre-se de que há um adversário em seu casamento também. Não dê brecha ao diabo. Se você insiste em ficar cutucando seu cônjuge na hora em que os ânimos estão alterados, então está dando vantagem ao adversário. Dê uma pausa. Concordem em falar mais tarde sobre o assunto.

Apesar de o nome da ferramenta ser "Durma antes do problema", não significa necessariamente que você tenha de dormir, apesar de uma boa noite de sono ser uma das melhores maneiras de fazer uma higiene mental e emocional. Mas também pode ser uma pausa de vinte minutos, ou de uma hora. A ideia é dar condições a seu parceiro para recobrar as forças e o equilíbrio emocional.

- Quando usar: tenha esta ferramenta sempre à mão para detectar sinais de estresse no parceiro, ou em si mesmo, e se valer de uma pausa ou outra forma de se acalmar antes que gere problemas.

16. Ensaie para a próxima vez

No casamento raramente você tem um problema novo. Vocês não vão discordar somente uma vez sobre dinheiro, nem sobre a educação das crianças. O mais comum é ter de lidar com problemas reciclados, que voltam de tempos em tempos. Quando se depara com um problema recorrente, o que fazer? Primeiro, resolva o conflito imediato, usando aqueles dez passos que ensinamos no capítulo 6. Em seguida, se pergunte: *como podemos evitar que isso aconteça novamente?* Ou: *O que faremos se isso voltar a acontecer?* Então, assim como roteiristas planejam o que acontecerá na próxima cena de um filme ou de uma novela, escreva seu próprio "roteiro" para a próxima vez. O que vocês farão quando uma situação similar ocorrer? Decidam o que vai acontecer e qual o papel de cada um. E que ambos estejam de acordo. Quando a situação surgir, ambos saberão o que fazer, sem exaltar os ânimos.

Como é isso na prática? Por exemplo, o marido esquece a data do aniversário de casamento. Ele é ruim em lembrar datas e a esposa se irrita muito com isso. Pelo jeito de ele ser, há uma grande chance de que no próximo ano ele esqueça de novo. Algumas pessoas não são ligadas em datas, é um defeito de fabricação (ferramenta 11 aqui, talvez?). O casal deve resolver o problema de a esposa estar chateada hoje, mas também combinar como vão lidar com isso das próximas vezes.

A esposa pode anotar na agenda do marido logo no início do ano (simples, não?), avisá-lo com alguma antecedência, colar lembretes pela casa... "Mas aí não tem graça!", diz ela. Entenda uma coisa muito importante: nossas altas expectativas podem nos levar a querer que nosso parceiro seja como somos, que o importante para nós seja importante para ele ou para ela, mas nem sempre é assim. É necessário fazer um ajuste em nossas expectativas para evitar problemas recorrentes. Há um abismo entre o real e o ideal. Quanto maior o abismo, maior a frustração, mais problemas vão acontecer. Esqueça o ideal e lide com o real.

Mesmo que o real não seja suficiente, é ele que você tem. É em cima disso que terá de trabalhar por um resultado melhor.

Outra situação clássica é o problema recorrente a respeito de dinheiro. Você esperava que seu cônjuge o consultasse antes de gastar tanto, mas ele não o fez. E agora? Alguns casais sentam e combinam: "Até tal valor, você gasta, passando de tal valor, fale comigo para decidirmos juntos." Isso é roteirizar. Quando a situação aparecer, você já sabe como resolver, por causa do *script* prévio. Na empresa, você tem de resolver problemas e evitar que aconteçam novamente. É exatamente o raciocínio desta ferramenta. Você verá uma redução considerável dos problemas.

- Quando usar: sempre que identificar um problema ressuscitando dos mortos. Geralmente acompanhado do pensamento: "Já vi esse filme antes".

17. Proteja suas noites

Últimas notícias! A noite é um momento para se relaxar. Se você geralmente discute problemas e expõe suas tristezas quando seu companheiro chega do trabalho, por exemplo, você arrisca estragar o clima ideal para um agradável momento de união e intimidade — leia "sexo". Um casal lidou com essa situação concordando em não mais falar sobre problemas depois das oito da noite! Funcionou para eles, e você deve descobrir o que funciona para você.

Não esqueça que se vocês dormirem brigados, não dormirão como se fossem um. Essa é a hora do dia em que você deve investir mais no seu relacionamento, o contrário do que muitos têm feito. Não veem a hora de o parceiro chegar em casa para reclamar das contas que precisam ser pagas ou do que a professora disse sobre as crianças.

No quadro do "Laboratório", da Escola do Amor, tivemos um casal com esse problema. Na hora do jantar, ela reclama que ele demora para comer, e ele pede para ela lhe dar um tempo porque ele quer relaxar. Em determinado momento, ela diz: "Para que relaxar na hora da janta? Tem muita coisa para ser feita, lavar a louça, quem tem tempo para relaxar?" Por causa das muitas coisas a serem feitas em casa, as noites desse casal eram conturbadas. Como poderão investir na intimidade no único tempo do dia que eles têm juntos se não podem nem mesmo ficar à vontade?

Proteger a noite é proteger as horas que antecedem o momento íntimo de vocês. Muitos casais ficam dias, semanas e até mesmo meses sem se relacionar sexualmente por descuidar das noites. A pessoa está pensando que vai ter uma noite legal, mas por causa de uma palavrinha na hora do jantar, os planos vão por água abaixo. Não esqueça de que o sexo começa na mente. Quando não protege os momentos anteriores a estar com seu parceiro na cama, elimina o clima e mata qualquer possibilidade de uma noite agradável sob os lençóis.

- Quando usar: todas as noites e outros momentos que antecedem o ato sexual.

18. Resgate seu companheiro(a)

Todos nos sentimos sobrecarregados uma vez ou outra. Uma esposa pode chegar em casa após um terrível dia no trabalho e ainda ter dezenas de tarefas para fazer antes de finalmente poder apagar as luzes e ir dormir. Um marido dedicado deve ser sensível a esta situação e ajudar a aliviar o seu fardo sempre que possível. Ele vem para socorrê-la: "Eu guardo as compras enquanto você olha o dever de casa das crianças..." ou "Eu dobro as roupas e levo o lixo para fora enquanto você prepara o jantar". Arrumar as próprias coisas também ajuda! Da mesma forma, a esposa deve ser uma auxiliadora do marido e entrar em cena quando ele estiver sobrecarregado. Amar significa cuidar.

Isso pode vir junto com a ferramenta 17. A esposa, estressada, chega em casa e quer descansar a cabeça, o marido reconhece que ela está em frangalhos e pede uma pizza para que ela não precise preparar o jantar. Ela se sente valorizada e cuidada. Da mesma forma, se o marido estiver estressado e a esposa resolver deixá-lo descansar em sua caixinha, também estará ajudando. Você percebe que seu cônjuge não está bem, então se ele não fez o que normalmente faria, vá lá e faça. Não crie uma tempestade, esteja ali quando ele mais precisa. É uma ferramenta para emergências. Socorrer um ao outro quando um deles está suportando mais do que consegue. Lembre-se da pergunta: *o que meu cônjuge precisa de mim agora?* De ânimo, de cuidados médicos, de orientação, de ajuda prática, ou simplesmente da minha companhia?

Cristiane

Nunca gostei de impor os deveres de casa ao Renato, sempre fui o tipo de esposa à moda antiga, rainha do lar, cujo esposo não precisa se preocupar com nada. Entretanto, um dia, já não aguentava mais, estava sobrecarregada com responsabilidades dentro e fora de casa. Morávamos com outros dois casais e, quando era a minha vez de fazer o almoço, cozinhava para um batalhão de pessoas. Depois tinha a cozinha para limpar e o resto da casa, além do café da tarde e do jantar... Chegava o fim do dia e eu estava exausta! Foi quando peguei uma gripe feia, fiquei de cama e fiquei na mão.

Nunca me esqueço do que o Renato fez por mim, ele veio como socorro. Ele vivia me falando em contratar uma ajudante do lar para limpar a casa duas vezes na semana, mas por eu não conhecer nenhuma e ter aquele receio de fazerem de qualquer maneira, nunca tomava a iniciativa. Ele ligou para a pessoa, assinou um contrato de duas semanas e organizou tudo para mim. Lembro-me de me sentir apreciada e valorizada por aquele simples gesto. Ele me socorreu quando eu mais precisei.

Uma das principais razões por que os casais brigam hoje é a divisão de tarefas na limpeza e arrumação da casa. Por isso, o assunto dos afazeres domésticos merece um comentário especial. A sociedade mudou muito, mas a mentalidade de alguns ainda está lá atrás. Se vocês têm discussões constantes sobre a casa, façam uma lista e definam quem será responsável pelo quê. Quem vai tirar o lixo? Quem vai cortar a grama? Quem vai limpar o quarto? Um dos dois? O filho? Melhor contratar alguém? Em uma empresa, todo mundo sabe quem faz o quê, quem faz o café, quem limpa a sala de reuniões... Tudo deve estar bem definido. Se um achar que o outro vai fazer, ninguém faz nada. Defina as tarefas semanais, diárias e mensais da casa e combine quem fará o quê. Se você tiver filhos, eles podem ajudar, a família será uma equipe no cuidado com a própria casa. Coloque a lista na geladeira, para ninguém esquecer. É uma maneira prática de resolver esses problemas.

É importante o ambiente em casa ser agradável para que todos possam ter prazer de estar ali. Seu cuidado com a casa é uma maneira direta de mostrar seu cuidado para com quem a divide com você.

Para utilizar esta ferramenta é importante saber identificar o estresse em seu cônjuge. Cada um lida com seu estresse do seu jeito. Eu, por exemplo, entro em modo silencioso. Falo pouco, penso muito, não tenho vontade de rir de nada, nem o cachorrinho recebe um carinho. Já a Cristiane é o oposto. O estresse dela se derrama para fora e em todas as direções. Pensa muito e fala mais ainda (resultado: às vezes fala sem pensar). Não esconde as emoções. E pega o cachorrinho no colo, abraça, faz carinho, beija e fala com ele como se fosse o único que a entendesse naquele momento. (Na verdade, ele deve ficar tão perplexo quanto os humanos vendo a cena.)

A maneira como a Cristiane lida com o estresse não é muito diferente de outras mulheres, e tampouco a minha de outros homens. A questão é que é muito, muito fácil o marido e a esposa interpretarem mal o comportamento que o parceiro manifesta quando está estressado.

O que eu faço quando estou sob estresse pode ser visto pela Cristiane como se eu estivesse chateado com ela, não quisesse incluí-la em meu mundo e fosse um chato de marca maior. E eu já saí ferido muitas vezes das crises dela pensando que ela não me respeitava, não tinha domínio próprio e tratava o cachorrinho melhor que a mim.

Mas hoje entendemos melhor o que está acontecendo. Estamos apenas estressados. Não é culpa de ninguém. Então ela me deixa no meu canto, e eu procuro ouvi-la e receber a enxurrada de emoções sem julgá-la nem levar para o lado pessoal. Nosso consolo é saber que logo aquilo vai passar. E passa. Portanto, uma das melhores coisas que você pode fazer no seu relacionamento é reconhecer quando seu parceiro está estressado e como ele ou ela lida com isso. Então, decida não levar nada para o lado pessoal e não fazer coisas que venham piorar a situação. Às vezes resgatar o parceiro é também lidar com o estresse dele do jeito dele.

Se o seu parceiro chega a comportamentos extremos, realmente destrutivos, então em outro momento, longe daquele estresse, conversem sobre a situação, buscando maneiras alternativas e mais saudáveis para lidar com o problema.

- Quando usar: sempre que perceber seu cônjuge sobrecarregado ou sem condições de executar suas tarefas.

19. Não faça ataques pessoais

"Você é um mentiroso...", "Você é estúpido...", "Você é teimosa..." Quando diz coisas desse tipo para o seu cônjuge, é sinal de que seu relacionamento desceu aos níveis mais baixos de desrespeito — uma viagem da qual é difícil retornar. Ataques pessoais mostram que você perdeu de vista que seu verdadeiro inimigo é o problema, não seu parceiro. Quando xinga o cônjuge, está xingando a si mesmo, já que foi você que escolheu se casar com ele!

Na maioria das vezes, o comentário é injusto. Por exemplo, será que ele é realmente mentiroso? Não presuma que seu parceiro está mentindo. Duas pessoas podem ver a mesma cena e testemunhá-la em versões diferentes. Não quer dizer que estão mentindo, apenas relatando seu ponto de vista. Chamar seu cônjuge de mentiroso por não concordar com sua versão dos fatos pode ser uma grande injustiça, por isso mantenha o foco no problema e não parta para acusações contra seu caráter. Não é inteligente.

Não posso vestir a Cristiane do problema e atacá-la como se ela fosse o próprio problema. Tenho de saber separar as coisas. Eu odeio o problema, mas continuo amando a Cristiane. O que deve ter em mente é que vocês são amigos e irão trabalhar juntos contra a adversidade que estão enfrentando. Foram vítimas do problema, ambos se tornaram inimigos dele e agora devem descobrir como resolvê-lo, de mãos dadas.

- Quando usar: em qualquer conversa, especialmente quando seu parceiro se torna irritante.

20. Não projete

Se você teve uma experiência ruim no passado, quer tenha sido com seu pai, mãe ou em um relacionamento anterior, torna-se muito fácil projetar injustamente as suas inseguranças do passado em seu companheiro. Por exemplo, uma mulher que tenha sofrido abuso por parte do pai pode ter traumas não resolvidos, o que faz com que ela reaja mal a qualquer figura de autoridade, inclusive ao próprio marido.

Ou então um homem que teve uma má experiência no relacionamento anterior e agora acha que sua esposa será infiel assim como a sua ex-mulher. Se fui traído no passado e projeto minhas experiências traumáticas em minha esposa, quando ela fizer uma coisinha que lembre o comportamento da outra, vou atacá-la com ciúme e desconfianças; e ela jamais entenderá o porquê. Ela está inocente no assunto, mas eu já estou atacando como se ela tivesse feito o que a outra fez comigo. Você joga uma memória sobre a outra pessoa como se ela fosse a culpada.

O exemplo que demos anteriormente da mulher que foi abusada e traz traumas para o relacionamento, merece um pouco mais de atenção. Pode ser que ela não consiga se satisfazer por causa do abuso, que tome nojo do ato sexual. O marido não tem culpa, não foi ele quem abusou dela, mas ela não conseguiu lidar com a situação. Este problema tem dois lados, o do projetor e o da tela que está recebendo a projeção.

Como a pessoa traumatizada consegue lidar com a situação? Aí entra o poder da fé. Psicólogos e psiquiatras com certeza podem contribuir, mas a sabedoria humana e a medicina têm limites. A fé em Deus, no entanto, não tem limites e pode curar as feridas mais profundas. Deus lhe dá capacidade de perdoar e até de — literalmente — esquecer. Ele mesmo usa esse poder. Diz, em Isaías 43:25: *"Eu, Eu mesmo, sou O que apago as tuas transgressões* ***por amor de Mim, e dos teus pecados não Me lembro****"*.

Deus, que tem a capacidade de lidar com qualquer fato, decide voluntariamente não lembrar mais de nossos pecados porque sabe que o pecado de quem se arrependeu não é uma informação útil, prática. Se a pessoa se arrependeu e quer mudar de vida, Ele faz o processo de limpeza mental e não há necessidade de voltar ao passado. Se você não consegue fazer isso sozinho, procure ajuda de Deus. Também vale a pena lembrar que a outra pessoa não tem culpa do que aconteceu. Portanto, seja justo.

Se você está lidando com alguém que passou por essa situação, seja paciente. Você, sabendo da bagagem que está por trás, sabendo com o que está lidando, consegue compreender, dar os descontos necessários e não reagir mal. Use a cabeça para ajudar a quem ainda está preso às emoções.

- Quando usar: Assim que identificar um trauma ou acontecimento do passado como raiz de algum problema em seu relacionamento.

21. Entenda a criança que ainda existe em vocês

Quando você era criança e chorava por alguma razão, sua experiência provavelmente era a seguinte:

- Se você era um garoto: chorava, ia até seu pai ou mãe esperando um consolo e ouvia algo do tipo: "Pare de chorar, menino! Homem não chora. Engole esse choro!". Não demorou muito e você aprendeu que expressar suas dificuldades e temores era sinal de fraqueza
- Se você era uma garota: chorava, ia até seu pai ou mãe esperando um consolo e ouvia algo do tipo: "Ah, minha filha, o que foi?

> Vem cá, conta pra mim o que aconteceu". Enquanto soluçava e contava a razão do choro, recebia um abraço caloroso, um carinho na cabeça e um ombro gostoso para chorar até a última lágrima. Não demorou muito, e você aprendeu a esperar exatamente aquilo, quando estivesse com algum problema

Agora vocês são adultos e casados. Mas o que talvez não saibam é que aquela criança ainda está aí dentro de vocês. Como isso impacta seu casamento? Considere como reagem um ao outro quando estão com problemas.

Sua mulher está triste, chateada ou estressada. Ela vem a você querendo desabafar, encontrar um ombro amigo, um carinho, um ouvido aberto. E você age exatamente como aprendeu: dá a ela o mesmo tratamento de choque que recebia de seus pais quando criança. E pior: a censura por ser fraca, emotiva, e vai logo oferecendo suas soluções. E ela, é claro, fica se perguntando como foi casar com esse troglodita insensível da era do gelo.

Seu marido está chateado, estressado, com raiva ou acumulando qualquer outra emoção negativa. Você, é claro, nota logo que algo está errado. Querendo ajudar, lhe dá o tratamento que recebia quando criança: "Amor, o que foi, alguma coisa errada? Fala comigo! O que você está pensando?". Mas ele dá a clássica resposta, "Nada, está tudo bem" — enquanto pensa: "Por que essa chata não me deixa quieto?" E você se sente excluída do mundo dele, como se ele estivesse guardando algum segredo ou não quisesse sua ajuda — enquanto pensa: "Ele não confia em mim!".

Ainda pergunta por que homens e mulheres não se entendem?

A solução começa quando você reconhece essas diferenças entre os sexos e aprende a se comunicar de maneira mais eficaz com seu parceiro, na linguagem dele. Não é que o homem deva chorar no ombro da mulher, nem ela passar a engolir seu choro. Mas ambos podem ser mais compreensivos um com o outro e ter reações mais próximas de suas expectativas.

Você, homem, pode fazer o papel de pai quando sua mulher está tendo os chiliques dela. "Vem cá, deixa eu te dar um abraço... Vai dar tudo certo." E quando você estiver nos seus momentos cinzentos, pode se abrir um pouco mais com ela sobre o que o está incomodando no momento — pelo menos para que ela não fique imaginando coisas.

Você, mulher, pode dar mais espaço ao seu marido, entender que ele aprendeu a se consolar sozinho desde menino e que não lida muito bem com demonstrar seus sentimentos, pois vê isso como fraqueza. E fica a dica: não derrame toda sua carga emocional sobre ele quando está estressada.

Casais que entendem isso e fazem as devidas compensações são muito mais felizes.

Mesmo se estiver lendo este livro sozinho e seu cônjuge não tenha esse entendimento, você pode começar a fazer sua parte. E em algum momento, explicar ao parceiro como gostaria de ser tratado na hora do estresse. Eduque-o sobre o que você precisa e espera.

Homens, entendam: a mulher precisa que seu marido seja sua rocha, seu porto seguro no relacionamento. Ela quer ter certeza de que, se o mundo dela desabar e, por acaso, ela descarregar tudo sobre você — raiva, frustração, tristeza — você não vai deixá-la na mão nem ter uma crise de pânico. Ela espera que o seu homem permaneça firme e procure compreendê-la, ancorá-la durante aquele momento difícil. Tarefa nada fácil, é claro, mas possível.

Mulheres: o homem quer que a esposa confie nele, não fique esperando que ele aja como uma de suas amigas e lhe conte todos os seus problemas com o nível de detalhe de uma asa de borboleta. Você pode demonstrar essa confiança deixando que ele se resolva, mas sem abandoná-lo. Ele a quer por perto, ainda que em silêncio, mostrando com gestos de gentileza que confia na capacidade dele de superar qualquer situação. Nada fácil para você tampouco, mas totalmente possível.

Entenda e pratique isso. Muitas vezes, ser adulto e maduro no relacionamento significa entender a criança que ainda existe em vocês.

- Quando usar: a partir de já, procure compreender de que maneira a criação de vocês influenciou suas expectativas de como ser tratado no momento do estresse.

22. Lembre-se de que vocês estão no mesmo time

O que é mais importante, ser feliz ou ter razão? Estar bem no casamento ou provar que você está certo? Pessoas individualistas são péssimos cônjuges. Casais devem aprender a trabalhar em equipe — porque são uma. Priorizem o bem da equipe. Vocês devem estar sempre lado a lado, mesmo quando não concordarem um com o outro. Discordar não precisa trazer uma briga. Algumas vezes terão de concordar em discordar. Unam-se contra os problemas, jamais deixem que eles os dividam.

Nunca se esqueça de que o importante é que o time saia ganhando e não apenas um de seus jogadores. Como trabalha um time? Um dos fundamentos do basquete é o que se chama de "entrosamento de equipe" e consiste em passar a bola de mão em mão entre os jogadores até que ela chegue a alguém que possa fazer a cesta. Note que o objetivo *pessoal* de cada jogador é, naturalmente, fazer muitas cestas e tornar-se o cestinha da equipe, mas ele abre mão de qualquer objetivo pessoal pelo sucesso de seu time.

Naquele momento não é importante qual dos jogadores, individualmente, irá fazer a cesta, mas que a melhor estratégia seja tomada para que o jogador mais bem posicionado consiga acertar o alvo e aumentar a pontuação do time. Se o último a receber a bola errar a cesta, não será linchado pelos outros. Todos estão empenhados no esforço conjunto e sabem que o trabalho da equipe continua.

Outro aspecto de uma equipe é reconhecer os pontos fortes e fracos de cada jogador. Cada um faz aquilo em que é melhor e todos se complementam. A Cristiane é melhor organizadora e realizadora do que eu, e ótima contabilista. Ela lida com as finanças. Eu sou melhor estrategista e planejador, penso mais nos detalhes. Ambos combinamos nossas forças para o bem do casamento.

- Quando usar: desde o primeiro dia de casamento até que a morte os separe. Principalmente nas discussões em que houver discordância, sinais de individualidade e problemas que os dividam.

23. Blinde-se na internet e redes sociais

Com o uso crescente de redes sociais, sites e aplicativos, é difícil encontrar algum casal hoje em que ambos não tenham algum tipo de presença online. Se não observar algumas regras em comum acordo, com certeza o casal terá problemas. Aqui vão sete áreas que afetam o relacionamento e precisam ser combinadas entre os dois:

1. Livre acesso: como não existe privacidade no casamento (na verdade, praticamente não existe mais em lugar nenhum), deixar o parceiro ter acesso a todas as suas contas virtuais, aplicativos e dispositivos (celular, computador etc.) é essencial. Não é que o parceiro vá ficar

dando uma de detetive ou polícia cibernética, mas se precisar, tem livre acesso a tudo e todas as senhas.

2. Exposição: não poste nada nas redes sociais que exponha você ou seu parceiro. Procure saber quais limites e expectativas seu cônjuge tem para o que deve ou não ser compartilhado. O que o incomoda, não poste. E por favor, entenda: deixar comentários sobre seus problemas de casamento nas redes sociais é como brigar em público. Você sabe onde se lava roupa suja.
3. Amizades: somente aceite pessoas nas redes sociais que **vocês dois** conheçam fora delas. Amigos que seu parceiro não conheça ou não aprove por questionar o benefício daquelas amizades, não tenha em seus contatos. Simples assim.
4. Sexo oposto: não, você não precisa aceitar a sua ex no Facebook; não deve ficar de papo furado com o carinha do seu trabalho que gosta de chamar você de linda; não deve ficar colecionando "amigos" do sexo oposto que o seu cônjuge não conheça nem aprove.
5. Apresentem-se como casal: é muito bom que o casal se apresente junto nas redes sociais, ao menos de vez em quando. Reforçar para o mundo que você é casado ajuda a espantar qualquer pretendente e passa segurança para seu cônjuge sobre sua presença online.
6. Tempo na rede: limitem o tempo que vocês passam no celular e outros aparelhos conectados à rede, principalmente quando estão juntos. Protejam o tempo de vocês e nunca deixe o parceiro se sentir como se as pessoas do outro lado da tela fossem mais interessantes e importantes que ele ou ela.
7. Conteúdo apropriado: por respeito à sua própria mente e também ao seu cônjuge, filtre bem o que você acessa e baixa no seu celular ou outro dispositivo. Vídeos pornográficos, grupos de WhatsApp que compartilham mensagens ofensivas, aplicativos de relacionamento (para quê, se você já é casado?), entre outros, só vão fazer você ficar escondendo estes conteúdos do seu parceiro, gerando desconfiança.
    - Quando usar: sempre que usar a internet de qualquer forma.

24. Não interrompa o seu companheiro

Quando vocês tiverem um desentendimento, permita que seu cônjuge explique o seu ponto de vista antes de você começar a falar. Resista à tentação de se defender ou de contra-atacar. Isso mantém a discussão em nível racional ao invés de emocional. É também importante se concentrar em UM PONTO de cada vez. Não saia de um determinado assunto até que ele tenha sido resolvido, só então prossiga ao próximo assunto.

É o problema dos dois cérebros novamente. O homem tende a fazer isso naturalmente, tirando a caixinha correspondente. Já a mulher, vê as conexões com tudo ligado àquele problema. Rapidamente a discussão envereda por tópicos paralelos e sobe para o nível irracional. *Sobre o que estamos discutindo, afinal?*

Ouça tudo primeiro. Não pense que já entendeu antes que o outro tenha terminado de falar. Não fique pensando no que vai responder antes de terminar de ouvir. Não é uma disputa, você não tem que se defender nem ganhar a argumentação. Você deve entender o problema (não achar que entendeu) e só depois falar. Se o interesse é resolver o problema, deixe a pessoa falar.

É claro que isso não é uma desculpa para você, que fala muito, dominar a conversa. Já vi muitos casais em que um é um orador nato e o outro tem dificuldades de se expressar. É muito chato ver esse casal discutir porque um domina a conversa e o outro nem consegue abrir a boca. Uma boa dica para não perder o foco é pegar um papel e escrever qual é o problema que vocês têm de resolver. Por exemplo: *nossa casa está caindo aos pedaços e já falei várias vezes.* É isso que vocês querem discutir, então não vá para a sogra, nem para o carro, nem para o cachorro. Permaneça naquele assunto, em um ponto só. Resolva aquele e só depois vá para os próximos.

- Quando usar: em qualquer discussão, quando der vontade de interromper ou de dominar a conversa.

25. Tenha senso de humor

Estimule o senso de humor de seu companheiro. Ria o máximo possível. Se vocês não fazem sorrir um ao outro com frequência, considere a alternativa! Acho que uma das coisas que mantêm nosso casamento muito gostoso é o senso de humor. É a maneira de aliviar a tensão e manter a coisa interessante entre os dois. Vocês estão casados para uma longa jornada — que esta jornada seja estimulante, e não chata.

Cristiane e eu temos uma rotina sem muita vida social. Mesmo assim, nunca é chato quando estamos juntos, justamente por causa desse bom humor. Fazemos uma piada um para o outro, comentamos algo engraçado, sempre com leveza, várias vezes no dia. Existem casais que não gostam de ficar juntos, é tão chato ficar um ao lado do outro que acabam cansando. Em nosso caso, a convivência é tão leve e divertida que não conseguimos ficar separados. Temos brincadeiras e piadas que nunca vamos dividir com ninguém, ou das quais ninguém vai rir, porque são piadas internas.

A propósito, mulheres, mais uma dica: homem geralmente gosta de contar piada. Eles não têm os assuntos que vocês têm entre si; as mulheres são normalmente mais sérias. Homens quando se encontram não falam de cabelo, de roupa ou de assuntos profundos, eles gostam de rir. O marido pode ser muito frustrado porque tenta trazer humor para o relacionamento e a mulher o acha bobo e sem graça (e pior — diz isso para ele), depois reclama de ele ficar na televisão. Qual é a graça de conversar com alguém que o diminui só porque você está à vontade e que o obriga a se manter tenso e sério o tempo todo? Ainda que o humor de vocês seja diferente, você, mulher, tem de aprender a achar seu marido engraçado.

Em tempo: responsabilidade e maturidade nada têm a ver com cara fechada. Pelo contrário, uma pesquisa realizada pela Accountemps, especializada em recrutamento nas áreas financeira e contábil, mostrou que 79% dos diretores financeiros acreditam que o bom humor é fundamental para que o funcionário se encaixe na empresa. Se isso fosse indicativo de irresponsabilidade ou falta de seriedade, acha mesmo que executivos experientes colocariam como item importante na hora de contratar pessoal?

Não esquecendo que as vantagens vão além do trabalho e da saúde de seu relacionamento: já se sabe que o bom humor melhora o funcionamento do sistema imunológico, estimula a criatividade, a memória e ainda ajuda a diminuir a sensação de dor. Sem contar o aumento na autoestima. É muito legal quando você tem outra pessoa rindo das suas piadas. Isso traz intimidade. Seu cônjuge pode preferir ficar com os amigos porque eles riem de suas piadas! Se você não acrescenta nada, não é uma pessoa agradável e despreza o que a pessoa fala, por que ela iria preferir sua companhia?

- Quando usar: enquanto estiver respirando. Apenas cuidado para não ofender seu parceiro com um humor que ele(a) não aprecia ou em momentos inapropriados.

26. Certifique-se de que tem toda a atenção dele

Esta é uma ferramenta especificamente para o uso das mulheres. Mencionamos anteriormente que, por causa das diferenças entre os cérebros feminino e masculino, mulheres têm mais facilidade para multitarefas e homens são essencialmente monotarefas. Ela consegue fazer muitas coisas ao mesmo tempo, ele se sai melhor focando toda a sua atenção em uma coisa de cada vez. Por isso, mulher, quando você quiser falar algo muito importante para seu marido, certifique-se de que ele esteja olhando para você e desengajado de qualquer outra tarefa!

Porém, cuidado. Isso normalmente quer dizer que você terá que interromper o foco dele do que estiver fazendo e corre o risco de ele olhar para você, assentir com a cabeça, mas não registrar a informação no cérebro, simplesmente por não estar realmente ali. Escolha bem o momento, fale brandamente — e mesmo assim esteja preparada para lembrar o sem-noção novamente mais tarde, se for realmente crucial.

- Quando usar: sempre que precisar que o cérebro oposto registre algo importante.

27. Mantenha o romance vivo

Um casamento não se baseia em emoção, mas em muito esforço e perseverança. Porém, um pouco de romance ajuda bastante. É muito importante que marido e mulher sempre façam coisas especiais um para o outro. Se não formos cuidadosos, o trabalho, os filhos e as outras responsabilidades e pressões tomarão todo o nosso tempo. Certifique-se de ter momentos a sós. Levar trabalho para casa regularmente, passar horas em frente à TV, permitir que as crianças tenham todo o seu tempo e atenção são comportamentos que fazem com que casais se distanciem. Vocês precisam ter esses momentos "a sós". Planeje com antecedência.

Hollywood nos fez acreditar que romance é uma coisa complicada, elaborada e cara, mas não é. Romance pode ser definido simplesmente como "fazer algo fora da rotina, que mostre o seu amor pela outra pessoa". Não precisa ser algo grande, na maioria das vezes o romance está nos detalhes. Você, homem, talvez não se julgue romântico, mas a coisa é muito simples, é só fazer com espontaneidade. Nem sempre você precisará gastar dinheiro para ser romântico. Eis algumas ideias: envie uma mensagem dizendo que está com saudade, faça uma ligação no meio do dia, perguntando à esposa como ela está, deixe um bilhetinho inesperado, uma cartinha como as que você escrevia quando eram namorados (pode colocar sob o travesseiro ou junto com as escovas de dente, ou mesmo dentro da mala, quando forem viajar).

Dar flores já virou clichê, nem sempre funciona. Se vocês tiverem um gato, por exemplo, leve em consideração o temperamento do bichano. Se ele atacar o buquê e despedaçar as flores, pode não ser muito romântico. Se decidir arriscar mesmo assim, escolha flores que gatos possam comer (nunca se sabe, não é?). Você também pode desligar os telefones, fazer pipoca, escolher um filme que ela goste para assistirem abraçadinhos no sofá (não durma durante o filme, isso não é romântico). Enfim, seja criativo, faça algo diferente, mas simples, que mostre que você pensa em seu cônjuge nos momentos mais triviais. Para ajudar, sua tarefa de casa é fazer algo romântico para o seu parceiro este fim de semana. Vamos começar a praticar?

- Quando usar: no mínimo uma ou duas vezes no mês, e sempre que a rotina fizer o relacionamento chato. Essa é uma ferramenta de manutenção. Surpreenda seu cônjuge.

Para facilitar o acesso futuro a essas ferramentas na hora em que precisar usá-las, segue uma tabela resumida com sugestões de aplicabilidade e o número das ferramentas:

- Quando houver algo mal resolvido entre vocês: 1
- Precisando de direção sobre o uso da internet e redes sociais: 23
- Durante uma discussão: 2, 3, 8, 9, 10, 12, 13, 19, 21, 24
- Quando notar distância ou indiferença: 5, 21, 23, 26
- Quando o cônjuge lhe pedir alguma coisa: 6, 18
- Ferramentas de uso diário: 7, 5, 8, 13, 14, 17, 20, 21, 22, 23, 25, 26
- Ferramentas de comunicação 3, 8, 9,10,12, 13,19, 22, 24, 26
- Quando identificar um problema perpétuo 11
- Quando o outro pisou na bola: 12
- Quando houver quebra de confiança: 14
- Quando estiver estressado: 15, 18, 21
- Quando um problema ameaçar ressuscitar: 16
- Quando perceber o cônjuge sobrecarregado: 18, 21, 25
- Ferramenta de manutenção: 27
- Quando tudo o mais falhar: 4

CAPÍTULO 23
O AMOR CARO

Um casal completava cinquenta anos de casado e resolveu comemorar. Ao ser perguntado sobre o segredo de permanecer casado por tanto tempo e em harmonia, o marido respondeu:

— Sabe o biquinho do pão? É a minha parte favorita. Por cinquenta anos, todas as manhãs, eu tenho dado aquele biquinho para ela.

Respondendo a mesma pergunta, a esposa disse:

— Sabe o biquinho do pão? Eu odeio! Mas por cinquenta anos eu tenho aceitado sem reclamar...

Esta pequena ilustração revela o grande segredo do que é a base do casamento. Em uma palavra: sacrifício. Por cinquenta anos ele abriu mão daquilo que gostava por amor a ela, e ela também abriu mão de sua vontade por ele. Pense na fundação de uma casa ou edifício. Ela sustenta aquela estrutura. Assim é o sacrifício no casamento. É o que ninguém enxerga ao olhar o casal, de fora, mas a felicidade deles é resultado dos sacrifícios que fazem um pelo outro.

DEZENOVE ANOS EM COMA

Desde que eu soube deste caso, nunca o esqueci. Para mim, é um dos melhores exemplos do que é o amor verdadeiro, o amor-sacrifício. Jan Grzebski era um ferroviário polonês. Em 1988 ele sofreu um forte golpe na cabeça enquanto tentava engatar dois vagões de trem e entrou em coma. Jan foi desenganado pelos médicos, que também encontram um câncer em seu cérebro. Segundo eles, a recuperação era impossível e ele não sobreviveria. Gertruda Grzebska, esposa de Jan, ignorou aquela palavra derrotista e decidiu levá-lo para casa e cuidar dele sozinha.

Jan não falava, não andava, não se comunicava de maneira alguma, nem interagia. Todo o relacionamento que tiveram não existia mais, o marido forte com quem convivia há tantos anos era agora um bebê totalmente dependente de seus cuidados. Ela terminou de criar sozinha os filhos, enquanto se esforçava para manter vivo o marido, que era capaz apenas dos movimentos mais básicos, como respirar, engolir, abrir e fechar os olhos.

Ainda assim, ela se revoltava quando alguém sugeria eutanásia (com a desculpa de "interromper o sofrimento"), pois acreditava que o certo era dar a ele a chance de se recuperar. Todos os dias, Gertruda falava com o esposo como se ele pudesse ouvir, cuidava para que ele não ficasse muito tempo na mesma posição na cama, virando seu corpo para evitar as temidas úlceras de pressão, comuns em pessoas acamadas, que podem levar à morte por infecção. Os filhos foram crescendo, se casaram e lhes deram netos. Gertruda levava o marido para todas as principais festas da família, como se ele pudesse participar delas.

A incansável Gertruda teve sua recompensa em 2007. Após dezenove anos em coma, Jan finalmente despertou, aos 65 anos. Os médicos creditaram a recuperação dele à esposa, que optou pelo caminho mais árduo. Jan estava ainda mais ligado a ela, pois se lembrava de que Gertruda esteve ao seu lado quando ele mais precisava. Ela fez o que era certo e melhor para ele, abrindo mão de sua própria vida para cuidar do marido, sem cobrar nada dele por isso. Acreditou, quando nem os médicos acreditaram, esperou, perseverou... e foi recompensada.

Durante o coma, Gertruda descrevia o esposo como "um cadáver vivo", mesmo assim permaneceu ao seu lado. Não houve sentimento no que ela fez, nem romance, foi puro sacrifício — o verdadeiro amor — mas você consegue pensar em uma atitude mais romântica? Nenhuma história de amor é mais bonita do que as que envolvem o amor sacrificial. Gertruda recebeu uma merecida medalha de honra ao mérito do presidente polonês, por sua dedicação e sacrifício, tamanha a raridade desse tipo de amor nos dias atuais.

Diante da realidade que Gertruda viveu por dezenove anos, as perguntas são inevitáveis: o que *você* teria feito no lugar dela? E o que são os problemas que você tem enfrentado no seu casamento? Como desistir de seu cônjuge?

Somente o amor-sacrifício é capaz de vencer tudo. É o amor caro, genuíno. Cuidado com imitações baratas.

PERDER PARA GANHAR

Sacrifício é a maneira de colocar em prática tudo o que ensinamos até aqui. Na realidade, toda pessoa de sucesso está bem familiarizada com o conceito de sacrifício. Em qualquer área da vida, se alguém conquistou algo de grande valor, realizou grandes feitos, obteve grandes vitórias, com certeza cruzou a ponte do sacrifício. Ele é o caminho mais curto para o sucesso. Mas, é claro, não é o mais fácil.

O que é sacrifício? As pessoas estão habituadas a entender "sacrifício" como "sofrimento", acham que sacrificar no casamento seria viver sofrendo. Mas nos referimos a sacrifício no sentido de renúncia, de abrir mão de alguma coisa por algo mais importante.

Digamos que está extremamente frio, eu tenho dois casacos e alguém ao meu lado está tremendo. Eu lhe ofereço um deles e fico com um. Isso não é sacrificar, é dar. Mas se eu só tenho um casaco e o entrego, estou sacrificando. Sacrificar é você perder agora por ter certeza de que vai ganhar algo de muito maior valor lá na frente. E, às vezes, esse algo de maior valor é a sua própria consciência de saber que fez o que era certo, e não o que sentiu vontade de fazer. Foi o que fez Gertruda.

O amor verdadeiro é o amor marcado pelo sacrifício. É caro. Como já dissemos aqui, amor não é sentimento. Ele inclui sentimentos, mas não é definido por eles. O mundo tem associado amor com sentimento em uma receita bastante indigesta: pega a palavra "amor", a vontade de estar junto, o ciúme, a cobiça, o desejo sexual... junta tudo e — através do cozimento na música, nos filmes, na arte em geral — faz o público acreditar que isso é amor. Não é. Esse amor é pirata. O que define o amor genuíno são duas coisas conectadas:

Fazer o que é certo para a outra pessoa. Tenho de ser justo com a pessoa que amo. Farei o certo por ela, independente do que sinto ou deixo de sentir, do que eu acho ou deixo de achar e do quanto vai me custar.

Casamento não é escravidão. É um lugar onde duas pessoas livres escolhem abrir mão de certas liberdades pelo benefício infinitamente maior de ter quem ama sempre ao seu lado.

Onde há controle, não há amor. O amor só existe onde há perfeita liberdade de escolha, e a escolha é fazer o bem a quem ama.

Sacrifício. Se o seu amor se resume a uma sensação gostosa, ele não sobreviverá às tempestades. O único amor que sobrevive a tudo é o que não se baseia em sentimentos, mas em sacrifício. Quem diz que "o amor acabou" é porque não conhece o amor. O verdadeiro amor jamais acaba.

O egoísmo dos dias atuais impede que muitos casais coloquem esse conceito em prática, acreditando que se prejudicarão ao sacrificar, mas quem tem escolhido trilhar esse caminho por amor, não se arrepende. Não quero que você pense que deverá sofrer ou que seu casamento será uma cruz a ser carregada eternamente. O sacrifício não é um fim em si mesmo, ele é um meio para conquistar algo maior.

Como a pessoa que tem como meta passar em um disputadíssimo concurso público para ganhar um salário três vezes maior do que o atual. Se não sacrificar, abrindo mão do lazer por horas de estudo, talvez passando dias em um curso preparatório ou quebrando a cabeça sobre os livros, dificilmente conseguirá algum resultado. Comece a sacrificar pelo seu casamento e você colherá um relacionamento maravilhoso, cheio de paz, compreensão, companheirismo e fidelidade... Que compensa todo o sofrimento que você teve de enfrentar no princípio. Pelo resultado alcançado, você faria tudo de novo. Faça o teste.

Isso não é novidade. Além de casais bem-sucedidos do passado terem testado e aprovado esse método, várias pesquisas sobre relacionamentos já demonstraram que não há melhor maneira de um casal criar fortes vínculos no longo prazo. Não é à toa que essas pesquisas chamam de "comportamentos pró-relacionamento" coisas como sacrificar pelo bem da relação ou inibir sua própria reação negativa a uma provocação do parceiro (o que também é sacrifício).

Quando uma pessoa apresenta comportamentos pró-relacionamento, leva o outro naturalmente a se comprometer mais com o relacionamento. O vínculo se torna mais forte, pois a maioria das pessoas tem a tendência a ser compensadora em suas relações interpessoais. Quando percebe que o outro está colaborando, colabora também. Quando percebe que o outro está resistente, indiferente ou agressivo, também reage de forma negativa. Poucos têm a tendência natural de começar a cooperar mesmo antes de receber alguma cooperação do outro.

O problema começa a se desenhar aí. Se os dois estão esperando que o outro coopere primeiro para, então, cooperar também, quando resolverão esse impasse? Essa não é uma atitude inteligente. A atitude mais inteligente é, conscientemente, começar a fazer o que você sabe que funciona, para colher o resultado que você quer.

COMO SE PRATICA NO CASAMENTO

Listo aqui alguns exemplos (há muitos mais) de sacrifício no casamento, para você entender como e quando isso se aplica na prática:

- **Sacrifício na comunicação.** Tive que aprender a me comunicar mais com a Cristiane. Não era o meu jeito chegar e conversar, geralmente estava muito cansado e queria ficar calado. Comunicava-me por monossílabos. Por amor, sacrifiquei esse modo de agir, respondendo às suas perguntas. Ainda hoje, ela me faz perguntas e eu me vejo fazendo um esforço, pois não quero conversar sobre aquilo, não vejo sentido em falar aquilo, mas penso: Não importa o que eu sinto, vou fazer o que é importante para ela.

  Se o marido é mais calado e a mulher se comunica muito, é sacrifício para o homem ser mais comunicativo com sua esposa. Por outro lado, a esposa que fala demais, exige, cobra, impõe, é insuportável. Ninguém aguenta. Ela se tornará uma pessoa mais agradável ao seu marido se sacrificar, diminuindo o ritmo e eliminando as cobranças. Se os dois fizerem isso, alcançarão o equilíbrio saudável, mas se apenas um fizer, metade dos problemas se resolverá... E a outra metade acabará seguindo o novo padrão e se resolverá também, mais cedo ou mais tarde.
- **Sacrifício de humildade.** Você sacrifica quando engole seu orgulho, dá o braço a torcer e admite que o outro está certo. Isso é sacrifício porque fere, mas você não quer alimentar um coração duro, então sacrifica seu orgulho e assume o erro.
- **Sacrifício no lazer.** Você sacrifica se sua esposa gosta de sair e você sai com ela para agradá-la, ou um dos dois não gosta de sair e o outro fica

em casa, sem reclamar. Seu marido adora futebol e você não entende qual é a graça de ver um monte de homem correndo atrás de uma bola. Mesmo assim, se senta ao lado dele e se esforça para aprender a admirar aquele esporte, vendo com os olhos do seu esposo, porque é importante para ele. Você fica feliz com a felicidade de seu cônjuge.

- **Sacrifício no sexo.** Quando você é egoísta e não sacrifica no sexo, seu objetivo é se satisfazer e ponto final. A partir do momento em que você aprende o que é sacrifício, consegue colocar o prazer do outro em primeiro lugar. Nunca haverá um insatisfeito, pois sua meta será satisfazer a outra pessoa e você não estará satisfeito enquanto ela não estiver. Só através do sacrifício é possível alcançar o prazer mútuo.
- **Sacrifício no temperamento.** Tolerar hábitos que o irritam, mas que você irá ignorar conscientemente. Raciocine: comparado ao conjunto que compõe o relacionamento, aquilo é insignificante. Você não vai transformar algo pequeno em um problema.
- **Sacrifício das emoções.** Esse talvez seja um dos maiores sacrifícios, pois diz respeito a algo ligado diretamente ao coração. Impulsividade e sentimentos levam casais a estourar a ponto de magoar, alimentar raiva e dormir em quartos separados. É necessário sacrifício para controlar os instintos emotivos que os levam a cometer atos impensados. Não deixarei a emoção me fazer insultar minha esposa, tenho de respeitá-la. Não irritarei meu cônjuge com reclamações sem fim, que desembocam em uma briga inútil e desnecessária. A Cristiane deixou de reclamar comigo para reclamar com Deus, pedindo uma mudança em meu comportamento. Ela sacrificou suas emoções pela dependência de Deus.
- **Sacrifício nos objetivos.** Muitas vezes, quando seu objetivo pessoal exclui seu casamento, é necessário sacrificar. Quando um coloca seus objetivos individuais acima do relacionamento, aquilo fere a relação. Esse é o motivo de muitos casamentos de celebridades terminarem em divórcio. Se você coloca a carreira acima da união, por exemplo, o parceiro se sente mero acessório. É difícil aturar essa situação por muito tempo. Vocês têm de sacrificar seus objetivos pessoais para encontrar objetivos em comum.
- **Sacrifício nas amizades.** Se o seu cônjuge se sente desconfortável com alguma amizade sua ou se alguém tem sido uma influência negativa

em seu casamento, você terá de sacrificar a amizade pelo casamento. Afaste-se de amizades do sexo oposto que geram ciúmes. Em alguns casos, até alguns parentes terão de ser mantidos a distância.

PERDÃO: O MAIOR DE TODOS OS SACRIFÍCIOS

Se o seu cônjuge já lhe causou muita dor e decepção, e vocês estão tentando seguir em frente, é necessário que você aperte o botão "reiniciar" em seu relacionamento. Quando seu computador trava, você tem de reiniciá-lo para que ele apague o que estava dando problema, certo? Da mesma maneira, para seu casamento funcionar você tem de reiniciá-lo através do perdão.

O perdão não é algo que sentimos *vontade* de fazer. Sua vontade é de punir a pessoa. Você acredita que perdoar faz com que a pessoa não sofra as consequências de seus atos, então guarda rancor, como forma de vingança. Existe um ditado que diz que guardar mágoa é como tomar veneno de rato e esperar que o rato morra. Pense bem, o rato não vai morrer! É você quem está tomando o veneno, é você quem vai morrer, enquanto o rato continuará vivinho da silva, correndo para lá e para cá, fazendo suas ratices e roendo tudo que encontrar pela frente. Quem perde com isso?

A mágoa escraviza, é um fardo e, por isso, não combina com inteligência. Para que carregar um fardo que não precisa ser carregado? A outra pessoa já esqueceu e olha para a frente, mas você está aí, ruminando o passado. Perdoe, não porque a outra pessoa merece, mas para não carregar algo que nem ela está carregando. Perdoar alguém é dizer: "Eu me importo mais com a minha paz interior do que com a decepção que você me causou". Mágoa é um lixo emocional. Quando você alimenta mágoa, está comendo lixo. Você ingere a comida mais podre e tóxica que poderia imaginar, carrega nas costas o saco de lixo orgânico em decomposição que lhe servirá de jantar e faz questão de se agarrar a ele quando alguém lhe pede para deixar aquilo para trás.

Sei exatamente o que é isso. Eu tinha mágoa de uma pessoa da minha família, que teve parte da culpa pela separação de meus pais. Em minha adolescência, prometi a mim mesmo que na hora certa daria o troco, para ela pagar pelo que fez. Quando comecei na igreja e ouvi o pastor falar sobre perdoar os inimigos, meu primeiro pensamento foi:

Você não conhece a pessoa que destruiu a minha família. É fácil para você falar isso porque você não sabe o que passei. Talvez seja o que passa em sua cabeça enquanto lê sobre o perdão. Eu também não entendi, no início, mas com o passar do tempo percebi que ela não estava pagando nada com minha mágoa, eu é que estava pagando. Quando entendi que devia perdoar para o meu bem, me interessei em saber como poderia fazer isso, já que não tinha vontade alguma.

ENTÃO, COMO PERDOAR?

A primeira coisa que você precisa saber a respeito do perdão é que ele não nasce de uma vontade, mas de uma decisão. Decidir perdoar nem foi tão difícil, já que eu havia entendido: era o certo a se fazer. Precisava agora conseguir seguir em frente. O segundo passo era começar a orar pela tal criatura, pedir a Deus por ela. Muitos que continuam carregando seu lixo emocional dizem orar por seus inimigos. No entanto, o que falam em suas orações não se encaixa nessa categoria. Por exemplo, não espere resultado positivo contra a mágoa se você diz: *"Senhor, faça o João pagar pelo que fez"*, ou *"Deus, pese a mão sobre a Maria"*. Isso não é orar por seus inimigos! Isso é despejar seu rancor em algo que Deus não vai ouvir. A Bíblia nos orienta a abençoar os que nos perseguem[1] e reforça: *Abençoai, não amaldiçoeis.* Este é o ponto.

No começo, minha oração não era sincera. Eu começava a orar por ela, pedia para Deus abençoá-la, mas queria mesmo pedir para Ele mandar um raio em sua cabeça. Ignorando minha vontade de vê-la partida em milhões de pedacinhos, continuava minha oração sem graça. Com o tempo, aquela pedra em meu coração se desfez e eu passei a ver aquela pessoa com outros olhos. A oração me ajudou a mudar a maneira de enxergar. Então, dei o terceiro passo: passei a olhar para a frente. Percebi que tinha de ser prático, olhar para trás não era inteligente. O que ela fez, já estava feito. Se ela tivesse de pagar alguma coisa, pagaria diante de Deus, eu não tinha mais nada com isso.

Percebi que eu também era cheio de falhas, não podia exigir dela perfeição, pois não sou perfeito. Se Deus, que é perfeito, me visse com o mesmo rigor com que eu via aquela pessoa, estaria perdido! Mas se

---

[1] Romanos 12:14.

recebi o perdão dEle, como não perdoaria também? *Perdoai nossas dívidas assim como nós perdoamos os nossos devedores*[2]. Se você não perdoa, nem o *Pai-nosso* você pode orar, já pensou? É injusto eu querer algo que não estou disposto a dar.

Aí está a diferença entre o amor verdadeiro e o amor sentimento. Seu coração, o centro das emoções, estará sempre pedindo para fazer o que você tem vontade em vez de fazer o que é preciso. Você sabe que o certo é ir falar com seu cônjuge, mas não sente vontade de ir. Seu coração faz com que sua cabeça justifique sua vontade, dizendo: *por que eu tenho de falar? Ele é que estava errado!* Mas se você usa a cabeça e domina seu coração para não viver por suas emoções, vai e faz o certo, ainda que contra a sua vontade.

É uma guerra constante. Não posso prever o que vou sentir, ninguém tem esse controle. O sentimento vem. Mas eu tenho o controle de minha cabeça, posso determinar o que vou pensar, como vou reagir diante daquele sentimento. Tenho de usar minha inteligência quando meu coração está usando o sentimento contra mim.

Acha difícil? Mas você mesmo faz isso todas as manhãs, principalmente às segundas-feiras, quando o sacrifício é naturalmente maior. Você não quer levantar da cama. Sua vontade é continuar deitado. Programa o despertador para "mais cinco minutinhos" e desaba de volta ao mundo dos sonhos. Mas quando ele toca novamente, sua cabeça diz: *Não, você não pode faltar. Não pode chegar atrasado de novo. Tem que trabalhar.*

Você se levanta, se arrasta até o banheiro, lutando contra si mesmo. Se for necessário, se enfia embaixo do chuveiro gelado só para mostrar ao seu coração quem é que manda. Resignado, ele não insiste mais e você consegue tomar seu café da manhã e ir para o trabalho. Se não fizesse isso, não teria emprego, não é mesmo? É assim que se vence essa guerra dentro do seu casamento. É um sacrifício, sim, mas perfeitamente executável. Tudo que é bom é caro.

LUTANDO SOZINHO PELO RELACIONAMENTO

Talvez você diga: "Mas não há limites? E se meu cônjuge não me corresponde? Estou preso pelo resto da vida?".

---

[2] Mateus 6:12.

Sem dúvida há pessoas que não querem o amor de outras. Há quem rejeite até o amor de Deus. Por isso, é impossível ter um relacionamento com tais pessoas. Nem Deus força ninguém a amá-Lo ou a segui-Lo. Ele sacrificou por todos, mas nem todos aceitam o Seu sacrifício nem as condições para ter um relacionamento com Ele. O amor é incondicional, no que diz respeito à compreensão das fraquezas da outra pessoa. Mas um relacionamento, um casamento, não é e nunca pode ser incondicional. Para que duas pessoas vivam juntas, certas condições têm de ser cumpridas. Eu amo a minha esposa, mas se ela me trair, não vejo como continuar um relacionamento com ela. Sei que ela sente o mesmo a meu respeito. A fidelidade é uma condição para o nosso casamento funcionar. Dar uma nova chance diante de um arrependimento sincero? Talvez. Cada caso é um caso, e cada um tem a sua fé e seus limites. Mas uma coisa é certa: um bom relacionamento exige participação de ambas as partes. Se a pessoa com quem você está não quer fazer nada pelo relacionamento, talvez seu sacrifício seja mais bem investido em outra pessoa.

Mas, antes de jogar a toalha, considere estes três passos a seguir.

Quando você sente que está lutando sozinho pelo relacionamento, falta motivação para continuar. Às vezes parece que a única saída é desistir. Muita calma nessa hora. Ainda há muito que você pode tentar. Temos visto muita gente começar a batalha sozinha e conseguir reverter a situação ao sair da posição de vítima e agir estrategicamente. Há uma maneira de influenciar o outro e salvar seu casamento, mas você precisará agir de forma racional e seguir estes três passos, na exata ordem em que os apresentamos:

1. Resolva o seu lado. Analise: você tem mudado? É difícil olhar para o que você tem feito de errado ou não tem feito de certo. Mesmo sabendo que só podemos mudar a nós mesmos, é muito mais fácil enxergar os erros do parceiro, olhando para o que a outra pessoa tem feito ou deixado de fazer. Por exemplo, você, esposa, fica olhando para o fato de o marido só pensar no trabalho e não dar atenção a você, mas e você? O que tem feito pelo seu relacionamento?

Não estamos falando de cobranças, do que você tem apontado ao seu parceiro, mas sim de mudanças em suas atitudes e reações. Por exemplo, você cobra demais, liga a toda hora, tem ciúme descontrolado? Quais mudanças tem feito em si desde que começou a ler este livro? Parou de cobrar? Tem agido de modo mais racional? Procure descobrir em que pode melhorar para beneficiar seu casamento. Preste atenção às suas reações. Não tente justificar seus erros com os erros do outro: "ah, mas eu grito porque ele me irrita" ou "eu só brigo porque ela me provoca". Se um erra porque o outro erra, os dois estão errados. A estratégia é agir de tal forma que somente o outro seja a pessoa errada. Quando toma essa decisão e passa a fazer o que é certo pelo relacionamento, vai ficar claro que agora as grosserias têm vindo só de um lado, o egoísmo está vindo só de um lado. Sem você dizer nada, isso ficará claro como a luz do dia, somente pela sua mudança de comportamento.

Para começar a mudar é necessário parar de reclamar. Toda vez que reclama do outro, desperdiça suas energias. Reclamar não resolve nada, o que resolve é agir. Você não pode mudar o outro, mas pode fazer uma verdadeira revolução em seu casamento se começar a trabalhar em zerar os seus próprios erros. Pare, pense e faça uma lista: "quais coisas eu faço que atrapalham o meu relacionamento?". Seja honesto. Eu sou chato? Eu grito? Fico cobrando? Não dou atenção ao meu marido ou à minha esposa? Sou ciumento? Sou inseguro? Identifique seus erros e trabalhe na mudança.

Importante: não mude por uma semana, por um mês ou por um tempo, apenas. A mudança precisa ser permanente, não temporária. Quando você faz uma coisa certa, você não desiste dela, mesmo quando não vê resultados imediatamente, pois sabe que está fazendo o certo. Faça isso por você, não somente para ver a mudança no outro, faça porque você vai se sentir melhor errando menos na relação.

2. Olhe para frente. Depois de ter parado de errar e mudado, comece a pensar em como pode melhorar como pessoa. O que você quer? O que pode desenvolver? Não é só mudar, é acrescentar. Mas atenção: esse olhar para frente tem a ver com não ficar parado no tempo. Não tem nada a ver com cair na balada, fazer ciúme para o outro, nada disso. Estamos falando de melhorar como pessoa. Pensar em vingança e esperar reação do parceiro é viver em função dele e piorar como pessoa. Olhe para si.

Por exemplo, está acima do peso? Cuide da sua saúde. Está mal no seu trabalho? Está parado financeiramente? Invista em seu trabalho, faça um curso, leia um livro que o ajude a se aprimorar como profissional. Está mal consigo mesmo? Invista na sua fé e cuide da sua vida espiritual e de seu relacionamento com Deus. Não fique mais com pena de si mesmo. Cuide de você para se tornar uma pessoa melhor.

O sentimento que o outro vai ter é: "se eu não acompanhar a melhora dele/dela, vou ficar para trás e acabar perdendo". Se o marido está no mundinho dele, egoísta, em vez de vê-la mendigando atenção dele, se lamentando e chorando, esperando por ele, vai ver que, independentemente dele, a esposa está indo para frente. A pessoa percebe que você, além de não errar mais, está se desenvolvendo. Você não parou sua vida por causa dela.

Até aqui provavelmente sua reação tem sido chorar, reclamar, cobrar, mendigar atenção e, ao não fazer mais isso, automaticamente o outro vai estranhar esse comportamento. É natural que, com sua mudança e melhora, a pessoa seja obrigada a olhar para si mesma. Seu cônjuge não vai mudar porque você pediu, mas porque ele vai perceber que, se não mudar, vai perder. Importante: invista em você por causa de si mesmo e não como forma de manipular ou chamar atenção da outra pessoa.

Depois de um tempo praticando os dois passos anteriores, sem recaídas há alguns meses, provavelmente já verá resultados. Porém, se em pelo menos três a seis meses praticando esses dois passos você não viu nenhuma mudança no parceiro, talvez tenha que passar para o próximo passo. No entanto, é importante reforçar: **não passe para o próximo passo sem ter feito os dois anteriores, ou não irá funcionar**.

3. Dê um ultimato. Agora você tem crédito. Pode dizer: "eu mudei, estou fazendo a minha parte nessa relação, mas se você não vai mudar, vou sair desse relacionamento". Há duas possíveis reações para isso: ou a pessoa diz "ok, tudo bem, então vamos terminar" — e você precisa ser forte para se manter firme na decisão de encerrar o relacionamento; ou a pessoa diz "não, não quero terminar. O que eu faço?"— e você tem a oportunidade de ajudar essa pessoa a melhorar também. Além de não dar mais razão para seu cônjuge reclamar, por ter se tornado uma pessoa melhor, você aumentou seu valor e ficou muito mais difícil para o outro querer perdê-lo. Por isso não dá para dar esse ultimato antes de praticar os dois passos anteriores. Você precisa parar de errar e melhorar como pessoa primeiro, por tempo suficiente, para aumentar seu valor e dar um motivo ao outro para querer se esforçar também. Ele não vai querer perder uma esposa que lhe faz tão bem. Ela não vai querer perder um marido que tem sido tão bom para ela.

Antes de praticar os dois primeiros passos, um ultimato provavelmente vai acabar com seu casamento. Mas depois de mudar e se transformar em alguém que o outro não quer perder, o ultimato vai forçá-lo a se posicionar no relacionamento.

A razão diz que essa pessoa vai colocar a mão na consciência e reconhecer que tem que mudar para não perder. Mas se está com alguém que não tem caráter e só está usando você, essa pessoa não vai querer lutar pelo casamento. Aí é o momento de se valorizar e não permitir que essa pessoa continue a ferir você. É o momento de partir para uma separação. Não estamos falando de divórcio. Uma separação estratégica (como explicaremos a seguir) é algo de que algumas pessoas precisam para se obrigar a tomar uma atitude para mudar o relacionamento.

Quando você se retira do relacionamento, tira toda a acomodação. Se o outro estava tirando proveito, vai sentir a falta. Muitos só dão valor quando perdem. A separação dá à pessoa aquele tempo para ver que está perdendo. A maioria, nesses momentos, se dá conta de que errou e precisa fazer alguma coisa.

Você vai ter que se planejar, pensar em onde ficar, em como vai fazer as coisas funcionarem na sua vida durante esse tempo. Não dê o ultimato sem ter esse planejamento certo. É importante se manter firme na decisão, mesmo contra o seu sentimento. Você pode pensar que vai sofrer se afastando dessa pessoa, mas sofrendo você já está.

A SEPARAÇÃO ESTRATÉGICA

Alguns conflitos só podem ser resolvidos a partir de uma separação estratégica. Não se trata de divórcio nem de desistir do relacionamento, e sim de forçar o outro a lidar com o problema. Às vezes, o cônjuge tem o outro por garantido, especialmente se há um histórico de errar com o parceiro sem maiores consequências. Acha que o outro simplesmente tem que aceitar. A separação estratégica deve ser usada quando o cônjuge infrator insiste no erro mesmo depois de várias tentativas suas de fazê-lo enxergar e parar. Deve ser um tipo de último recurso, uma decisão devidamente considerada e planejada (não por impulso ou em um momento de raiva), sempre com clareza sobre a condição que o outro terá de cumprir antes de você voltar. E, é claro, não é para ser usada muitas vezes. Na maioria dos casos, uma vez é o suficiente para o recado ser entendido.

Para mudar o jogo, primeiro você deve começar a colocar limites e deixar claro para o parceiro infrator o que não irá mais aceitar. Numa boa, sem gritar, ameaçar ou ofender, você simplesmente dirá algo assim: "Eu quero algo melhor para o nosso casamento. Não vou mais aceitar... [cite o comportamento inaceitável]. Quero lhe dizer que se continuar com esse comportamento, um dia você vai chegar em casa e não me achar mais aqui. Não é isso que eu quero, mas o farei se for preciso."

É quase certo que suas palavras serão testadas e o comportamento inaceitável irá se repetir. Daí, você sai de casa na primeira oportunidade. Tenha tudo já planejado para ficar com algum parente, amigo ou outro lugar seguro (priorize sua segurança, especialmente se há histórico de agressão). Quando o cônjuge chegar em casa e você não estiver lá, seu telefone irá tocar. Então você vai dizer, com calma e firmeza: "Eu te disse que não iria mais aceitar esse comportamento". Ele ou ela vai querer negociar a sua volta. E é aí que você colocará as suas condições para voltar. Enquanto o outro se recusar a mudar ou buscar ajuda, você não continuará no relacionamento.

— *"Enquanto você insistir em gritar e me ofender, não haverá conversa nem volta."*

— *"Quando decidir buscar ajuda para deixar o seu vício, eu voltarei para buscar essa ajuda junto com você".*

— *"Só aceitarei duas pessoas na nossa relação sexual: eu e você. Enquanto me desrespeitar com a pornografia, eu não continuarei nesse relacionamento."*

— *"Você precisa aprender a controlar sua agressividade. Quando resolver isso e mudar, eu volto."*

— *"Não sou mulher de tolerar que você fique em contato com outras mulheres. Exijo fidelidade."*

São alguns exemplos. O afastamento físico, quando feito para preservar sua segurança, colocar limites e exigir que o problema seja confrontado, pode ser muito eficaz. Não é simplesmente "dar um tempo". Tempo não resolve nada. Seja claro sobre o que deverá mudar primeiro antes de voltar à relação. E só volte depois da mudança, não apenas porque houve promessa de mudança. Às vezes, precisamos nos comunicar com certas pessoas por atitudes. Se usarmos apenas palavras, elas não captam a mensagem. Não acreditam no que falamos por causa de nosso histórico de passividade. Há pessoas que só reagem à dor ou à perda. Consequências mostram onde está o nosso limite. Mas não se esqueça: esta é uma atitude extrema a ser tomada em casos igualmente extremos, depois de você ter trabalhado duro para mudar a si mesmo e permanecido nessa mudança por meses sem ver nenhuma melhora no comportamento do parceiro. Essa atitude é o último recurso humano para salvar o casamento.

E se, mesmo depois de tudo isso, o outro continuar endurecido? Existe o recurso da fé. Temos visto isso em nosso trabalho da Terapia do Amor[3], quando tudo parece perdido, a pessoa recorre à fé e consegue resolver até casos que pareciam impossíveis de se resolver. Estamos falando de fé e não de religião. Normalmente, as pessoas já têm informação, mas ela não é suficiente. Quando chegamos a um limite em nossa vida em que não temos mais o que fazer, aí é que entra a fé. Se você tem essa fé de que ainda pode ser feliz com essa pessoa, mesmo tendo acontecido tudo o que já aconteceu, não desista. Leve seu caso à última instância, ao Tribunal Superior. Trazer sua vida amorosa a Deus é levar o equipamento que você comprou de volta ao fabricante. Foi o que mudou nosso casamento e tem mudado o casamento de muitos casais em nossos programas e palestras — até mesmo os casos mais graves, que pareciam impossíveis de solucionar. Faça uma prova.

[3] Palestras presenciais que ensinam a solucionar crises conjugais. Acesse: terapiadoamor.tv

Quais sacrifícios você precisa começar — ou continuar — a fazer pelo seu relacionamento?

POSTE:
Eu não quero um amor barato, por isso sacrifico.
#casamentoblindado

No Facebook: fb.com/CasamentoBlindado
No Instagram: @CasamentoBlindadoOficial
No Twitter: @CasamentoBlind

CAPÍTULO 24
MANTENDO A BLINDAGEM

Esperamos que você tenha despertado para o fato de que o casamento no século 21 não é mais o que tradicionalmente foi. Estamos em um novo mundo, envolvidos por uma cultura de relacionamentos descompromissados e rodeados por um conjunto de novas ameaças que há apenas alguns anos não existiam. Para quem ainda quer se casar e permanecer casado, a blindagem do relacionamento não é um luxo, mas uma necessidade.

E o que fizemos neste livro até aqui foi exatamente o contrário do que o mundo está fazendo. Enquanto as palavras da moda incluem progressismo, avanço, modernidade, curtir, ficar, pega-mas-não-se-apega etc., nós voltamos ao início de tudo, fomos lá atrás, no Jardim do Éden, e trilhamos os passos do homem e da mulher até aqui. Descobrimos assim o que é o casamento em sua essência, o que funciona, o que é o amor marcado pelo que faz e não pelo que sente, quais as maldições peculiares ao homem e à mulher, como elas afetam o relacionamento dos dois e como lidar com elas. Entendemos também as diferenças fundamentais dos sexos e seus conflitos inerentes. Aprendemos a buscar a raiz dos problemas e resolvê-los usando a razão em vez da emoção. Apresentamos dezenas de ferramentas práticas que você pode usar no dia a dia de seu casamento para resolver e prevenir problemas.

Você conheceu um pouco mais sobre Cristiane e eu, e esperamos que nossas lutas e experiências tenham contribuído positivamente para o seu casamento. Procuramos passar para você uma ideia realista do que é o casamento, sem rodeios, revelando suas dificuldades, mas também suas alegrias e beleza. Casamento feliz dá trabalho, sim, mas o salário vale a pena! Queremos levantar a bandeira do amor verdadeiro, desbancar os mitos e a desinformação que pragueja os relacionamentos de hoje em dia e mostrar que é possível ser casado e muito feliz. Sinceramente cremos que a felicidade total só é conhecida por quem é bem casado, pois para isso fomos criados. E ela é possível. Não deixe que ninguém lhe diga o contrário.

Cristiane e eu não nos consideramos "sortudos". A felicidade de nosso casamento se deve totalmente às nossas decisões, muitas vezes contra os nossos sentimentos, e à prática da inteligência espiritual, que é a obediência aos conselhos de Deus. Se não tivéssemos feito isso, e continuado a fazer, seríamos mais uma estatística. Qualquer pessoa, incluindo você, que quiser e praticar esses conselhos, também pode ter um casamento muito feliz. Quanto a isso, não podemos fazer pouco caso. É somente pela fé prática que estamos aqui.

A nossa inteligência se recusa a crer que é possível ser feliz no amor sem conhecer o Verdadeiro Amor, que é Deus. Tudo o que você quiser realizar na sua vida, não só no seu casamento, é possível através de sua fé nEle — mesmo as respostas que você possa não ter encontrado neste livro. Por isso, nosso conselho principal em resposta à pergunta "o que faço agora?" é este:

Procure conhecer pessoalmente o Deus da Bíblia através do Senhor Jesus. Ele não quer que você se torne um religioso, mas que desenvolva um relacionamento com Ele.

Além disso, temos a mais absoluta certeza de que os princípios e ensinamentos práticos que você aprendeu neste livro funcionam. Não são sempre fáceis de praticar, mas são certeiros. Difícil não quer dizer impossível e a demora nos resultados não quer dizer que eles nunca vão chegar. Seja paciente e perseverante. Não espere que a mudança total venha em questão de dias, nem cobre isso do seu parceiro. Comece com o primeiro passo e siga trabalhando.

Sugerimos que você foque em alguns pontos, a princípio: um, dois ou três pontos principais que o marcaram, que você sabe que são os que exigem uma mudança mais urgente. Trabalhe nesses pontos até que estejam integrados à sua vida. Depois volte aos outros capítulos e trabalhe nas outras áreas. É como uma reeducação alimentar. Você quer emagrecer, mas sabe que não adianta cortar drasticamente as calorias e passar fome, isso não funciona. Mas, se mudar sua alimentação aos poucos e se exercitar mais, o resultado virá naturalmente e de uma maneira permanente. Mantenha o foco na mudança e o esforço contínuo, e alcançará seu objetivo.

Não desista. Como diz o ditado, "uma caminhada de mil milhas começa com um primeiro passo". Da prática virão os resultados.

COMO FAZEMOS PARA MANTER O *NOSSO* CASAMENTO BLINDADO

Pouco depois de termos lançado a primeira edição deste livro, uma pessoa tuitou isto a nosso respeito:

> Aguardo ansioso o dia em que o casal que escreveu "Casamento Blindado" entre com o pedido de divórcio.

Talvez tenha sido apenas mais um comentário irreverente como tantos de gente de mal com a vida, que inundam as redes sociais. Mas a pergunta que não quer calar: por que um desejo tão maldoso dirigido a quem tanto tem lutado pelas famílias? É como desejar que um bombeiro morresse queimado...

A verdade é que casamento feliz hoje em dia parece irritar certas pessoas. Não foi a primeira nem a última vez que Cristiane e eu sofremos ataques assim. Isso não nos magoa, de forma alguma. Apenas ressaltamos o que acontece conosco para conscientizá-lo do quanto você também precisa blindar seu casamento. Se há pessoas desejando o fim do nosso casamento, será que o seu também não está nos desejos mais perversos, egoístas e invejosos de alguém? Será que entre seus familiares e parentes; no seu local de trabalho ou no do seu parceiro; no círculo de amigos ou até entre os estranhos que visualizam suas redes sociais — não há pessoas pensando e desejando coisas deste tipo?

- Não dou um ano para esse casamento acabar
- O marido dela é o meu tipo, mas não sei o que ele viu nela
- Que vontade de levar a mulher dele para a cama
- Tomara que eles se separem
- O marido dela devia chifrá-la só para ela aprender
- Ela não merece um marido tão bom assim

- Ela pode ser casada, mas é mal-amada... Vou dar a ela a atenção que o marido não dá
- Eles não parecem felizes... Se eu intensificar o charme, quem sabe ele fica comigo
- Não posso deixar escapar um bom partido desses... Não importa se ele é casado
- Se eu engravidar dele, ele vai ter de deixar a mulher para ficar comigo

Dá nojo só de escrever essa lista, mas a verdade é ainda pior. Não dá nem para escrever aqui certas coisas que temos visto e ouvido por aí. Pessoas assim existem e podem estar bem mais perto de vocês do que imagina. Não seja ingênuo. Há pessoas tão infelizes que a única felicidade que têm é ver outros tão infelizes quanto elas. Mantenha-se alerta!

Por isso, você precisa blindar seu casamento. E a blindagem não é algo que se faz uma só vez. Quem tem carro blindado sabe que a blindagem expira. Blindar o casamento é algo diário, porque nunca sabemos *quando* nem *de onde* virá um ataque. Você, e somente você, é responsável por isso. Sim, seu parceiro também, mas e se ele ou ela estiver deixando a guarda baixa? Você não pode baixar a sua.

Para ajudá-lo nessa luta, vamos compartilhar com você o que Cristiane e eu fazemos para manter o *nosso* casamento blindado contra o divórcio — e contra pessoas como o infeliz que tuitou aquilo. Considere isto como um checklist para ver o que vocês também podem aplicar no seu casamento. Cada casal é diferente e nós não estamos ditando o que todos devem fazer. A lista abaixo é o que nós fazemos e tem funcionado. Apliquem o que servir para vocês.

Checklist de manutenção periódica para um casamento blindado

- ☐ Sabemos tudo o que está acontecendo na vida um do outro
- ☐ Compartilhamos nossa agenda um com o outro diariamente
- ☐ Avisamos ao outro sobre qualquer mudança de planos em nossa agenda durante o dia
- ☐ Sempre vamos para a cama juntos, nada de um dormir primeiro que o outro
- ☐ Tentamos fazer nossas refeições juntos, sempre que possível

- ☐ Fazemos questão de manter contato físico várias vezes ao dia — beijo no rosto, segurar a mão, abraçar...
- ☐ Expressamos nosso amor um pelo outro com frequência, com palavras e de outras formas
- ☐ Temos somente amigos em comum — na vida e virtualmente. Se não é amigo de um, não é do outro
- ☐ Nenhum de nós tem amizade íntima com alguém do sexo oposto
- ☐ Compartilhamos nossas senhas e temos livre acesso ao celular e a tudo o que é do outro
- ☐ Procuramos fazer juntos: atividades físicas, de lazer e entretenimento
- ☐ Também tiramos tempo para atividades individuais ocasionalmente
- ☐ Compartilhamos e mantemos sempre os mesmos objetivos
- ☐ Celebramos os sucessos um do outro; não há competição, inveja nem ressentimento pelo que o outro realiza
- ☐ Poupamos um ao outro de estresses desnecessários; resgatamos o outro quando está estressado
- ☐ Cuidamos da saúde um do outro: alimentação, visitas preventivas aos médicos, protegemos nosso sono etc.
- ☐ Confidenciamos nossos pensamentos um ao outro
- ☐ Aceitamos os defeitos perpétuos um do outro sem fazer críticas
- ☐ Oramos um pelo outro e pelo nosso casamento em nossas orações particulares
- ☐ Permanecemos atentos à vida espiritual um do outro
- ☐ Repreendemos um ao outro quando necessário
- ☐ (Cristiane) Deixo o Renato liderar
- ☐ (Cristiane) Planejo minha agenda ao redor da dele
- ☐ (Renato) Guardo as coisas que uso no lugar para ajudá-la
- ☐ (Renato) Eu a poupo fisicamente. Procuro carregar os pesos lá em casa
- ☐ Nosso dinheiro e tudo o que temos é compartilhado. Não separamos contas
- ☐ Cultivamos a verdade entre nós. Não mentimos um ao outro nem escondemos nada do outro
- ☐ Mantemos nossa vida sexual ativa e prazerosa para os dois

- ☐ Estimulamos um ao outro sexualmente sem recorrer a pornografia nem a outros apetrechos
- ☐ Procuramos manter sempre o bom humor e rir juntos
- ☐ Temos limites claros um para o outro e os respeitamos
- ☐ Procuramos estimular um ao outro intelectualmente

Este checklist pode ser revisitado periodicamente por vocês. Use-o como uma maneira rápida de checar a saúde do seu relacionamento e ver se há alguma área precisando de cuidados especiais. Fique à vontade para acrescentar itens relevantes a vocês.

E como reforço, acrescentamos no final deste capítulo vários outros recursos e ferramentas que desenvolvemos para vocês vencerem as investidas do mal. Use-os. O inimigo com certeza usará as dele contra o seu casamento! Não baixe sua guarda.

Cristiane e eu queremos ser um impacto positivo em sua vida. Gostaríamos de sugerir mais alguns passos que você pode dar a partir de agora a fim de maximizar os resultados no seu relacionamento e até ajudar outras pessoas ao seu redor. Aqui vão mais seis dicas:

1. **Reveja** partes deste livro que chamaram sua atenção ou que você precisa entender melhor. Além de repassar o que aprendeu, isso o ajudará a absorver os pontos mais importantes e a saber como agir em situações futuras.
2. **Se não cumpriu** alguma das tarefas, ainda há tempo. Volte e trabalhe nelas. Não subestime o poder de implementá-las. Sentindo vontade ou não, faça!
3. **Guarde a sua cópia** deste livro para voltar a lê-lo daqui a seis meses. Mudanças levam tempo e requerem persistência e quanto mais você reforça uma informação, melhor consegue absorvê-la. Por isso, abra agora o seu calendário, ache a data a seis meses de hoje e marque: "Reler livro *Casamento Blindado 2.0*". As pessoas que fizeram isso têm visto resultados muito maiores.
4. **Faça um bem** a alguém presenteando essa pessoa com um exemplar deste livro. Talvez conheça alguém que vai se casar em breve e precisa aprender agora para não errar lá na frente. Ou pessoas casadas que estão precisando blindar seu casamento. Elas vão lhe agradecer de todo o coração e jamais se esquecerão de você.

5. **Participe de nossas palestras presenciais.** Normalmente às quintas-feiras, 20h, falamos a milhares de casais e solteiros no Templo de Salomão em São Paulo. O acesso é gratuito e aberto ao público. Mais detalhes no site TerapiadoAmor.tv ou ligue (11) 3573-3535. Fora de São Paulo? Assista às transmissões das palestras pelo univervideo.com
6. **Mantenha contato conosco** através de nossos vários canais (veja tabela a seguir). Gostaríamos muito de receber seu feedback e continuar ajudando você. Siga, deixe um comentário, assista aos nossos vídeos, conte-nos suas experiências.

Feliz casamento blindado!

Renato & Cristiane Cardoso

BLOGS	CristianeCardoso.com RenatoCardoso.com
SITE CASAMENTO BLINDADO	CasamentoBlindado.com
FACEBOOK	fb.com/RenatoCardosoOficial fb.com/CrisCardosoOficial fb.com/CasamentoBlindado fb.com/EscoladoAmor
INSTAGRAM	@RenatoCardosoOficial @CrisCardosoOficial @TheLoveSchool @CasamentoBlindadoOficial
YOUTUBE	YouTube.com/CanalTheLoveSchool YouTube.com/RenatoCardosoOficial YouTube.com/CrisCardosoOficial
TWITTER	@bprenato @criscardoso @CasamentoBlind @TheLoveSchoolTV
E-MAIL	livro@casamentoblindado.com

OUTRAS ARMAS DE BLINDAGEM

- Assista ao Curso *Casamento Blindado:* divertido, inteligente e muito prático. Os ensinamentos do livro saem do papel para a vida com muitas dicas extras. Presencial ou por vídeo. Acesse: CasamentoBlindado.com/curso

- Considerem fazer a *Caminhada do Amor* assim que possível, e pelo menos uma vez por ano. Mais explicações a respeito neste link: CaminhadadoAmor.com
- Torne-se um aluno da *The Love School (A Escola do Amor):* assista ao nosso programa aos sábados 12h pela RecordTV, R7 Play ou EscoladoAmor.tv. Ouça também nosso **programa de rádio** diariamente pela 99,3 FM em São Paulo (ver http://goo.gl/vNhDh para outras emissoras em todo Brasil). Também disponível em **podcasts via iTunes** *Escola do Amor Responde*: http://rna.to/EdARiTunes
- Ouça o audiobook Casamento Blindado – lido pelos autores! Disponível no iTunes
- Blinde seu casamento um minuto por dia: leia nosso livro *120 Minutos para blindar seu casamento*. Nas livrarias.
- Leia *Namoro Blindado:* o manual do século 21 para solteiros, namorados, noivos, divorciados e viúvos. A prevenção é melhor que a cura. Sempre! Nas livrarias ou pelo site NamoroBlindado.com
- Assista às 21 Dicas que marcaram nosso 21º aniversário de casamento – (link para YouTube) rna.to/21dicasParaCasais
- Assista aos 21 Mandamentos para um Relacionamento Feliz: (link para YouTube:) rna.to/21mandamentos
- Faça o propósito da *Blindagem do Alto* por 30 dias. Acesse RenatoCardoso.com
- Sexo: solteiros, namorados, noivos e casados: assistam à nossa palestra *Sexo em um Casamento Blindado* no Univer: univervideo.com
- Celebridades, empresários e executivos: uma aula de como blindar seu casamento só para vocês. Acesse CasamentoBlindado.com
- Mulher: leia os livros *A Mulher V* e *Melhor que comprar sapatos* da Cristiane
- Homem: faça o *Projeto IntelliMen* – acesse homensinteligentes.com

AGRADECIMENTOS

Antes de tudo, ao inventor do casamento, Deus. Para os menos entendidos, criar homem e mulher tão diferentes um do outro e colocá-los para viver juntos pode parecer uma piada de ´mau gosto. Mas Ele sabe o que faz, sempre. Somos gratos a Ele também por ter-nos presenteado com a vida um do outro. Renato não seria Renato sem Cristiane, que não seria Cristiane sem Renato. É difícil explicar.

Aos problemas que passamos em nosso casamento, que foram duros, mas bons professores.

Ao Bispo Macedo e Dona Ester, talvez o casal mais sólido e feliz que conhecemos e que mais nos influenciou. Obrigado pelos ensinamentos, muitos dos quais permeiam este livro.

A David e Evelyn Higginbotham, que nos ajudaram a desenvolver este trabalho no Texas, sempre com ótimo insight.

A Vanessa Lampert, que pesquisou, revisou, leu e releu este livro mais vezes que se deveria permitir a qualquer pessoa.

E a toda a nossa equipe e alunos do *Casamento Blindado* e da *The Love School*. Vocês têm grande parte nesta obra. Alegrem-se conosco!

Renato e Cristiane Cardoso

REFERÊNCIAS BIBLIOGRÁFICAS

É possível resgatar o amor?

UOL Notícias, Brasileiro casa cada vez mais tarde e separa-se mais jovem e com menos tempo de casado, diz IBGE <https://noticias.uol.com.br/cotidiano/ultimas-noticias/2012/12/17/brasileiro-casa-cada-vez-mais-tarde-e-separa-mais-jovem-e-com-menos-tempo-de-casado-diz-ibge.htm>. Acessado em 30 de maio de 2017.

Portal Brasil, Em 10 anos, taxa de divórcios cresce mais de 160% no País <http://www.brasil.gov.br/cidadania-e-justica/2015/11/em-10-anos-taxa-de-divorcios-cresce-mais-de-160-no-pais>. Acessado em 22 de maio de 2017.

Capítulo 1

BBC, Cidade do México estuda permitir casamentos renováveis a cada dois anos <http://www.bbc.com/portuguese/noticias/2011/09/110929_mexico_casamento_validade_fn.shtml>. Acessado em 22 de maio de 2017.

Time, The Beta Marriage: How Millennials Approach 'I Do' <http://time.com/3024606/millennials-marriage-sex-relationships-hook-ups/>. Acessado em 8 de maio de 2017.

Independent, 10-year relationship contracts could replace marriages and prevent divorce, say relationship experts <http://www.independent.co.uk/life-style/love-sex/10-year-relationship-contracts-could-replace-marriages-and-save-divorce-say-relationship-experts-a7456211.html>. Acessado em 19 de junho de 2017.

Aeon, A temporary marriage makes more sense than marriage for life <https://aeon.co/ideas/a-temporary-marriage-makes-more-sense-than-marriage-for-life>. Acessado em 3 de julho de 2017.

The New York Times, For Women Under 30, Most Births Occur Outside Marriage <http://www.nytimes.com/2012/02/18/us/for-women-under-30-most-births-occur-outside-marriage.html?_r=1>. Acessado em 22 de maio de 2017.

Politifact Virginia, Beyer says more than half of moms under 30 are unwed <http://www.politifact.com/virginia/statements/2015/jun/22/don-beyer/beyer-says-more-half-moms-under-30-are-unwed/>. Acessado em 22 de maio de 2017.

Science Daily, Do children need both a mother and a father? <https://www.sciencedaily.com/releases/2010/01/100121135904.htm>. Acessado em 22 de maio de 2017.

The Atlantic, Are Fathers Necessary? <http://www.theatlantic.com/magazine/archive/2010/07/are-fathers-necessary/8136/>. Acessado em 22 de maio de 2017.

Daily Mail, The Facebook divorces: Social network site is cited in 'a THIRD of splits' <http://www.dailymail.co.uk/femail/article-2080398/Facebook-cited-THIRD-divorces.html>. Acessado em 22 de maio de 2017.

Daily Mail, The marriage killer: One in five American divorces now involve Facebook

<http://www.dailymail.co.uk/news/article-1334482/The-marriage-killer-One-American-divorces-involve-Facebook.html>. Acessado em 22 de maio de 2017.

Covenant Eyes, Pornography Statistics: 2015 Report <http://www.covenanteyes.com/pornstats/>. Acessado em 22 de maio de 2017.

Barna Group, Porn in the Digital Age: New Research Reveals 10 Trends <https://www.barna.com/research/porn-in-the-digital-age-new-research-reveals-10-trends/>. Acessado em 22 de maio de 2017.

Clergy sex addiction intensive <https://www.hopeandfreedom.com/clergy-sex-addiction-intensive>. Acessado em 10 de julho de 2017.

Motion Picture Association of America, Theatrical Market Statistics, 2015, p. 19,20 <http://www.mpaa.org/wp-content/uploads/2016/04/MPAA-Theatrical-Market-Statistics-2015_Final.pdf>.

Statistic Brain, Adult Film Industry Statistics & Demographics <http://www.statisticbrain.com/adult-film-industry-statistics-demographics/>. Acessado em 7 de julho de 2017.

Huffington Post, Facebook, Divorce Linked In New Study <http://www.huffingtonpost.com/2013/06/06/facebook-divorce-linked-i_n_3399727.html>. Acessado em 18 de maio de 2017.

R7, Mulheres são maioria nas universidades do mundo <http://noticias.r7.com/vestibular-e-concursos/noticias/mulheres-sao-maioria-nas-universidades-do-mundo-20111022.html>. Acessado em 22 de maio de 2017.

Portal Brasil, Mulheres são maioria em universidades e cursos de qualificação <http://www.brasil.gov.br/economia-e-emprego/2016/03/mulheres-sao-maioria-em-universidades-e-cursos-de-qualificacao>. Acessado em 22 de maio de 2017.

Revista IstoÉ, 19 de novembro de 2008, ed. 2037. P. 68, Elas estão traindo mais < http://istoe.com.br/1572_ELAS+ESTAO+TRAINDO+MAIS/>. Acessado em 22 de maio de 2017.

Capítulo 2

Covey, Stephen. Os 7 hábitos das pessoas altamente eficazes. 52ª edição. Rio de Janeiro: Best Seller, 2014. p. 56-57.

Capítulo 4

Reuters, In love? It's not enough to keep a marriage, study finds <http://www.reuters.com/article/2009/07/14/idUSSP483675>. Acessado em 18 de maio de 2017.

Barna, New Marriage and Divorce Statistics Released <https://www.barna.com/research/new-marriage-and-divorce-statistics-released/>. Acessado em 18 de maio de 2017.

Capítulo 6

Wikipedia, 5 Whys <http://en.wikipedia.org/wiki/5_Whys>. Acessado em 18 de maio de 2017.

Capítulo 7

Ahlwardt, Peter; Reasonable and Theological Considerations about Thunder and Lightning (1745).

Deutsche Welle, Benjamin Franklin inventa o para-raios <http://www.dw.com/pt-br/1752-benjamin-franklin-inventa-o-para-raios/a-314478>. Acessado em 19 de maio de 2017.

Capítulo 8

Wikipedia, Soul Mate <http://en.wikipedia.org/wiki/soulmate>. Acessado em 19 de maio de 2017.

Capítulo 11

Lexiophiles, E a vaca foi para o brejo! <http://www.lexiophiles.com/portugues/e-a-vaca-foi-para-o-brejo>. Acessado em 19 de maio de 2017.

Guiness World Records, Most somersaults into underpants in 90 seconds <http://www.guinnessworldrecords.com/world-records/most-somersaults-into-underpants-in-90-seconds>. Acessado em 20 de junho de 2017.

Capítulo 15

CBC News, Neuroscientists explore diferences in male, female brains <http://www.cbc.ca/news/health/men-women-brains-difference-1.3473154>. Acessado em 19 de maio de 2017.

Brizendine, Louann. The Female Brain. Three Rivers Press, 2007.

Gungor, Mark. Laugh Your Way to a Better Marriage. Atria Books, 2008.

BBC, Women 'better at multitasking' than men, study finds <http://www.bbc.com/news/science-environment-24645100>. Acessado em 19 de maio de 2017.

Capítulo 16

Hooks, bell. Feminist Theory: From Margin to Center. Cambridge: South End Press, 2000 p.26.

Veja só a razão disso no Brasil: 1977: É aprovada a Lei do Divórcio (nº 6.515), uma antiga reivindicação do movimento feminista. <https://web.archive.org/web/20130110074328/http://www.brasil.gov.br/linhadotempo/epocas/1977/lei-do-divorcio>. Acessado em 19 de maio de 2017.

BBC, Como vício em pornografia está afetando saúde sexual de jovens britânicos <www.bbc.com/portuguese/geral-37087394>. Acessado em 8 de maio de 2017.

Your Brain on Porn, Porn-Induced Sexual Dysfunction <https://yourbrainonporn.com/porn-induced-ed-start-here>. Acessado em 8 de maio de 2017.

Capítulo 17

Merriam–Webster's Collegiate Dictionary - etymology of husband, husbandry : ORIGIN late Old English (in the senses 'male head of a household' and 'manager, steward'), from Old Norse húsbóndi 'master of a house,' from hús 'house' + bóndi 'occupier and tiller of the soil.' The original sense of the verb was 'till, cultivate'. Merriam-Webster, Inc.

Capítulo 19

Birnbaum, Gurit E.; Reis, Harry T.; Mizrahi, Moran; Kanat-Maymon, Yaniv; Sass, Omri; Granovski-Milner, Chen. Intimately Connected: The Importance of Partner Responsiveness for Experiencing Sexual Desire. Journal of Personality and Social Psychology, Vol 111(4), Oct 2016, 530-546. <https://www.researchgate.net/publication/305211692_Intimately_Connected_The_Importance_of_Partner_Responsiveness_for_Experiencing_Sexual_Desire>. Acessado em 13 de maio de 2017.

Instituto Oncoguia, Fatores de risco para o câncer de ânus <http://www.oncoguia.org.br/conteudo/fatores-de-risco-para-o-cancer-de-anus/8378/973/>. Acessado em 5 de julho de 2017.

WapTV Comunicação, Sexo Anal MATA! Você sabia? — Dra. Anete Guimarães <https://www.youtube.com/watch?v=2K-_IBVuj3k&feature=youtu.be>. Acessado em 5 de julho de 2017.

R7, Cadeirantes têm vida sexualmente ativa quando são curiosos <http://noticias.r7.com/saude/noticias/cadeirantes-tem-vida-sexualmenteativa-quando-sao-curiosos-20100328.html>. Acessado em 5 de julho de 2017.

Capítulo 20

BBC, Maioria das mulheres perde quase 90% dos óvulos até os 30 anos, diz estudo <www.bbc.com/portuguese/ciencia/2010/01/100128_reservaovulosestudofn.shtml>. Acessado em 24 de maio de 2017.

IBGE, Estatísticas do Registro Civil 2015, v. 42, Rio de Janeiro, p. 35, "a maior proporção das dissoluções se deu em famílias somente com filhos menores de idade" <http://biblioteca.ibge.gov.br/visualizacao/periodicos/135/rc_2015_v42.pdf>.

Capítulo 21

Exame, As 8 principais traições financeiras que minam os casamentos <http://exame.abril.com.br/seu-dinheiro/as-8-principais-traicoes-financeiras-que-minam-os-casamentos/>. Acessado em 6 de julho de 2017.

Cahit Guven, Claudia Senik, Holger Stichnoth. You can't be happier than your wife. Happiness Gaps and Divorce. PSE Working Papers n2011-01, p. 21. 2011. <halshs-00555427>.

Weiss, Yoram (1997) Tel-Aviv University: The Formation And Dissolution Of Families: Why Marry? Who Marries Whom? And What Happens Upon Divorce, p. 112. <http://public.econ.duke.edu/~vjh3/e195S/readings/Weiss.pdf>.

Capítulo 22

Daily Mail, Why you should never go to bed angry: Bad memories are harder to shake after a good night's sleep <http://www.dailymail.co.uk/sciencetech/article-3982542/Why-never-bed-angry-Bad-memories-harder-shake-good-night-s-sleep.html>. Acessado em 6 de julho de 2017.

Marriage Gems, Avoid Divorce with 5:1 Ratio <https://marriagegems.com/tag/five-to-one-ratio/>. Acessado em 24 de maio de 2017.

Accountemps, FUNNY BUSINESS; Accountemps Survey: Executives Say Humor Is Key Part of Cultural Fit. <accountemps.rhi.mediaroom.com/funny-business>. Acessado em 24 de maio de 2017.

Daily Mail, House-cleaning causes the most marital dust-ups as majority of couples admit they row over chores at least once a week <http://www.dailymail.co.uk/news/article-2265615/House-cleaning-causes-marital-dust-ups-majority-couples-admit-row-chores-week.html>. Acessado em 7 de julho de 2017.

Capítulo 23

Joel, S., Gordon, A., Impett, E. A., MacDonald, G., & Keltner, D. (2013). The things you do for me: Perceptions of a romantic partner's investments promote gratitude and commitment. Personality and Social Psychology Bulletin. <https://www.researchgate.net/publication/251878599_The_Things_You_Do_for_Me_Perceptions_of_a_Romantic_Partner%27s_Investments_Promote_Gratitude_and_Commitment>. Acessado em 17 de maio de 2017.

Science of relationships, The Silver Lining to Sacrificing for Your Partner <http://www.scienceofrelationships.com/home/2017/3/6/the-silver-lining-to-sacrificing-for-your-partner.html>. Acessado em 7 de julho de 2017.

Wieselquist, J., Rusbult, C. E., Foster, C. A., & Agnew, C. R. (1999). Commitment, pro-relationship behavior, and trust in close relationships. Journal of Personality and Social Psychology. <https://www.ncbi.nlm.nih.gov/pubmed/10573874>. Acessado em 24 de maio de 2017.

Grant, Adam. Dar e receber: uma abordagem revolucionária sobre sucesso, generosidade e influência. Rio de Janeiro: Sextante, 2014.

Este livro foi impresso em 2024, pela Assahi, para a
Thomas Nelson Brasil. O papel do miolo é pólen
natural 70g/m², e o da capa é cartão 250g/m².